2-2

중 학 수 학

TOP
OF THE
TOP

1등급 비밀!

최강

TOT

1등급 비밀! **TOP OF THE TOP**

1등급 비밀!

# 최강 TOT

## 2-2
중학수학

## 강남 상위권의 비밀을 담은 교재

학업성취도 우수 중학교의
기출 문제 중 변별력이 있는
우수 문제를 선별하여 담았습니다.

## 작은 차이로 실력을 높이는 교재

작은 차이로 실수를 유발했던 기출 문제를 통해
개념은 더욱 정확히 이해하게 하고,
함정에 빠질 위험은 줄였습니다.

## 진짜 수학 잘하는 학생이 보는 교재

수학적 사고력이 필요한 문제, 창의적이고 융합적인
문제를 함께 담아 사고력 및 응용력을 높였습니다.

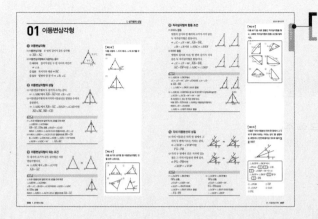

## 핵심 개념 & 확인 문제

중단원별 핵심 개념과 함께
쉽지만 그냥 넘길 수 없는 확인 문제를 담았습니다.

## STEP 1 억울하게 울리는 문제

'왜 틀렸지?' 하고 문제를 다시 보면
그때서야 함정이 보이는 실수 유발 문제를 담았습니다.

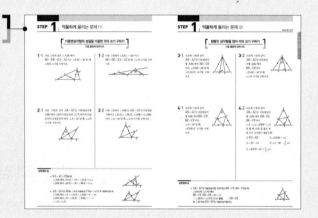

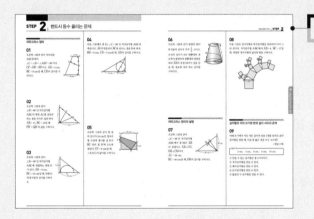

## STEP 2 반드시 등수 올리는 문제

상위권 학생을 위한 여러 가지 유형의
변별력 문제를 담았습니다.

## STEP 3 전교1등 확실하게 굳히는 문제

종합적 사고력이 필요한 창의 융합 문제 및
서술형 문제를 담았습니다.

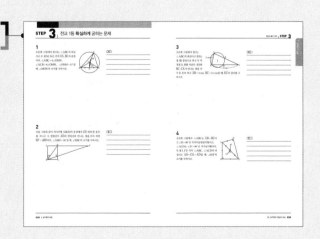

# I

# 삼각형의 성질

# 01 이등변삼각형

## ❶ 이등변삼각형

(1) 이등변삼각형   두 변의 길이가 같은 삼각형
   ➡ $\overline{AB}=\overline{AC}$

(2) 이등변삼각형에서 사용하는 용어
   ① 꼭지각   길이가 같은 두 변 사이의 끼인각
      ➡ ∠A
   ② 밑변   꼭지각의 대변 ➡ $\overline{BC}$
   ③ 밑각   밑변의 양 끝 각 ➡ ∠B, ∠C

## ❷ 이등변삼각형의 성질

(1) 이등변삼각형의 두 밑각의 크기는 같다.
   ➡ △ABC에서 $\overline{AB}=\overline{AC}$이면 ∠B=∠C

(2) 이등변삼각형의 꼭지각의 이등분선은 밑변을 수직이
   등분한다.
   ➡ △ABC에서 $\overline{AB}=\overline{AC}$, ∠BAD=∠CAD이면
   $\overline{AD}\perp\overline{BC}$, $\overline{BD}=\overline{CD}$

### 개념+

(1) ∠A의 이등분선과 밑변 BC의 교점을 D라 하면
   △ABD와 △ACD에서
   $\overline{AB}=\overline{AC}$, $\overline{AD}$는 공통, ∠BAD=∠CAD
   따라서 △ABD≡△ACD (SAS 합동)이므로 ∠B=∠C

(2) (1)에서 △ABD≡△ACD (SAS 합동)이므로 $\overline{BD}=\overline{CD}$
   또 ∠ADB=∠ADC이고 ∠ADB+∠ADC=180°이므로
   ∠ADB=∠ADC=90°   ∴ $\overline{AD}\perp\overline{BC}$

## ❸ 이등변삼각형이 되는 조건

두 내각의 크기가 같은 삼각형은 이등
변삼각형이다.
   ➡ △ABC에서 ∠B=∠C이면
   $\overline{AB}=\overline{AC}$

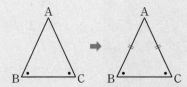

### 개념+

∠A의 이등분선과 밑변 BC의 교점을 D라 하면
△ABD와 △ACD에서
∠B=∠C, ∠BAD=∠CAD이므로 ∠ADB=∠ADC
또 $\overline{AD}$는 공통
따라서 △ABD≡△ACD (ASA 합동)이므로 $\overline{AB}=\overline{AC}$

[ 확인 ❶ ]

다음 그림의 △ABC에서 ∠$x$의 크기를 구
하시오.

(1)

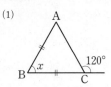

(2)

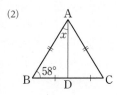

[ 확인 ❷ ]

다음 보기의 삼각형 중 이등변삼각형인 것
을 모두 고르시오.

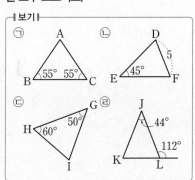

## ❹ 직각삼각형의 합동 조건

### (1) RHA 합동

빗변의 길이와 한 예각의 크기가 각각 같은
두 직각삼각형은 합동이다.
➡ $\angle C = \angle F = 90°$, $\overline{AB} = \overline{DE}$,
$\angle B = \angle E$이면 $\triangle ABC \equiv \triangle DEF$

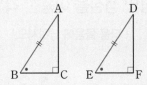

### (2) RHS 합동

빗변의 길이와 다른 한 변의 길이가 각각
같은 두 직각삼각형은 합동이다.
➡ $\angle C = \angle F = 90°$, $\overline{AB} = \overline{DE}$,
$\overline{AC} = \overline{DF}$이면 $\triangle ABC \equiv \triangle DEF$

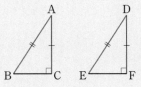

**개념＋**

(1) $\triangle ABC$와 $\triangle DEF$에서
$\angle C = \angle F = 90°$, $\angle B = \angle E$이므로 $\angle A = \angle D$
또 $\overline{AB} = \overline{DE}$
$\therefore \triangle ABC \equiv \triangle DEF$ (ASA 합동)

(2) $\triangle ABC$와 $\triangle DEF$에서 변 AC와 변 DF가 겹치도록 놓으면
$\angle ACB + \angle ACE = 90° + 90° = 180°$
즉 세 점 B, C, E는 한 직선 위에 있다.
이때 $\overline{AB} = \overline{AE}$이므로 $\triangle ABE$는 이등변삼각형이다.
따라서 $\angle B = \angle E$이므로
$\triangle ABC \equiv \triangle DEF$ (RHA 합동)

## ❺ 각의 이등분선의 성질

### (1) 각의 이등분선 위의 한 점에서 그 각의 두 변에 이르는 거리는 같다.

➡ $\angle XOP = \angle YOP$이면
$\overline{PA} = \overline{PB}$

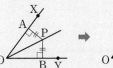

### (2) 각의 두 변에서 같은 거리에 있는 점은 그 각의 이등분선 위에 있다.

➡ $\overline{PA} = \overline{PB}$이면
$\angle XOP = \angle YOP$

**개념＋**

(1) $\triangle AOP$와 $\triangle BOP$에서
$\overline{OP}$는 공통,
$\angle OAP = \angle OBP = 90°$,
$\angle AOP = \angle BOP$이므로
$\triangle AOP \equiv \triangle BOP$ (RHA 합동)
$\therefore \overline{PA} = \overline{PB}$

(2) $\triangle AOP$와 $\triangle BOP$에서
$\overline{OP}$는 공통,
$\angle OAP = \angle OBP = 90°$,
$\overline{PA} = \overline{PB}$이므로
$\triangle AOP \equiv \triangle BOP$ (RHS 합동)
$\therefore \angle AOP = \angle BOP$

【확인 ❸】

다음 보기 중 서로 합동인 직각삼각형을 찾
고, 그때의 직각삼각형의 합동 조건을 말하
시오.

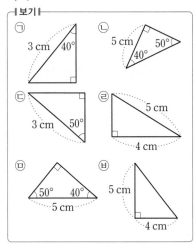

【확인 ❹】

다음은 '각의 이등분선 위의 한 점에서 그 각
의 두 변에 이르는 거리는 같다.'를 설명하
는 과정이다. 빈칸에 들어갈 것으로 옳지 <u>않</u>
은 것은?

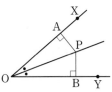

$\triangle AOP$와 $\triangle BOP$에서
$\angle POA = $ ① , ② 는 공통,
③ $= \angle OBP = 90°$이므로
$\triangle AOP \equiv \triangle BOP$ ( ④ 합동)
$\therefore$ ⑤ $= \overline{PB}$

① $\angle POB$ ② $\overline{OP}$
③ $\angle OAP$ ④ SAS
⑤ $\overline{PA}$

## 이등변삼각형의 성질을 이용한 각의 크기 구하기

다음 물음에 답하시오.

**1-1** 다음 그림과 같은 △ABC에서 $\overline{BD}=\overline{DE}=\overline{EA}=\overline{AC}$이고 ∠EAC=30°일 때, ∠B의 크기를 구하시오.

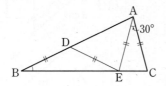

**1-2** 다음 그림에서 ∠BAC=140°이고 $\overline{BD}=\overline{DE}=\overline{EA}=\overline{AC}$일 때, ∠$x$의 크기를 구하시오.

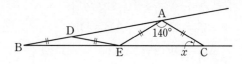

**2-1** 다음 그림과 같이 $\overline{AB}=\overline{AC}$인 이등변삼각형 ABC에서 ∠B의 이등분선과 ∠C의 외각의 이등분선의 교점을 D라 하자. ∠A=56°일 때, ∠$x$의 크기를 구하시오.

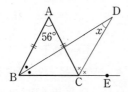

**2-2** 다음 그림에서 △ABC는 $\overline{AB}=\overline{AC}$인 이등변삼각형이고 ∠ACD=∠DCE, ∠ABD=2∠DBC이다. ∠A=48°일 때, ∠$x$의 크기를 구하시오.

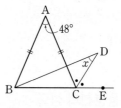

---

**상위권의 눈**

▸ $\overline{BA}=\overline{AC}=\overline{CD}$일 때,
 △ABC에서 ∠DAC=∠B+∠ACB=2∠$x$
 △DBC에서 ∠DCE=∠B+∠BDC=3∠$x$

▸ $\overline{AB}=\overline{AC}$이고 $\overline{BD}$는 ∠B의 이등분선, $\overline{CD}$는 ∠ACE의 이등분선일 때,
 △ABC에서 ∠A=∠ACE−∠ABC=2×−2●
 △DBC에서 ∠D=∠DCE−∠DBC=×−●
 ∴ ∠A=2∠D

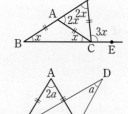

# STEP 1 | 억울하게 울리는 문제 (2)

## [ 합동인 삼각형을 찾아 각의 크기 구하기 ]

### 다음 물음에 답하시오.

**3-1** 오른쪽 그림과 같이 $\overline{AB}=\overline{AC}$인 이등변삼각형 ABC에서 $\overline{BD}=\overline{CE}$ 이다. ∠ADE=80°일 때, ∠EAD의 크기를 구하시오.

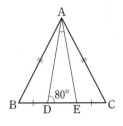

**3-2** 오른쪽 그림과 같이 $\overline{AB}=\overline{AC}$인 이등변삼각형 ABC에서 $\overline{BD}=\overline{CE}$이다. ∠DAE=30°일 때, ∠x의 크기를 구하시오.

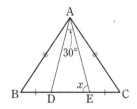

**4-1** 오른쪽 그림과 같이 $\overline{AB}=\overline{AC}$인 이등변삼각형 ABC에서 $\overline{BD}=\overline{CE}$, $\overline{BE}=\overline{CF}$이다. ∠A=56°일 때, ∠FDE의 크기를 구하시오.

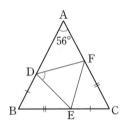

**4-2** 오른쪽 그림과 같이 $\overline{AB}=\overline{AC}$인 이등변삼각형 ABC에서 $\overline{DB}=\overline{EC}$, $\overline{BE}=\overline{CF}$이다. ∠A=∠a, ∠DEF=∠b 라 할 때, 다음 중 옳은 것을 모두 고르면? (정답 2개)

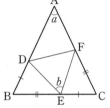

① $\overline{FD}=\overline{EF}$　　② ∠EDB=∠C

③ ∠B=∠b　　　④ $∠a=90°-\dfrac{1}{2}∠b$

⑤ $∠EFD=45°+\dfrac{1}{4}∠a$

---

**상위권의 눈**

▶ $\overline{AB}=\overline{AC}$인 이등변삼각형 ABC에서 $\overline{BE}=\overline{CF}$, $\overline{BD}=\overline{CE}$일 때,
△BED와 △CFE에서
$\overline{BE}=\overline{CF}$, $\overline{BD}=\overline{CE}$, ∠B=∠C
∴ △BED≡△CFE (SAS 합동)　∴ $\overline{ED}=\overline{EF}$
즉 △EFD는 $\overline{ED}=\overline{EF}$인 이등변삼각형이다.

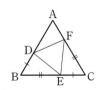

## 직각삼각형의 합동 조건의 활용

다음 물음에 답하시오.

**5-1** 오른쪽 그림과 같이 ∠B=90°인 직각이등변삼각형 ABC의 두 꼭짓점 A, C에서 꼭짓점 B를 지나는 직선 $l$에 내린 수선의 발을 각각 D, E라 하자. $\overline{AD}=a$, $\overline{CE}=b$일 때, 다음 중 옳지 <u>않은</u> 것은?

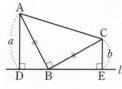

① △ADB≡△BEC  ② ∠BAC=∠BCA
③ $\overline{DE}=a+b$  ④ ∠BAD=∠BCA
⑤ (사각형 ADEC의 넓이)$=\dfrac{1}{2}(a+b)^2$

**5-2** 다음 그림과 같이 ∠B=90°인 직각이등변삼각형 ABC의 두 꼭짓점 A, C에서 꼭짓점 B를 지나는 직선 $l$에 내린 수선의 발을 각각 D, E라 하자. $\overline{AD}=12$ cm, $\overline{DB}=5$ cm일 때, △ABC의 넓이를 구하시오.

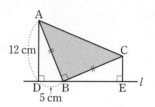

**6-1** 다음 그림과 같이 ∠C=90°인 직각삼각형 ABC에서 $\overline{DC}=\overline{DE}$, $\overline{AB}\perp\overline{DE}$이고 ∠A=50°일 때, ∠CDB의 크기를 구하시오.

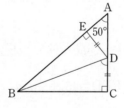

**6-2** 다음 그림과 같이 ∠C=90°인 직각이등변삼각형 ABC에서 $\overline{BC}=\overline{BE}$, $\overline{AB}\perp\overline{DE}$이다. $\overline{CD}=6$ cm일 때, △AED의 넓이를 구하시오.

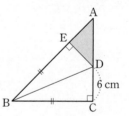

---

**상위권의 눈**

▶ ∠A=90°인 직각이등변삼각형 ABC에서
 △ADB≡△CEA (RHA 합동)이므로
 $\overline{AD}=\overline{CE}$, $\overline{BD}=\overline{AE}$

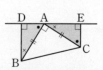

▶ ∠C=90°인 직각삼각형 ABC에서
 $\overline{AD}=\overline{AC}$, $\overline{AB}\perp\overline{ED}$이면
 △ADE≡△ACE (RHS 합동)이므로
 ∠AED=∠AEC, $\overline{ED}=\overline{EC}$

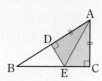

# STEP 2 반드시 등수 올리는 문제

정답과 풀이 04쪽

## 이등변삼각형의 성질

### 01

오른쪽 그림과 같이 $\overline{AB}=\overline{AC}$
인 이등변삼각형 ABC에서
∠ABP=∠PBC이고
$\overline{AP}=\overline{BP}$이다. $\overline{BC}$의 연장선 위
에 $\overline{CP}=\overline{CQ}$인 점 Q를 잡았을
때, ∠CPQ의 크기를 구하시오.

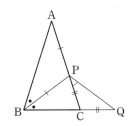

### 02

오른쪽 그림과 같이 $\overline{AB}=\overline{AC}$
이고 ∠A=52°인 이등변삼각
형 ABC와 $\overline{CB}=\overline{CD}$인 이등
변삼각형 CDB가 있다.
$\overline{AB}/\!/\overline{DC}$일 때, ∠D의 크기
를 구하시오.

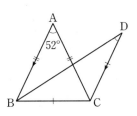

### 03

다음 그림과 같이 $\overline{AB}=\overline{AC}$인 이등변삼각형 ABC의
$\overline{BC}$ 위에 $\overline{BA}=\overline{BD}$, $\overline{CA}=\overline{CE}$가 되도록 두 점 D, E를
잡았다. ∠EAD=18°일 때, ∠B의 크기를 구하시오.

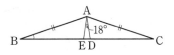

### 04

오른쪽 그림과 같이
$\overline{AB}=\overline{AC}$인 이등변삼각형
ABC에서 $\overline{BC}$ 위에
∠BAC=3∠BAD가 되도
록 $\overline{AD}$를 긋고, 꼭짓점 C에서
$\overline{AD}$에 내린 수선의 발을 E라
하자. ∠DCE=12°일 때, ∠BAD의 크기를 구하시오.

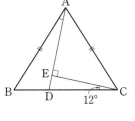

## 05

다음 그림과 같이 $\overline{BA}=\overline{BC}$인 이등변삼각형 ABC가 있다. $\overline{CA}=\overline{CD}$이고 ∠DAE=60°일 때, ∠B의 크기를 구하시오.

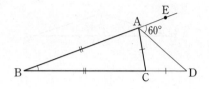

## 06

오른쪽 그림과 같이 $\overline{AB}=\overline{AC}$인 이등변삼각형 ABC에서 $\overline{AD}$는 ∠A의 이등분선이고 점 E는 $\overline{AE}=\dfrac{1}{4}\overline{AB}$인 $\overline{AB}$ 위의 점이다. $\overline{AE}+\overline{BC}=10$, $\overline{AC}+\overline{BD}=19$일 때, $\overline{BE}$의 길이를 구하시오.

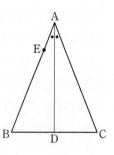

## 07

오른쪽 그림은 $\overline{AB}=\overline{AC}$인 이등변삼각형 모양의 종이를 $\overline{CD}$를 접는 선으로 하여 접은 것이다. ∠A=80°, ∠B′CD=21°일 때, ∠$x$의 크기를 구하시오.

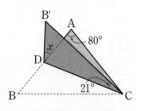

### 이등변삼각형이 되는 조건

## 08

오른쪽 그림은 직사각형 모양의 종이를 꼭짓점 C가 꼭짓점 A에 오도록 접은 것이다. $\overline{EF}$의 연장선과 $\overline{CD}$의 연장선의 교점을 G라 하고 ∠D′AF=26°일 때, ∠DGF의 크기를 구하시오.

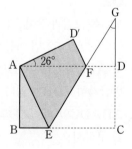

## 09

오른쪽 그림과 같은 △ABC에서 ∠A=45°이고 $\overline{BD}$=3 cm, $\overline{DC}$=9 cm일 때, $\overline{AF}$의 길이를 구하시오.

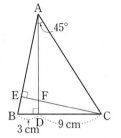

## 10

다음 그림과 같이 $\overline{AB}$=$\overline{AC}$=10 cm인 이등변삼각형 ABC가 있다. $\overline{AB}$의 중점 M에서 $\overline{BC}$에 내린 수선의 발이 $\overline{BC}$와 만나는 점을 D라 하고 $\overline{DM}$의 연장선과 $\overline{CA}$의 연장선이 만나는 점을 E라 할 때, $\overline{AE}$의 길이를 구하시오.

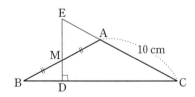

## 11

오른쪽 그림과 같이 $\overline{AB}$=$\overline{AC}$인 이등변삼각형 ABC에서 $\overline{CD}$는 ∠C의 이등분선이고 ∠DBE : ∠EBC=1 : 3이 되도록 $\overline{BE}$를 그었다. ∠A=36°일 때, ∠DEB의 크기를 구하시오.

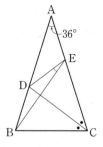

---

### 직각삼각형의 합동 조건

## 12

오른쪽 그림과 같은 △ABC에서 점 M은 $\overline{BC}$의 중점이고 두 꼭짓점 B, C에서 $\overline{AM}$의 연장선과 $\overline{AM}$에 내린 수선의 발을 각각 D, E라 하자. $\overline{AM}$=4 cm, $\overline{EM}$=1 cm, $\overline{CE}$=2 cm일 때, △ABD의 넓이를 구하시오.

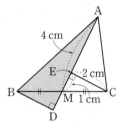

## 13

오른쪽 그림과 같은 정사각형 ABCD에서 꼭짓점 B를 지나는 직선과 $\overline{AD}$의 교점을 E라 하고, 두 꼭짓점 A, C에서 $\overline{BE}$에 내린 수선의 발을 각각 F, G라 하자. $\overline{AF}=3$ cm, $\overline{CG}=7$ cm일 때, △AGF의 넓이를 구하시오.

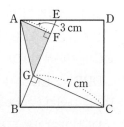

## 각의 이등분선의 성질

## 15

다음 그림과 같이 ∠A=90°인 직각삼각형 ABC에서 ∠B의 이등분선과 $\overline{AC}$가 만나는 점을 D라 하자. $\overline{AB}=6$ cm, $\overline{BC}=10$ cm, $\overline{AC}=8$ cm일 때, $\overline{CD}$의 길이를 구하시오.

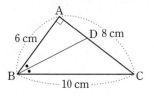

## 14

다음 그림과 같이 정사각형 ABCD에서 $\overline{DE}=\overline{DF}$가 되도록 $\overline{AB}$ 위의 점 E와 $\overline{BC}$의 연장선 위의 점 F를 잡았다. ∠AED=60°일 때, ∠EGD의 크기를 구하시오.

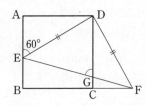

## 16

다음 그림과 같은 △ABC에서 ∠A, ∠C의 외각의 이등분선의 교점을 O라 하고, 점 O에서 $\overline{BA}$의 연장선과 $\overline{BC}$의 연장선에 내린 수선의 발을 각각 D, E라 하자. $\overline{BD}=12$ cm일 때, △ABC의 둘레의 길이를 구하시오.

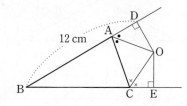

## 1 융합형

오른쪽 그림과 같이
$\overline{AB}=6$ cm, $\overline{BC}=8$ cm인 삼
각형 ABC를 점 A를 중심으로
하여 시계 반대 방향으로 회전
시켜 삼각형 AB′C′을 얻었다.
$\overline{BC}$와 $\overline{AB'}$, $\overline{B'C'}$의 교점을 각
각 D, E라 하고 $\overline{AB}$와 $\overline{B'C'}$이 평행할 때, $\overline{CE}$의 길이를 구하시오.

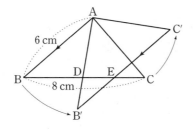

풀이

## 2 서술형

다음 그림과 같이 $\overline{AB}=\overline{AC}$인 이등변삼각형 ABC에서
$\overline{AD}=\overline{DE}=\overline{EF}=\overline{FC}=\overline{CB}$이다. △ABC와 합동인 삼각형들을
꼭짓점 A를 중심으로 이어 붙여 $\overline{BC}$가 한 변인 정다각형을 만들 때,
이 정다각형의 대각선의 개수를 구하시오.

풀이

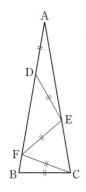
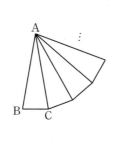

## 3

오른쪽 그림과 같이 ∠B=90°인 직각이등변 삼각형 ABC의 외부에 $\overline{AB}=\overline{AD}, \overline{BD}=\overline{CD}$ 가 되도록 점 D를 잡았다. ∠BDC의 크기를 구하시오.

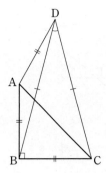

풀이

## 4

오른쪽 그림과 같이 ∠A=20°이고 $\overline{AB}=\overline{AC}$인 이등변삼각형 ABC에서 $\overline{AC}$ 위에 $\overline{AD}=\overline{BC}$가 되도록 점 D를 잡을 때, ∠DBC의 크기를 구하시오.

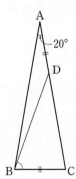

풀이

## 5 창의력

오른쪽 그림에서 $\triangle ABC$는 $\angle C = 90°$이고 $\overline{AC} = \overline{BC} = 52$인 직각이등변삼각형이다. 사각형 DEFG가 정사각형이 되도록 점 D, E, F를 각각 $\overline{AB}$, $\overline{BC}$, $\overline{CA}$ 위에 잡고 $\overline{CE} = x$, $\overline{CF} = y$라 하자. $x + y = 32$일 때, $x - y$의 값을 구하시오.

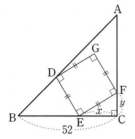

풀이

## 6

오른쪽 그림과 같이 $\overline{AB} = \overline{AC}$이고 $\angle BAC = 100°$인 이등변삼각형 ABC의 내부에 $\angle ABP = 10°$, $\angle BAP = 20°$가 되도록 한 점 P를 잡을 때, $\angle APC$의 크기를 구하시오.

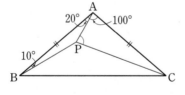

풀이

# 02 삼각형의 외심과 내심

## ❶ 삼각형의 외심

(1) 외접   △ABC의 세 꼭짓점이 원 O 위에 있을 때, 원 O는 △ABC에 외접한다고 한다.

(2) 외접원   삼각형의 모든 꼭짓점을 지나는 원 O

(3) 외심   외접원의 중심 O

## ❷ 삼각형의 외심의 성질

(1) 삼각형의 세 변의 수직이등분선은 한 점(외심)에서 만난다.

(2) 외심에서 삼각형의 세 꼭짓점에 이르는 거리는 모두 같다.

➡ $\overline{OA}=\overline{OB}=\overline{OC}=$ (외접원의 반지름의 길이)

| 개념➕ 삼각형의 외심의 위치 | | |
|---|---|---|
| 예각삼각형 | 직각삼각형 | 둔각삼각형 |
| | | |
| 삼각형의 내부 | 빗변의 중점 | 삼각형의 외부 |

## ❸ 삼각형의 외심의 활용

점 O가 △ABC의 외심일 때

(1)

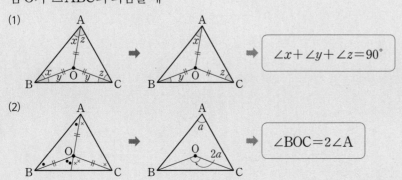

$\angle x+\angle y+\angle z=90°$

(2)

$\angle BOC=2\angle A$

**[확인 ❶]**

다음 그림에서 점 O는 △ABC의 외심이다. $\overline{AB}=4$ cm이고 △OAB의 둘레의 길이가 10 cm일 때, △ABC의 외접원의 반지름의 길이를 구하시오.

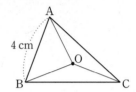

**[확인 ❷]**

다음 그림에서 점 O는 △ABC의 외심이다. ∠A=52°일 때, ∠$x$의 크기를 구하시오.

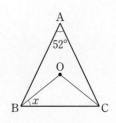

### ❹ 삼각형의 내심

(1) 내접   원 I가 △ABC의 세 변에 모두 접할 때,
   원 I는 △ABC에 내접한다고 한다.
(2) 내접원   삼각형의 세 변에 접하는 원 I
(3) 내심   내접원의 중심 I

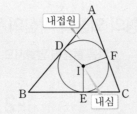

다음 그림에서 점 I는 △ABC의 내심이다.
$\angle IBA = 30°$, $\angle ICA = 25°$일 때, $\angle BIC$
의 크기를 구하시오.

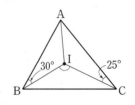

### ❺ 삼각형의 내심의 성질

(1) 삼각형의 세 내각의 이등분선은 한 점(내심)에
   서 만난다.
(2) 내심에서 삼각형의 세 변에 이르는 거리는 모두
   같다.
   ➡ $\overline{ID} = \overline{IE} = \overline{IF} = $(내접원의 반지름의 길이)

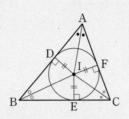

**개념+  삼각형의 내심의 위치**

① 삼각형의 내심은 모두 삼각형의 내부에 있다.
② 이등변삼각형의 외심과 내심은 꼭지각의 이등분선 위에
   있다.
③ 정삼각형의 외심과 내심은 일치한다.

### ❻ 삼각형의 내심의 활용

점 I가 △ABC의 내심일 때

(1)
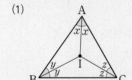 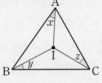
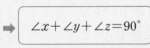

$$\angle x + \angle y + \angle z = 90°$$

(2)
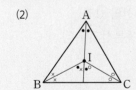 
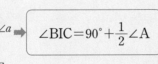

$$\angle BIC = 90° + \frac{1}{2}\angle A$$

(3) △ABC의 내접원 I가 $\overline{AB}$, $\overline{BC}$, $\overline{CA}$와 만나는
   점을 각각 D, E, F라 하면
   ➡ $\overline{AD} = \overline{AF}$, $\overline{BD} = \overline{BE}$, $\overline{CE} = \overline{CF}$

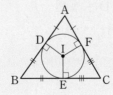

(4) △ABC의 세 변의 길이가 각각 $a$, $b$, $c$이고,
   내접원 I의 반지름의 길이가 $r$일 때
   ➡ $\triangle ABC = \frac{1}{2}r(a+b+c)$

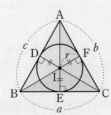

다음 그림에서 점 I는 △ABC의 내심이다.
$\angle BAC = 68°$일 때, $\angle IBC + \angle ICB$의 크
기를 구하시오.

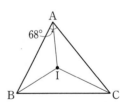

## 삼각형의 외심과 내심의 뜻과 성질

다음 물음에 답하시오.

**1-1** 오른쪽 그림에서 점 O는 △ABC의 외심이다. 점 O에서 세 변에 내린 수선의 발을 각각 D, E, F라 할 때, 다음 중 옳지 <u>않</u>은 것을 모두 고르면? (정답 2개)

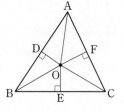

① $\overline{AD}=\overline{BD}$
② ∠OBE=∠OCE
③ ∠OBD=∠OBE
④ $\overline{OA}=\overline{OB}=\overline{OC}$
⑤ $\overline{OD}=\overline{OE}=\overline{OF}$

**1-2** 오른쪽 그림과 같이 △ABC의 세 내각의 이등분선의 교점을 I라 하자. 점 I에서 세 변에 내린 수선의 발을 각각 D, E, F라 할 때, 다음 중 옳은 것을 모두 고르면?

(정답 2개)

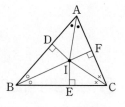

① $\overline{AF}=\overline{CF}$
② $\overline{ID}=\overline{IE}=\overline{IF}$
③ △IAF≡△ICF
④ $\overline{IC}$는 외접원의 반지름이다.
⑤ 점 I는 △ABC의 내심이다.

**2-1** 삼각형 모양의 종이 ABC를 오른쪽 그림과 같이 두 변이 만나도록 각각 접었을 때, 접힌 선의 교점을 D라 하자. 다음 중 점 D에 대한 설명으로 옳은 것을 모두 고르면? (정답 2개)

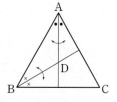

① 삼각형의 세 변의 수직이등분선의 교점이다.
② 점 D에서 삼각형의 세 변에 이르는 거리는 모두 같다.
③ 점 D에서 삼각형의 세 꼭짓점에 이르는 거리는 모두 같다.
④ 점 D는 항상 그 삼각형의 내부에 있다.
⑤ △ABC가 이등변삼각형일 때, 점 D는 세 변의 수직이등분선의 교점과 일치한다.

**2-2** 오른쪽 그림은 원 모양의 접시를 깨트린 것이다. 다음 중 이 접시를 복원하기 위해 접시의 중심을 찾는 방법으로 옳은 것은?

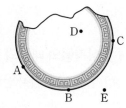

① 점 A에서 $\overline{CE}$에 내린 수선의 발
② ∠ABC의 이등분선과 $\overline{AD}$의 교점
③ $\overline{AD}$, $\overline{BC}$의 수직이등분선의 교점
④ $\overline{AB}$, $\overline{BC}$의 수직이등분선의 교점
⑤ ∠BAC, ∠ACB의 이등분선의 교점

---

**상위권의 눈**

▶ (삼각형의 외심)=(삼각형의 외접원의 중심)=(삼각형의 세 변의 수직이등분선의 교점)
　　　=(삼각형의 세 꼭짓점에 이르는 거리가 같은 점)
▶ (삼각형의 내심)=(삼각형의 내접원의 중심)=(삼각형의 세 내각의 이등분선의 교점)
　　　=(삼각형의 세 변에 이르는 거리가 같은 점)

[ **삼각형의 내접원과 삼각형의 넓이** ]

다음 물음에 답하시오.

**3-1** 다음 그림에서 원 I는 △ABC의 내접원이고 세 점 D, E, F는 접점이다. $\overline{AD}=3$ cm, $\overline{AC}=15$ cm, $\overline{BD}=5$ cm이고 △ABC의 넓이가 60 cm²일 때, 내접원 I의 반지름의 길이를 구하시오.

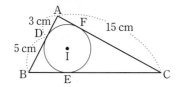

**3-2** 다음 그림에서 원 I는 △ABC의 내접원이고 세 점 D, E, F는 접점이다. $\overline{AC}=12$ cm, $\overline{BE}=6$ cm, $\overline{EC}=9$ cm, $\overline{IE}=3$ cm일 때, △ABC의 넓이를 구하시오.

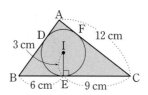

**4-1** 다음 그림에서 원 I는 ∠B=90°인 직각삼각형 ABC의 내접원이고 세 점 D, E, F는 접점이다. $\overline{ID}=3$ cm, $\overline{AC}=17$ cm일 때, △ABC의 넓이를 구하시오.

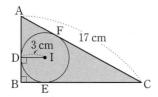

**4-2** 다음 그림에서 점 I는 ∠C=90°인 직각삼각형 ABC의 내심이고 $\overline{AB}=10$ cm, $\overline{BC}=8$ cm, $\overline{AC}=6$ cm일 때, 색칠한 부분의 넓이를 구하시오.

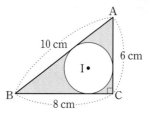

**상위권의 눈**

▶ △ABC에서 세 변의 길이가 각각 $a, b, c$이고, 내접원 I의 반지름의 길이가 $r$일 때,

$$\triangle ABC = \triangle IAB + \triangle IBC + \triangle ICA = \frac{1}{2}r(a+b+c)$$

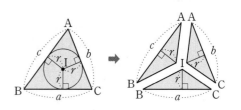

## 삼각형의 외심과 내심의 활용

다음 물음에 답하시오.

**5-1** 다음 그림에서 두 점 O, I는 각각 $\overline{AB}=\overline{AC}$인 이등변삼각형 ABC의 외심, 내심이다. ∠A=48°일 때, ∠OBI의 크기를 구하시오.

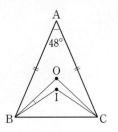

**5-2** 다음 그림에서 두 점 O, I는 각각 △ABC의 외심, 내심이다. ∠ABC=65°, ∠C=45°일 때, ∠OAI의 크기를 구하시오.

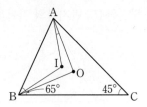

**6-1** 다음 그림에서 점 O와 점 I는 각각 △ABC의 외심과 내심이고 $\overline{AO}$와 $\overline{AI}$의 연장선이 $\overline{BC}$와 만나는 점을 각각 D, E라 하자. ∠OAB=20°, ∠IAC=35°일 때, ∠B의 크기를 구하시오.

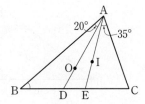

**6-2** 다음 그림에서 점 O와 점 I는 각각 △ABC의 외심과 내심이고 $\overline{AO}$와 $\overline{AI}$의 연장선이 $\overline{BC}$와 만나는 점을 각각 D, E라 하자. ∠OAB=30°, ∠IAC=40°일 때, ∠ADE의 크기를 구하시오.

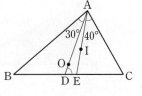

**상위권의 눈**

▶ 두 점 O, I가 각각 △ABC의 외심과 내심일 때
  (1) ∠OBC=∠OCB, ∠IBA=∠IBC
  (2) ∠BOC=2∠A, ∠BIC=$90°+\dfrac{1}{2}$∠A

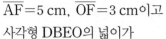

## 삼각형의 외심과 그 활용

### 01

오른쪽 그림에서 점 O는
△ABC의 외심이고 점 D, E,
F는 각각 점 O에서 각 변에 내
린 수선의 발이다.
$\overline{AF}=5$ cm, $\overline{OF}=3$ cm이고
사각형 DBEO의 넓이가
13 cm²일 때, △ABC의 넓이를 구하시오.

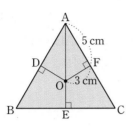

### 02

오른쪽 그림에서 점 O는 △ABC
의 외심이다. ∠ABO=30°,
∠ACO=15°이고 △OBC의 넓
이가 8 cm²일 때, $\overline{OB}$의 길이를
구하시오.

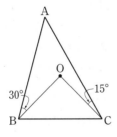

### 03

오른쪽 그림과 같은 사각형
ABCD에서 $\overline{AB}=\overline{AD}$이고
∠A=∠B=90°이다. 점 M
은 $\overline{AC}$의 중점이고
∠BCM=34°일 때, ∠EBM
의 크기를 구하시오.

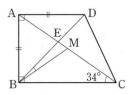

### 04

다음 그림에서 점 O는 △ABC의 외심이고, 점 O′은
△ABO의 외심이다. ∠O′OB=32°일 때, ∠CAO의 크
기를 구하시오.

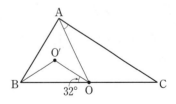

## 05

오른쪽 그림에서 점 O는
△ABC와 △ACD의 외심이
다. ∠D=110°일 때,
∠x − ∠y의 크기를 구하시오.

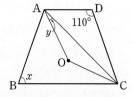

## 삼각형의 내심과 그 활용

## 07

오른쪽 그림에서 점 I는 △ABC의 내심이다. $\overline{AH} \perp \overline{BC}$
이고 ∠BAC=80°, ∠ABC=30°일 때, ∠IAH의 크기
를 구하시오.

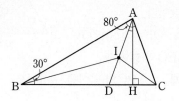

## 06

오른쪽 그림에서 점 O는
△ABC의 외심이고 $\overline{CO}$와
$\overline{BO}$의 연장선이 $\overline{AB}$, $\overline{AC}$와
만나는 점을 각각 P, Q라 하자.
$\overline{BP}=\overline{PQ}=\overline{QC}$일 때, ∠A의
크기를 구하시오.

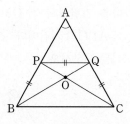

## 08

오른쪽 그림과 같은 △ABC
에서 ∠B, ∠C의 삼등분선의
교점을 각각 I, I′이라 하고
∠BIC=100°일 때, ∠A의
크기를 구하시오.

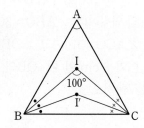

## 09

오른쪽 그림에서 점 I는 △ABC의 내심이고 $\overline{AI}$의 연장선과 $\overline{BC}$의 교점을 D, $\overline{BI}$의 연장선과 $\overline{AC}$의 교점을 E라 하자. ∠C=64°일 때, ∠x+∠y의 크기를 구하시오.

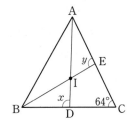

## 10

오른쪽 그림에서 $\overline{CB}=\overline{CD}$이고 ∠BAC=62°, ∠ACB=68°이다. 두 점 I, I′은 각각 △ABC, △CBD의 내심이고 점 O는 $\overline{AI}$와 $\overline{DI'}$의 연장선의 교점일 때, ∠IOI′의 크기를 구하시오.

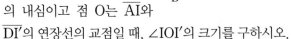

## 11

오른쪽 그림에서 $\overline{AB}=\overline{AD}$, $\overline{BD}=\overline{BC}$, $\overline{AD}/\!/\overline{BC}$, ∠DBC=40°이고 두 점 I, I′은 각각 △ABD, △BCD의 내심이다. $\overline{AI}$의 연장선과 $\overline{DI'}$의 연장선이 만나는 점을 O라 할 때, ∠AOD의 크기를 구하시오.

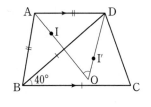

### 삼각형의 내접원

## 12

다음 그림과 같이 $\overline{AB}=17$ cm, $\overline{BC}=28$ cm, $\overline{CA}=25$ cm인 △ABC가 있다. 원 I는 △ABC의 내접원이고 세 점 D, E, F는 접점이다. △ABC의 넓이가 210 cm²일 때, 색칠한 부채꼴의 넓이의 합을 구하시오.

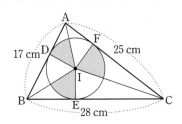

## 13

다음 그림에서 원 I는 △ABC의 내접원이고 이 내접원의 반지름의 길이는 4 cm이다. $\overline{DE}$ ∥ $\overline{BC}$ 이고 $\overline{BD}=5$ cm, $\overline{BC}=19$ cm, $\overline{CE}=6$ cm일 때, 사각형 DBCE의 넓이를 구하시오.

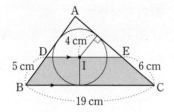

## 14

오른쪽 그림에서 원 I는 ∠C=90°인 직각삼각형 ABC의 내접원이고 세 점 D, E, F는 접점이다. ∠DEB=65°일 때, ∠IDF의 크기를 구하시오.

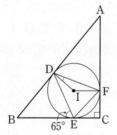

## 15

다음 그림에서 원 I는 △ABC의 내접원이고 두 점 D, E는 접점이다. 내접원 I의 넓이가 $9\pi$ cm², △ABC의 넓이가 52 cm²이고 $\overline{BC}=14$ cm일 때, 사각형 ADIE의 넓이를 구하시오.

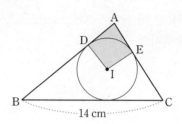

## 16

오른쪽 그림과 같이 $\overline{AB}=\overline{AD}=10$ cm인 이등변삼각형 ABD와 ∠B=90°인 직각삼각형 BCD가 $\overline{BD}$ 에서 서로 만나서 사각형 ABCD를 만들었다. 두 원 I, J는 각각 △ABD, △BCD의 내접원이고 두 점 I, J에서 $\overline{BD}$ 에 내린 수선의 발을 각각 M, N이라 할 때, $\overline{BN}:\overline{NM}=1:2$ 이다. 사각형 ABCD의 넓이는 78 cm²이고 $\overline{MD}=6$ cm, $\overline{CD}=13$ cm일 때, 원 I의 넓이를 구하시오.

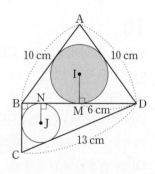

## 삼각형의 외심과 내심

### 17

오른쪽 그림에서 두 점 O, I
는 각각 $\overline{AB}=\overline{AC}$인 이등변
삼각형 ABC의 외심과 내심
이다. $\overline{AB}$의 중점을 M, $\overline{OM}$
과 $\overline{IB}$의 교점을 D라 하자.
∠A=76°일 때, ∠BDM의 크기를 구하시오.

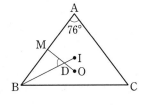

### 19

오른쪽 그림은 ∠A=90°인
직각삼각형 ABC의 외접원
과 내접원을 각각 그린 것이
다. $\overline{AB}=8$ cm,
$\overline{AC}=15$ cm, $\overline{BC}=17$ cm
이고 내접원의 중심 I에서
$\overline{BC}$에 내린 수선의 발을 H라 할 때, 점 H에서 직각삼각
형 ABC의 외접원의 중심까지의 거리를 구하시오.

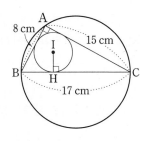

### 18

오른쪽 그림에서 두 점 O, I
는 각각 △ABC의 외심과
내심이다. $\overline{AH}\perp\overline{BC}$이고
∠ABO=30°,
∠OBC=14°일 때,
∠IAH의 크기를 구하시오.

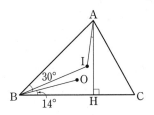

### 20

오른쪽 그림과 같이 $\overline{AB}=\overline{AC}$
인 이등변삼각형 ABC의 외접
원과 내접원의 중심을 각각 O, I
라 하고 $\overline{AI}$의 연장선과 외접원
의 교점을 D라 하자.
∠CAD=∠CBD이고
$\overline{OI}=1$ cm, $\overline{OD}=5$ cm라 할
때, $\overline{BD}$의 길이를 구하시오.

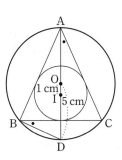

**1**

오른쪽 그림에서 점 O는 △ABC의 외심 이고 두 점 M, N은 각각 $\overline{OA}$, $\overline{BC}$의 중점 이다. ∠ABC=4∠OMN, ∠ACB=6∠OMN, ∠ONM=12°일 때, ∠MON의 크기를 구하시오.

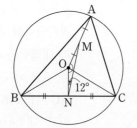

<u>풀이</u>

**2**

다음 그림과 같이 직사각형 ABCD의 점 B에서 $\overline{CD}$ 위의 한 점 E 를 지나고 그 연장선이 $\overline{AD}$의 연장선과 만나는 점을 F라 하면 $\overline{EF}=2\overline{BD}$이다. ∠ABD=36°일 때, ∠EBC의 크기를 구하시오.

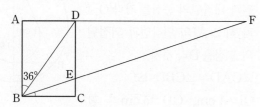

<u>풀이</u>

## 3

오른쪽 그림에서 점 I는 △ABC의 내심이고 원 I는 점 I를 중심으로 하고 두 꼭짓점 A, B를 지난다. 원 I와 $\overline{BC}$, $\overline{CA}$가 만나는 점을 각각 D, E라 하고 $\overline{AB}=5$ cm, $\overline{BC}=12$ cm일 때, $\overline{EC}$의 길이를 구하시오.

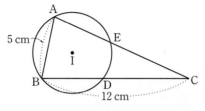

풀이

## 4

오른쪽 그림에서 △ABC는 $\overline{AB}=\overline{BC}$이고 ∠B=90°인 직각이등변삼각형이고, △ACD는 ∠D=90°인 직각삼각형이다. 두 점 I, I′은 각각 △ABC, △ACD의 내심이고 $\overline{AO}=\overline{CO}=\overline{AD}$일 때, ∠IOI′의 크기를 구하시오.

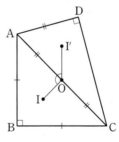

풀이

## 5

오른쪽 그림에서 점 I는 ∠A=70°인 △ABC의 내심이고 점 I에서 $\overline{BC}$에 내린 수선의 발을 D라 하자. 점 D에서 $\overline{BI}$, $\overline{CI}$에 내린 수선의 발을 각각 E, F라 하고 $\overline{DE}$, $\overline{DF}$의 연장선이 $\overline{AB}$, $\overline{AC}$와 만나는 점을 각각 G, H라 할 때, ∠IGH의 크기를 구하시오.

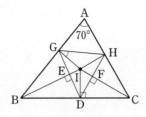

(풀이)

## 6

다음 그림과 같이 ∠C=90°인 직각삼각형 ABC에 반지름의 길이가 같은 세 원이 각각 $\overline{AB}$와 $\overline{BC}$, $\overline{BC}$, $\overline{BC}$와 $\overline{CA}$에 접하고 있다. $\overline{AB}$=13 cm, $\overline{BC}$=12 cm, $\overline{CA}$=5 cm일 때, 이 원의 반지름의 길이를 구하시오.

(풀이)

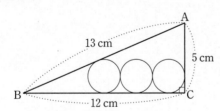

# Ⅱ
# 사각형의 성질

# 01 평행사변형

## ❶ 평행사변형의 뜻

두 쌍의 대변이 각각 평행한 사각형

➡ $\overline{AB}\,/\!/\,\overline{DC}$, $\overline{AD}\,/\!/\,\overline{BC}$

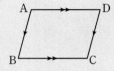

> **개념+**
>
> 평행사변형에서 이웃하는 두 내각의 크기의 합은 180°이다.
>
> ➡ $\angle A + \angle B = 180°$, $\angle A + \angle D = 180°$

## ❷ 평행사변형의 성질

| (1) 두 쌍의 대변의 길이가 각각 같다. | (2) 두 쌍의 대각의 크기가 각각 같다. | (3) 두 대각선은 서로 다른 것을 이등분한다. |
|---|---|---|
| ➡ $\overline{AB}=\overline{DC}$, $\overline{AD}=\overline{BC}$ | ➡ $\angle A = \angle C$, $\angle B = \angle D$ | ➡ $\overline{OA}=\overline{OC}$, $\overline{OB}=\overline{OD}$ |

## ❸ 평행사변형이 되는 조건

다음 중 어느 한 조건을 만족하는 사각형은 평행사변형이다.

| (1) 두 쌍의 대변이 각각 평행하다. | (2) 두 쌍의 대변의 길이가 각각 같다. | (3) 두 쌍의 대각의 크기가 각각 같다. |
|---|---|---|
| ➡ $\overline{AB}\,/\!/\,\overline{DC}$, $\overline{AD}\,/\!/\,\overline{BC}$ | ➡ $\overline{AB}=\overline{DC}$, $\overline{AD}=\overline{BC}$ | ➡ $\angle A = \angle C$, $\angle B = \angle D$ |

| (4) 두 대각선이 서로 다른 것을 이등분한다. | (5) 한 쌍의 대변이 평행하고 그 길이가 같다. |
|---|---|
| ➡ $\overline{OA}=\overline{OC}$, $\overline{OB}=\overline{OD}$ | ➡ $\overline{AD}\,/\!/\,\overline{BC}$, $\overline{AD}=\overline{BC}$ |

---

【 확인 ❶ 】

다음 그림과 같은 평행사변형 ABCD에서 $\angle A = 115°$, $\angle DBC = 30°$일 때, $\angle x$, $\angle y$의 크기를 각각 구하시오.

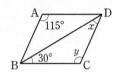

【 확인 ❷ 】

다음은 '한 쌍의 대변이 평행하고 그 길이가 같은 사각형은 평행사변형이다.'를 설명하는 과정이다. ①~⑤에 들어갈 것으로 옳지 <u>않은</u> 것은?

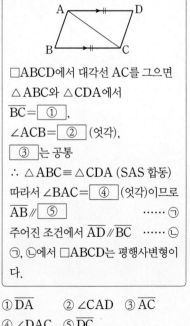

□ABCD에서 대각선 AC를 그으면
△ABC와 △CDA에서
$\overline{BC}=$ ① ,
$\angle ACB=$ ② (엇각),
③ 는 공통
∴ △ABC≡△CDA (SAS 합동)
따라서 $\angle BAC=$ ④ (엇각)이므로
$\overline{AB}\,/\!/$ ⑤ ······ ㉠
주어진 조건에서 $\overline{AD}\,/\!/\,\overline{BC}$ ······ ㉡
㉠, ㉡에서 □ABCD는 평행사변형이다.

① $\overline{DA}$   ② $\angle CAD$   ③ $\overline{AC}$
④ $\angle DAC$   ⑤ $\overline{DC}$

## ④ 평행사변형이 되는 조건의 활용

□ABCD가 평행사변형일 때, 다음 조건을 만족하는 □EBFD는 모두 평행사변형이다.

(1) ∠ABE＝∠EBF, ∠EDF＝∠FDC이면
∠EBF＝∠EDF, ∠BED＝∠BFD
➡ 두 쌍의 대각의 크기가 각각 같다.

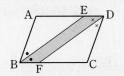

(2) $\overline{AE}=\overline{CF}$ (또는 $\overline{OE}=\overline{OF}$)이면
$\overline{OE}=\overline{OF}$, $\overline{OB}=\overline{OD}$
➡ 두 대각선이 서로 다른 것을 이등분한다.

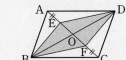

(3) $\overline{AE}=\overline{CF}$ (또는 $\overline{EB}=\overline{DF}$)이면
$\overline{EB}\,/\!/\,\overline{DF}$, $\overline{EB}=\overline{DF}$
➡ 한 쌍의 대변이 평행하고 그 길이가 같다.

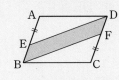

(4) ∠AEB＝∠CFD＝90°이면
$\overline{EB}\,/\!/\,\overline{DF}$, $\overline{EB}=\overline{DF}$
➡ 한 쌍의 대변이 평행하고 그 길이가 같다.

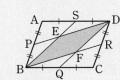

(5) $\overline{AS}=\overline{SD}=\overline{BQ}=\overline{QC}$, $\overline{AP}=\overline{PB}=\overline{DR}=\overline{RC}$
이면 $\overline{EB}\,/\!/\,\overline{DF}$, $\overline{ED}\,/\!/\,\overline{BF}$
➡ 두 쌍의 대변이 각각 평행하다.

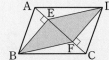

> 참고 $\overline{SD}\,/\!/\,\overline{BQ}$, $\overline{SD}=\overline{BQ}$이므로 □SBQD는 평행사변형, 즉 $\overline{EB}\,/\!/\,\overline{DF}$
> $\overline{PB}\,/\!/\,\overline{DR}$, $\overline{PB}=\overline{DR}$이므로 □PBRD는 평행사변형, 즉 $\overline{ED}\,/\!/\,\overline{BF}$

## ⑤ 평행사변형과 넓이

(1) 평행사변형 ABCD에서 두 대각선의 교점을 O라 하면

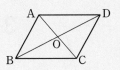

① △ABC＝△BCD＝△CDA＝△DAB
$=\dfrac{1}{2}$□ABCD

② △OAB＝△OBC＝△OCD＝△ODA$=\dfrac{1}{4}$□ABCD

(2) 평행사변형 ABCD의 내부의 한 점 P에 대하여
△PAB＋△PCD＝△PDA＋△PBC
$=\dfrac{1}{2}$□ABCD

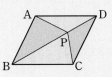

### 개념➕

오른쪽 그림과 같은 평행사변형 ABCD에서 점 P를 지나고 $\overline{AB}$, $\overline{BC}$에 평행한 $\overline{EF}$, $\overline{GH}$를 각각 그으면 □AGPE, □GBFP, □PFCH, □EPHD는 모두 평행사변형이므로

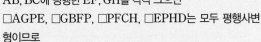

△AGP＝△APE＝①, △GBP＝△PBF＝②,
△PFC＝△PCH＝③, △EPD＝△DPH＝④
즉 △PAB＋△PCD＝①＋②＋③＋④,
△PDA＋△PBC＝①＋②＋③＋④
∴ △PAB＋△PCD＝△PDA＋△PBC

II 사각형의 성질

### [확인 ❸]

다음 그림과 같은 평행사변형 ABCD에서 대각선 AC 위의 두 점 P, Q에 대하여 $\overline{AP}=\overline{CQ}$이다. ∠PBQ＝42°일 때, ∠BPD의 크기를 구하시오.

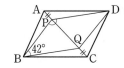

### [확인 ❹]

다음 그림과 같은 평행사변형 ABCD에서 두 대각선의 교점을 O라 하자. □ABCD의 넓이가 96 cm²일 때, △OCD의 넓이를 구하시오.

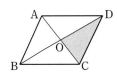

> **평행사변형의 성질**
> 다음 물음에 답하시오.

**1-1** 오른쪽 그림과 같은 평행사변형 ABCD에서 ∠B의 이등분선이 $\overline{AD}$와 만나는 점을 E라 하자. $\overline{BC}=5$ cm, $\overline{CD}=3$ cm일 때, $\overline{DE}$의 길이를 구하시오.

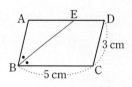

**1-2** 오른쪽 그림과 같은 평행사변형 ABCD에서 ∠A의 이등분선이 $\overline{BC}$, $\overline{DC}$의 연장선과 만나는 점을 각각 E, F라 하자. $\overline{AB}=3$ cm, $\overline{AD}=4$ cm일 때, $\overline{CF}$의 길이를 구하시오.

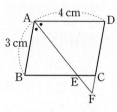

**2-1** 오른쪽 그림과 같은 평행사변형 ABCD에서 ∠D의 이등분선이 $\overline{BC}$와 만나는 점을 E, 꼭짓점 A에서 $\overline{DE}$에 내린 수선의 발을 F라 하자. ∠B=64°일 때, ∠FAB의 크기를 구하시오.

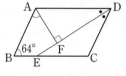

**2-2** 오른쪽 그림과 같은 평행사변형 ABCD에서 ∠DAC의 이등분선이 $\overline{BC}$의 연장선과 만나는 점을 E라 하자. ∠B=58°, ∠ACD=52°일 때, ∠E의 크기를 구하시오.

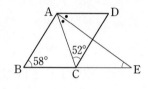

**3-1** 오른쪽 그림과 같은 평행사변형 ABCD에서 두 대각선의 교점 O를 지나는 직선이 $\overline{AB}$, $\overline{DC}$와 만나는 점을 각각 P, Q라 하자. 다음 중 $\overline{OP}=\overline{OQ}$임을 설명할 때 사용하는 성질이 **아닌** 것은?

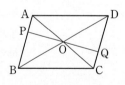

① ∠AOP=∠COQ  ② ∠OAP=∠OCQ
③ $\overline{AP}=\overline{CQ}$  ④ $\overline{OA}=\overline{OC}$
⑤ △AOP≡△COQ

**3-2** 다음 그림과 같은 평행사변형 ABCD에서 점 O는 두 대각선의 교점이고 $\overline{EF}$는 점 O를 지난다. $\overline{AB}=6$ cm, $\overline{BC}=10$ cm, $\overline{AE}=3$ cm일 때, $\overline{BF}$의 길이를 구하시오.

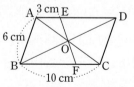

---

**상위권의 눈**

▶ 평행사변형의 성질을 설명하는 데 이용되는 성질
(1) 평행사변형의 뜻 ➡ 두 쌍의 대변이 각각 평행하다.
(2) 평행선의 성질 ➡ 평행한 두 직선이 다른 한 직선과 만날 때, 엇각(또는 동위각)의 크기는 서로 같다.
(3) 삼각형의 합동 조건 ➡ SSS 합동, SAS 합동, ASA 합동

## 평행사변형이 되는 조건

다음 물음에 답하시오.

**4-1** 다음 중 오른쪽 그림의 □ABCD가 평행사변형이 되는 조건을 모두 고르면? (정답 2개) (단, 점 O는 두 대각선의 교점)

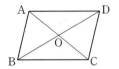

① $\angle A = 110°$, $\angle B = 70°$, $\angle C = 110°$
② $\overline{AB} \parallel \overline{DC}$, $\overline{AB} = \overline{AD}$
③ $\overline{OA} = \overline{OB}$, $\overline{OC} = \overline{OD}$
④ $\overline{AD} = \overline{BC}$, $\angle DAC = \angle ACB$
⑤ $\overline{AB} = \overline{DC}$, $\angle C + \angle D = 180°$

**4-2** 다음 중 □ABCD가 평행사변형인 것을 모두 고르면? (정답 2개)

① $\overline{AB} = \overline{DC}$, $\overline{AD} \parallel \overline{BC}$
② $\angle B = \angle D$, $\overline{AD} \parallel \overline{BC}$
③ $\angle B = 80°$, $\angle C = 100°$, $\overline{AB} \parallel \overline{DC}$
④ $\angle A + \angle B = 180°$, $\angle C + \angle D = 180°$
⑤ $\angle A = \angle C$, $\angle ADB = \angle CBD$

**5-1** 다음은 평행사변형 ABCD의 두 꼭짓점 B, D에서 대각선 AC에 내린 수선의 발을 각각 E, F라 할 때, □BFDE가 평행사변형임을 설명하는 과정이다. (가)~(마)에 알맞은 것을 써넣으시오.

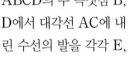

$\angle BEF = \angle DFE$ (엇각)이므로
$\overline{BE} \parallel$ (가)  ······ ㉠
△ABE와 △CDF에서
$\angle AEB = \angle CFD = 90°$, $\overline{AB} =$ (나) ,
$\angle BAE =$ (다) (엇각)
따라서 △ABE ≡ △CDF ( (라) 합동)이
므로 $\overline{BE} =$ (마)  ······ ㉡
㉠, ㉡에서 □BFDE는 평행사변형이다.

**5-2** 다음은 평행사변형 ABCD의 각 변의 중점을 P, Q, R, S라 하고 $\overline{BS}$, $\overline{DP}$의 교점을 E, $\overline{BR}$, $\overline{DQ}$의 교점을 F라 할 때, □EBFD가 평행사변형임을 설명하는 과정이다. (가)~(마)에 알맞은 것을 써넣으시오.

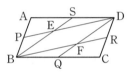

□SBQD에서 $\overline{SD} =$ (가) , $\overline{SD} \parallel$ (가) 이
므로 (나) 는 평행사변형이다.
즉 (다) $\parallel \overline{DF}$  ······ ㉠
같은 방법으로 (라) 에서
$\overline{ED} \parallel$ (마)  ······ ㉡
㉠, ㉡에서 □EBFD는 평행사변형이다.

---

**상위권의 눈**

▶ 오른쪽 그림과 같은 □ABCD에서 $\overline{AD} \parallel \overline{BC}$와 같은 표현은 다음과 같다.
(1) $\angle A + \angle B = 180°$  (2) $\angle C + \angle D = 180°$  (3) $\angle DAC = \angle BCA$

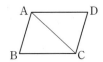

┌ **평행사변형과 넓이** ┐

다음 물음에 답하시오.

**6-1** 다음 그림과 같이 평행사변형 ABCD의 내부의 한 점 P에 대하여 △PAB의 넓이는 12 cm²이고 □ABCD의 넓이는 44 cm²일 때, △PCD의 넓이를 구하시오.

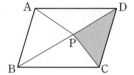

**6-2** 다음 그림과 같은 평행사변형 ABCD의 내부의 한 점 P에 대하여 △PAB : △PCD=5 : 2이다. □ABCD의 넓이가 182 cm²일 때, △PAB의 넓이를 구하시오.

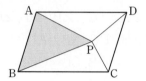

**7-1** 다음 그림과 같은 평행사변형 ABCD의 내부의 한 점 P에 대하여 △PBC의 넓이가 7 cm²이다. $\overline{BC}$=8 cm, $\overline{DE}$=5 cm일 때, △PDA의 넓이를 구하시오.

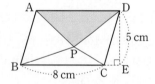

**7-2** 다음 그림과 같이 평행사변형 ABCD의 내부의 한 점 P에 대하여 △PAB : △PCD=5 : 4이다. $\overline{BC}$=12 cm, $\overline{DH}$=9 cm일 때, △PCD의 넓이를 구하시오.

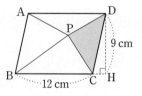

**상위권의 눈**

▶ 평행사변형 ABCD의 내부의 한 점 P를 지나고 $\overline{AB}$, $\overline{BC}$에 평행한 직선을 각각 그으면
   △PAB+△PCD=㉠+㉡+㉢+㉣
   
   $=△PDA+△PBC=\dfrac{1}{2}□ABCD$

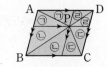

정답과 풀이 18쪽

**평행사변형의 성질**

## 01

오른쪽 그림과 같은 △ABC에서 $\overline{AD}$는 ∠A의 이등분선이고 □EDCF는 평행사변형이다. $\overline{AD}$=7 cm, $\overline{FC}$=4 cm일 때, △AED의 둘레의 길이를 구하시오.

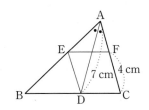

## 02

오른쪽 그림과 같이 평행사변형 모양의 종이 ABCD를 대각선 BD를 접는 선으로 하여 꼭짓점 C가 점 E에 오도록 접었다. $\overline{BA}$와 $\overline{DE}$의 연장선의 교점을 F라 하고 ∠BDC=34°일 때, ∠$x$의 크기를 구하시오.

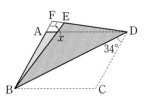

## 03

오른쪽 그림과 같이 평행사변형 ABCD의 두 대각선의 교점을 O라 하고 $\overline{CB}$의 연장선 위에 $\overline{CB}=\overline{BE}$가 되도록 점 E를 잡았다. ∠AEO=∠OEC=31°일 때, ∠DAC의 크기를 구하시오.

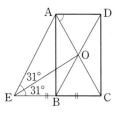

## 04

오른쪽 그림과 같은 평행사변형 ABCD에서 ∠B, ∠C의 이등분선과 $\overline{AD}$의 교점을 각각 E, F라 하고 $\overline{BE}$와 $\overline{CF}$의 교점을 G, $\overline{BA}$의 연장선과 $\overline{CF}$의 연장선의 교점을 H라 하자.
∠AHF=40°일 때, ∠GED의 크기를 구하시오.

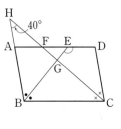

## 05

다음 그림과 같은 평행사변형 ABCD에서 점 M은 $\overline{AD}$의 중점이고 $\overline{BC}=2\overline{AB}$이다. 이때 ∠BMC의 크기를 구하시오.

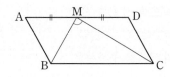

## 06

오른쪽 그림과 같은 평행사변형 ABCD에서 ∠A의 이등분선과 ∠C의 외각의 이등분선의 교점을 E라 할 때, ∠CEF의 크기를 구하시오.

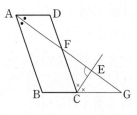

## 07

오른쪽 그림과 같이 평행사변형 ABCD의 꼭짓점 A에서 ∠D의 이등분선 DE에 내린 수선의 발을 H라 하고 $\overline{AH}$의 연장선이 $\overline{BC}$와 만나는 점을 F라 하자. $\overline{AB}=4$ cm, $\overline{AD}=6$ cm일 때, $\overline{EF}$의 길이를 구하시오.

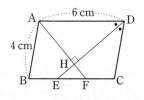

### 평행사변형이 되는 조건

## 08

오른쪽 그림과 같은 평행사변형 ABCD에서 대각선 BD 위에 $\overline{BE}=\overline{DF}$가 되도록 두 점 E, F를 잡았다. ∠FAO=40°, ∠OCF=30° 일 때, ∠AEC의 크기를 구하시오.

(단, 점 O는 두 대각선의 교점)

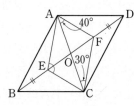

## 09

오른쪽 그림에서 △ABC는 $\overline{AB}=\overline{AC}=5\,cm$인 이등변삼각형이다. $\overline{AB}/\!/\overline{RQ}$, $\overline{AC}/\!/\overline{PQ}$일 때, □APQR의 둘레의 길이를 구하시오.

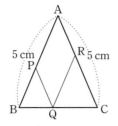

## 10

다음 그림과 같은 평행사변형 ABCD에서 $\overline{AC}$의 중점을 O라 하고 □OCDE는 평행사변형이 되도록 점 E를 잡았다. $\overline{AB}=14\,cm$, $\overline{BC}=20\,cm$일 때, $\overline{FD}+\overline{FO}$의 길이를 구하시오.

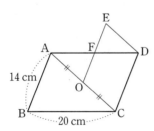

## 11

다음 그림과 같은 평행사변형 ABCD에서 ∠A, ∠C의 이등분선이 $\overline{BC}$, $\overline{AD}$와 만나는 점을 각각 E, F라 하자. $\overline{AB}=3\,cm$, $\overline{AD}=10\,cm$이고 ∠B=60°일 때, □AECF의 둘레의 길이를 구하시오.

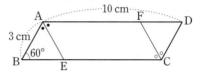

## 12

좌표평면 위에 세 점 A(0, 0), B(4, 2), C(2, 7)이 주어졌을 때, □ABCD가 평행사변형이 되도록 하는 점 D의 좌표를 $(a, b)$라 하자. 이때 $a+b$의 값을 구하시오.

(단, 점 D는 제2사분면 위에 있다.)

## 평행사변형과 넓이

## 13

다음 그림과 같이 직선 $l$과 한 점 B에서 만나는 평행사변형 ABCD가 있다. 세 점 A, D, C에서 직선 $l$에 내린 수선의 발을 각각 A′, D′, C′이라 하면 $\overline{AA'}=9$ cm, $\overline{A'B}=\overline{C'D'}=10$ cm, $\overline{BD'}=2$ cm, $\overline{CC'}=5$ cm이다. 이때 △ABD의 넓이를 구하시오.

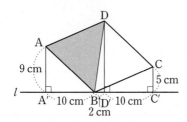

## 15

오른쪽 그림과 같이 평행사변형 ABCD의 각 변 위에 네 점 E, F, G, H를 잡았다. $\overline{EB}=\overline{GC}$이고 □ABCD의 넓이가 40 cm$^2$일 때, □EFGH의 넓이를 구하시오.

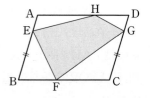

## 14

오른쪽 그림과 같은 평행사변형 ABCD에서 $\overline{CD}$의 연장선 위에 $\overline{FD}=\overline{DC}=\overline{CE}$가 되도록 두 점 E, F를 잡고 $\overline{BF}$와 $\overline{AD}$의 교점을 G, $\overline{AE}$와 $\overline{BC}$의 교점을 H, $\overline{BG}$와 $\overline{AH}$의 교점을 P라 하자. $2\overline{AB}=\overline{AD}$이고 △ABH의 넓이가 30 cm$^2$일 때, □GHEF의 넓이를 구하시오.

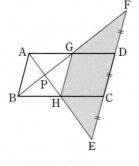

## 16

오른쪽 그림과 같은 평행사변형 ABCD의 내부의 한 점 P에 대하여 △ABP=54 cm$^2$, △PBC=25 cm$^2$일 때, △BPD의 넓이를 구하시오.

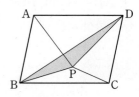

## 1 융합형

오른쪽 그림과 같은 평행사변형 ABCD에서 $\overline{CD}$의 중점을 M이라 하고 꼭짓점 A에서 $\overline{BM}$에 내린 수선의 발을 H라 하자. ∠ADH=34° 일 때, ∠AHD의 크기를 구하시오.

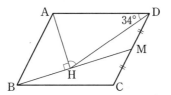

풀이

## 2

오른쪽 그림과 같은 △ABC의 세 변을 각각 한 변으로 하는 △ADB, △EBC, △ACF는 모두 정삼각형이다. $\overline{AB}=6$ cm, $\overline{BC}=12$ cm, $\overline{AC}=8$ cm 일 때, 다음 보기 중 옳은 것을 모두 고르시오.

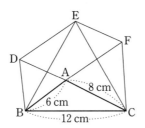

┤보기├
ㄱ. $\overline{DB}=\overline{FE}=6$ cm
ㄴ. ∠EDA=∠DAF
ㄷ. ∠DBE=∠BCA=∠ECF
ㄹ. △DBE≡△ABC≡△FEC
ㅁ. ∠DAF+∠EFA=180°
ㅂ. □DAFE의 둘레의 길이는 28 cm이다.

풀이

## 3 서술형

오른쪽 그림과 같이 $\overline{AB}=8$ cm, $\overline{AD}=10$ cm, $\overline{AC}=14$ cm인 평행사변형 ABCD에서 점 P는 꼭짓점 B에서 꼭짓점 C까지 $\overline{BC}$ 위를 움직인다. ∠PAD의 이등분선이 $\overline{BC}$ 또는 그 연장선과 만나는 점을 Q라 할 때, 점 Q가 움직인 거리를 구하시오.

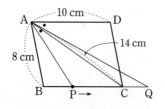

풀이

## 4 창의력

오른쪽 그림과 같이 $\overline{AB}=100$ cm, $\overline{BC}=50$ cm인 평행사변형 ABCD에서 점 P는 꼭짓점 A에서 출발하여 꼭짓점 D를 거쳐 꼭짓점 C까지 매초 5 cm의 속력으로 움직이고, 점 Q는 꼭짓점 C에서 출발하여 꼭짓점 B를 거쳐 꼭짓점 A까지 매초 8 cm의 속력으로 움직인다. 점 P가 꼭짓점 A에서 출발한 지 6초 후에 점 Q가 꼭짓점 C에서 출발한다고 한다. □AQCP가 처음으로 평행사변형이 되었을 때, $\overline{AQ}$의 길이를 구하시오.

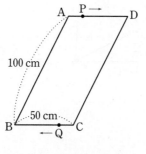

풀이

## 5

오른쪽 그림과 같이 평행사변형
ABCD의 꼭짓점 D에서 $\overline{BA}$의
연장선에 내린 수선의 발을 H라
하고 $\overline{BC}$의 중점을 M이라 하자.
$\overline{AB}=3$ cm, $\overline{BC}=6$ cm이고
∠BHM=40°일 때, ∠HMC의
크기를 구하시오.

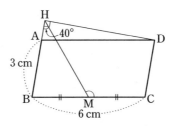

풀이

## 6 창의+융합

다음 그림은 어느 운동장에 있는 ㉠, ㉡, ㉢의 3개의 평균대를 모눈
종이 위에 나타낸 것이다. A 지점에서 출발하여 평균대 위를 걸어
서 B 지점까지 도착하려고 한다. 이동 거리를 가장 짧게 하려면 어
떤 평균대를 지나야 할지 고르시오.

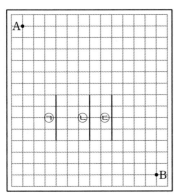

풀이

# 02 여러 가지 사각형

## ❶ 직사각형

(1) 네 내각의 크기가 모두 같은 사각형
➡ $\angle A = \angle B = \angle C = \angle D$

(2) 성질  두 대각선은 길이가 같고, 서로 다른 것을 이등분한다.
➡ $\overline{AC} = \overline{BD}$, $\overline{AO} = \overline{BO} = \overline{CO} = \overline{DO}$

(3) 평행사변형이 직사각형이 되는 조건
① 한 내각이 직각이다. ➡ $\angle A = 90°$
② 두 대각선의 길이가 같다. ➡ $\overline{AC} = \overline{BD}$
①, ② 중 하나의 조건을 만족하면 된다.

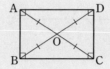

## ❷ 마름모

(1) 네 변의 길이가 모두 같은 사각형
➡ $\overline{AB} = \overline{BC} = \overline{CD} = \overline{DA}$

(2) 성질  두 대각선은 서로 다른 것을 수직이등분 한다.
➡ $\overline{AO} = \overline{CO}$, $\overline{BO} = \overline{DO}$, $\overline{AC} \perp \overline{BD}$

(3) 평행사변형이 마름모가 되는 조건
① 이웃하는 두 변의 길이가 같다. ➡ $\overline{AB} = \overline{BC}$
② 두 대각선이 서로 수직으로 만난다. ➡ $\overline{AC} \perp \overline{BD}$
①, ② 중 하나의 조건을 만족하면 된다.

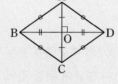

## ❸ 정사각형

(1) 네 변의 길이가 모두 같고, 네 내각의 크기가 모두 같은 사각형
➡ $\overline{AB} = \overline{BC} = \overline{CD} = \overline{DA}$, $\angle A = \angle B = \angle C = \angle D$

(2) 성질  두 대각선은 길이가 같고, 서로 다른 것을 수직이등분한다.
➡ $\overline{AC} = \overline{BD}$, $\overline{AC} \perp \overline{BD}$, $\overline{AO} = \overline{BO} = \overline{CO} = \overline{DO}$

(3) 직사각형이 정사각형이 되는 조건
① 이웃하는 두 변의 길이가 같다. ➡ $\overline{AB} = \overline{BC}$
② 두 대각선이 서로 수직으로 만난다. ➡ $\overline{AC} \perp \overline{BD}$
①, ② 중 하나의 조건을 만족하면 된다.

(4) 마름모가 정사각형이 되는 조건
① 한 내각이 직각이다. ➡ $\angle A = 90°$
② 두 대각선의 길이가 같다. ➡ $\overline{AC} = \overline{BD}$
①, ② 중 하나의 조건을 만족하면 된다.

---

【 확인 ❶ 】
다음 그림에서 □ABCD는 직사각형이고 점 O는 두 대각선의 교점일 때, $xy$의 값을 구하시오.

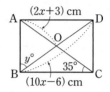

【 확인 ❷ 】
다음 그림에서 □ABCD는 마름모이고, $\angle DAC = 50°$일 때, $\angle x$의 크기를 구하시오.

【 확인 ❸ 】
아래 보기를 보고 다음 물음에 답하시오.

┤보기├
㉠ 두 대각선의 길이가 같다.
㉡ 다른 한 쌍의 대변이 평행하다.
㉢ 이웃하는 두 변의 길이가 같다.
㉣ 이웃하는 두 내각의 크기가 같다.
㉤ 두 대각선이 서로 수직이다.

(1) 직사각형이 정사각형이 되기 위해 필요한 조건을 모두 고르시오.

(2) 마름모가 정사각형이 되기 위해 필요한 조건을 모두 고르시오.

## ❹ 등변사다리꼴

(1) 아랫변의 양 끝 각의 크기가 같은 사다리꼴
   ➡ $\overline{AD} /\!/ \overline{BC}$, $\angle B = \angle C$

(2) 성질
   ① 평행하지 않은 한 쌍의 대변의 길이가 같다.
      ➡ $\overline{AB} = \overline{DC}$
   ② 두 대각선의 길이가 같다. ➡ $\overline{AC} = \overline{DB}$

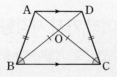

> **개념✚** 여러 가지 사각형의 대각선의 성질
>
> ① 두 대각선이 서로 다른 것을 이등분한다. ➡ 평행사변형, 직사각형, 마름모, 정사각형
> ② 두 대각선의 길이가 같다. ➡ 직사각형, 정사각형, 등변사다리꼴
> ③ 두 대각선이 서로 수직이다. ➡ 마름모, 정사각형

**[ 확인 ❹ ]**

다음 그림과 같이 $\overline{AD} /\!/ \overline{BC}$인 등변사다리꼴 ABCD에서 $\angle x$의 크기를 구하시오.

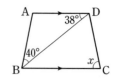

## ❺ 여러 가지 사각형 사이의 관계

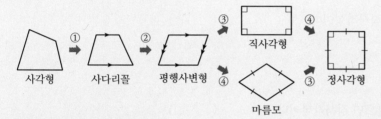

① 한 쌍의 대변이 평행하다.
② 다른 한 쌍의 대변이 평행하다.
③ 한 내각이 직각이거나 두 대각선의 길이가 같다.
④ 이웃하는 두 변의 길이가 같거나 두 대각선이 서로 수직이다.

> **개념✚**
>
> 주어진 사각형의 각 변의 중점을 연결하면 다음과 같은 사각형이 만들어진다.
>
> (1) 사각형 ➡ 평행사변형       (2) 사다리꼴 ➡ 평행사변형
> (3) 평행사변형 ➡ 평행사변형    (4) 직사각형 ➡ 마름모
> (5) 마름모 ➡ 직사각형         (6) 정사각형 ➡ 정사각형
> (7) 등변사다리꼴 ➡ 마름모

**[ 확인 ❺ ]**

다음 중 여러 가지 사각형 사이의 관계에 대한 설명으로 옳지 <u>않은</u> 것은?
① 직사각형은 평행사변형이다.
② 마름모는 직사각형이다.
③ 정사각형은 직사각형이다.
④ 평행사변형은 사다리꼴이다.
⑤ 마름모는 평행사변형이다.

## ❻ 평행선과 삼각형의 넓이

(1) 평행선과 삼각형의 넓이

오른쪽 그림에서 두 직선 $l$, $m$이 평행할 때, $\triangle ABC$와 $\triangle DBC$는 밑변 BC가 공통이고 높이가 $h$로 같으므로 두 삼각형의 넓이는 같다.

   ➡ $\triangle ABC = \triangle DBC = \dfrac{1}{2}ah$

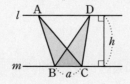

(2) 높이가 같은 두 삼각형의 넓이의 비

높이가 같은 두 삼각형의 넓이의 비는 밑변의 길이의 비와 같다.

   ➡ $\triangle ABC : \triangle ACD = \dfrac{1}{2}mh : \dfrac{1}{2}nh = m : n$

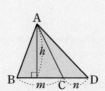

**[ 확인 ❻ ]**

다음 그림과 같은 $\triangle ABC$에서 $\overline{BP} : \overline{CP} = 3 : 4$이고 $\triangle ABP = 24 \ cm^2$일 때, $\triangle ABC$의 넓이를 구하시오.

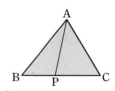

> **여러 가지 사각형의 성질**
>
> 다음 문장이 참이면 ○표, 거짓이면 ×표를 (    ) 안에 써넣으시오.

**1** (1) 평행사변형에서 이웃하는 두 변의 길이가 같으면 마름모이다.    (     )

(2) 평행사변형에서 두 대각선이 서로 수직으로 만나면 직사각형이다.    (     )

(3) 한 내각의 크기가 90°인 평행사변형은 직사각형이다.    (     )

(4) 마름모에서 이웃하는 두 각의 크기가 같으면 정사각형이다.    (     )

(5) 평행사변형에서 한 내각의 크기가 90°이고, 두 대각선이 서로 수직으로 만나면
정사각형이다.    (     )

(6) 평행사변형에서 두 대각선의 길이가 같으면 마름모이다.    (     )

(7) 마름모의 두 대각선은 서로 다른 것을 수직이등분한다.    (     )

(8) □ABCD에서 $\overline{AB}=\overline{CD}$, $\overline{AB}/\!\!/\overline{CD}$이면 마름모이다.    (     )

---

**상위권의 눈**

▶ 여러 가지 사각형들의 뜻과 성질을 생각해 본다.

---

## 여러 가지 사각형이 되는 조건

다음 물음에 답하시오.

**2-1** 다음 중 오른쪽 그림과 같은 평행사변형 ABCD가 직사각형이 되는 조건이 <u>아닌</u> 것은? (단, 점 O는 두 대각선의 교점)

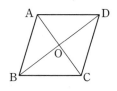

① ∠BAD=∠ABC  ② $\overline{OA}=\overline{OB}$
③ $\overline{AC}\perp\overline{BD}$  ④ ∠BCD=90°
⑤ $\overline{AC}=\overline{BD}$

**2-2** 오른쪽 그림과 같은 평행사변형 ABCD에서 $\overline{AD}=6\,cm$, $\overline{BD}=8\,cm$일 때, 다음 중 □ABCD가 직사각형이 되는 조건을 모두 고르면? (단, 점 O는 두 대각선의 교점) (정답 2개)

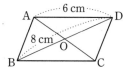

① $\overline{AC}=6\,cm$  ② $\overline{AB}=6\,cm$
③ ∠AOD=90°  ④ ∠ABC=∠BCD
⑤ $\overline{CO}=4\,cm$

**3-1** 오른쪽 그림과 같은 평행사변형 ABCD에서 점 O는 두 대각선의 교점이다. ∠OAB=58°, ∠ODC=32°이고 $\overline{AD}=6\,cm$일 때, □ABCD의 둘레의 길이를 구하시오.

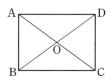

**3-2** 오른쪽 그림과 같은 직사각형 ABCD에서 $\overline{FE}$가 $\overline{BD}$의 수직이등분선이고 $\overline{FD}=8\,cm$일 때, □FBED의 둘레의 길이를 구하시오.
(단, 점 O는 $\overline{BD}$와 $\overline{FE}$의 교점)

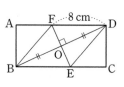

**4-1** 다음 중 오른쪽 그림과 같은 직사각형 ABCD가 정사각형이 되는 조건을 모두 고르면? (단, 점 O는 두 대각선의 교점) (정답 2개)

① ∠BAD=∠ABC  ② $\overline{AB}=\overline{AD}$
③ $\overline{AC}=\overline{BD}$  ④ $\overline{AC}\perp\overline{BD}$
⑤ $\overline{BO}=\overline{DO}$

**4-2** 다음 중 오른쪽 그림과 같은 마름모 ABCD가 정사각형이 되는 조건을 모두 고르면? (단, 점 O는 두 대각선의 교점) (정답 2개)

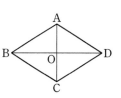

① $\overline{OA}=\overline{OB}$  ② $\overline{AB}=\overline{BC}$
③ ∠AOB=90°  ④ ∠BAO=∠BCO
⑤ ∠ABC=∠BAD

---

**상위권의 눈**

▶ 여러 가지 사각형 사이의 관계
① 한 쌍의 대변이 평행하다.
② 다른 한 쌍의 대변이 평행하다.
③ 한 내각이 직각이거나 두 대각선의 길이가 같다.
④ 이웃하는 두 변의 길이가 같거나 두 대각선이 서로 수직이다.

## 평행선과 삼각형의 넓이

다음 물음에 답하시오.

**5-1** 다음 그림과 같이 □ABCD의 꼭짓점 D를 지나고 대각선 AC와 평행한 직선이 $\overline{BC}$의 연장선과 만나는 점을 E라 하자. △ABC의 넓이가 18 cm²이고 △ACE의 넓이가 12 cm²일 때, □ABCD의 넓이를 구하시오.

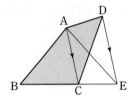

**5-2** 다음 그림과 같이 □ABCD의 꼭짓점 D를 지나고 $\overline{AC}$와 평행한 직선이 $\overline{BC}$의 연장선과 만나는 점을 E라 하자. $\overline{AH}=4$ cm, $\overline{BC}=6$ cm, $\overline{CE}=3$ cm일 때, □ABCD의 넓이를 구하시오.

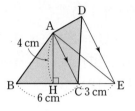

**6-1** 오른쪽 그림과 같은 평행사변형 ABCD에서 $\overline{BD} /\!/ \overline{EF}$일 때, 다음 삼각형 중에서 넓이가 나머지 넷과 다른 하나는?

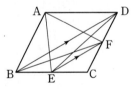

① △ABE    ② △DBF    ③ △DAF

④ △DEC    ⑤ △DBE

**6-2** 오른쪽 그림과 같은 평행사변형 ABCD에서 $\overline{AC} /\!/ \overline{EF}$이고 □ABCD=50 cm², △BCF=13 cm²일 때, △CDE의 넓이를 구하시오.

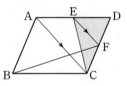

---

**상위권의 눈**

▶ 오른쪽 그림과 같은 □ABCD에서 $\overline{AC} /\!/ \overline{DE}$이면
(1) △ACE=△ACD
(2) △AED=△CED

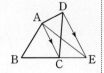

주의 △ACE≠△DCE
    △ACD≠△AED

▶ 오른쪽 그림과 같은 평행사변형 ABCD에서 $\overline{AC} /\!/ \overline{EF}$이면
(1) $\overline{AD} /\!/ \overline{BC}$이므로
    △ABE=△ACE
(2) $\overline{AC} /\!/ \overline{EF}$이므로 △ACE=△ACF
(3) $\overline{AB} /\!/ \overline{DC}$이므로 △ACF=△BCF

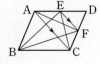

## 직사각형

### 01

오른쪽 그림과 같은 직사각형 ABCD에서 $\overline{AB} : \overline{BC} = 3 : 5$ 이고 $\overline{BE} : \overline{EC} = 2 : 3$이다. $\overline{DC}$의 삼등분점 중 점 D에 가까운 점을 F라 할 때, ∠AFE의 크기를 구하시오.

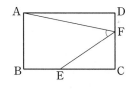

### 02

오른쪽 그림과 같은 직사각형 ABCD에서 ∠BAC의 이등분선이 $\overline{BC}$와 만나는 점을 E, 점 E에서 $\overline{AC}$에 내린 수선의 발을 F라 하자. ∠CAD=30°일 때, 다음 중 옳지 않은 것은?

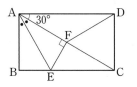

① ∠FEC=60°       ② $\overline{AB} = \overline{CF}$

③ $\overline{EC} = \overline{DC}$       ④ $\overline{DF} = \overline{FC}$

⑤ △DFC는 정삼각형이다.

## 마름모

### 03

다음 그림과 같은 마름모 ABCD에서 $\overline{AE} \perp \overline{BC}$이고 $\overline{AE}$와 $\overline{BD}$의 교점을 F라 하자. ∠BDC=25°일 때, ∠$x$+∠$y$의 크기를 구하시오.

(단, 점 O는 두 대각선의 교점)

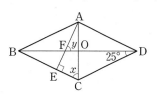

### 04

오른쪽 그림과 같은 마름모 ABCD에서 △ABP가 정삼각형이 되도록 점 P를 잡자. ∠ABC=80°일 때, ∠PCD의 크기를 구하시오.

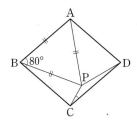

## 05

다음 그림과 같이 $\overline{AB}=5$ cm, $\overline{AC}=6$ cm, $\overline{BD}=8$ cm 인 마름모 ABCD가 있다. □ABCD의 내부의 한 점 P 에서 네 변에 내린 수선의 길이를 각각 $l_1$, $l_2$, $l_3$, $l_4$라 할 때, $l_1+l_2+l_3+l_4$의 길이를 구하시오.

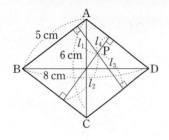

**정사각형**

## 06

다음 그림과 같은 정사각형 ABCD에서 $\overline{AE}=\overline{AB}$가 되 도록 점 E를 잡고 $\overline{AB}$와 $\overline{DE}$의 교점을 F라 하자. ∠ABE=52°일 때, ∠DFB의 크기를 구하시오.

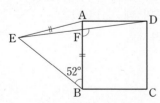

## 07

오른쪽 그림과 같은 정사각형 ABCD에서 $\overline{AB}$, $\overline{AD}$ 위의 두 점 E, F에 대하여 ∠EOF=90° 이고 $\overline{AE}=3$ cm, $\overline{AF}=5$ cm 일 때, □AEOF의 넓이를 구 하시오. (단, 점 O는 두 대각선의 교점)

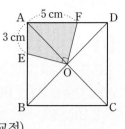

## 08

오른쪽 그림과 같은 정사각형 ABCD에서 대각선 BD 위에 점 E를 잡고 $\overline{AE}$의 연장선이 $\overline{CD}$와 만나는 점을 F라 하자. ∠DAF=20°일 때, ∠BEC의 크기를 구하시오.

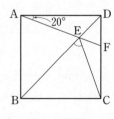

## 09

오른쪽 그림과 같은 정사각형 ABCD에서 $\overline{BC}$, $\overline{CD}$ 위에 ∠AEF=69°, ∠FAE=45°가 되도록 두 점 E, F를 각각 잡았을 때, ∠AFD의 크기를 구하시오.

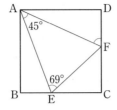

## 11

다음 그림과 같이 $\overline{AD}$ ∥ $\overline{BC}$인 등변사다리꼴 ABCD에서 $\overline{AB}=\overline{AD}$, $\overline{BC}=2\overline{AD}$일 때, ∠AOD의 크기를 구하시오. (단, 점 O는 두 대각선의 교점)

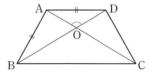

### 등변사다리꼴

## 10

다음 그림과 같이 $\overline{AD}$ ∥ $\overline{BC}$인 등변사다리꼴 ABCD에서 꼭짓점 A를 지나고 $\overline{DB}$와 평행한 직선이 $\overline{BC}$의 연장선과 만나는 점을 E라 하자. ∠DAC=36°일 때, ∠EBD의 크기를 구하시오.

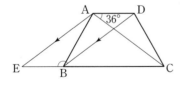

## 12

오른쪽 그림과 같이 $\overline{AD}$ ∥ $\overline{BC}$인 등변사다리꼴 ABCD가 있다. $\overline{AD}=\overline{DC}$, $\overline{AC}=\overline{BC}$일 때, ∠BAC : ∠ADC를 가장 간단한 자연수의 비로 나타내시오.

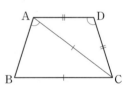

**여러 가지 사각형 사이의 관계**

## 13

다음 그림과 같이 $\overline{AD}\,/\!/\,\overline{BC}$인 등변사다리꼴 ABCD에서 두 점 M, N은 각각 $\overline{AD}$, $\overline{BC}$의 중점이고 점 E, F, G, H, I, J, K는 차례대로 $\overline{MA}$, $\overline{AB}$, $\overline{BN}$, $\overline{NM}$, $\overline{NC}$, $\overline{CD}$, $\overline{DM}$의 중점이다. $\overline{EF}=6$ cm, $\overline{EH}=5$ cm, $\overline{BC}=20$ cm일 때, $\triangle$HGI의 둘레의 길이를 구하시오.

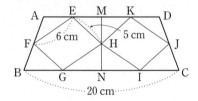

## 14

오른쪽 그림과 같은 평행사변형 ABCD에서 $\overline{BC}$의 중점을 M이라 하자. $\overline{AM}=\overline{MD}$, $\overline{AB}=3$ cm, $\overline{AD}=5$ cm일 때, □ABCD의 넓이를 구하시오.

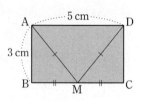

## 15

오른쪽 그림과 같은 마름모 ABCD에서 두 대각선의 교점 O와 점 C를 각각 꼭짓점으로 하는 마름모 EOCF가 있다. $\overline{AC}=12$ cm, $\overline{BD}=10$ cm일 때, □EDCF의 넓이를 구하시오.

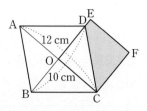

## 16

70개의 평행사변형 중 직사각형이 50개, 마름모가 20개, 직사각형도 아니고 마름모도 아닌 평행사변형이 10개 있을 때, 정사각형의 개수를 구하시오.

**평행선과 삼각형의 넓이**

## 17

오른쪽 그림과 같이
$\overline{AD} /\!/ \overline{BC}$이고 ∠C=90°인
사다리꼴 ABCD에서 꼭짓
점 C를 지나고 $\overline{AB}$와 평행한
직선이 꼭짓점 A를 지나고
$\overline{BD}$와 평행한 직선과 만나는
점을 E라 하자. $\overline{AD}$=5 cm,
$\overline{CD}$=6 cm, $\overline{BC}$=8 cm일 때, △EAD의 넓이를 구하
시오.

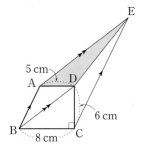

## 18

오른쪽 그림과 같이 △ABC
에서 $\overline{BM} : \overline{MC}$=1 : 3이고
$\overline{AD} \perp \overline{BC}$, $\overline{EM} \perp \overline{BC}$이다.
△ABC의 넓이가 40 cm²일
때, △EBD의 넓이를 구하시
오.

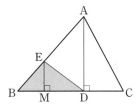

## 19

다음 그림과 같이 $\overline{AD} /\!/ \overline{BC}$인 사다리꼴 ABCD에서
$\overline{AB} /\!/ \overline{EF}$, $\overline{DC} /\!/ \overline{EG}$이고 $\overline{EH} \perp \overline{BC}$이다. $\overline{AD}$=6 cm,
$\overline{FG}$=8 cm, $\overline{EH}$=9 cm일 때, 오각형 EIFGJ의 넓이를
구하시오.

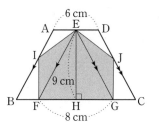

## 20

오른쪽 그림과 같이 △ABC에
서 $\overline{AD} : \overline{DB} = \overline{BE} : \overline{EC}$
$= \overline{CF} : \overline{FA}$=1 : 3이고
△ABC의 넓이가 80 cm²일
때, △DEF의 넓이를 구하시오.

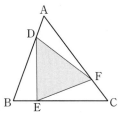

**1** 서술형

오른쪽 그림과 같은 마름모
ABCD에서 두 대각선의 교점을
O라 하고 $\overline{AB}$ 위의 점 E에 대하여
$\overline{EC}$와 $\overline{BD}$의 교점을 F라 하자.
$\overline{BE}=\overline{BF}=20$ cm, $\overline{BC}=30$ cm
이고 △OFC=48 cm²일 때,
△BCE의 넓이를 구하시오.

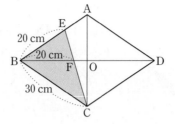

풀이

**2**

오른쪽 그림과 같이 한 변의 길이가
20 cm인 정사각형 ABCD에서
∠FBE=45°일 때, △DFE의 둘레의
길이를 구하시오.

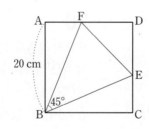

풀이

## 3

사각형 $A_n$의 각 변의 중점을 차례대로 연결하여 만든 사각형을 $A_{n+1}(n=1, 2, 3, \cdots)$이라 할 때, 다음 보기 중 옳은 것을 모두 고르시오.

┤보기├

ㄱ. $A_1$이 사다리꼴이면 $A_n(n=2, 3, 4, \cdots)$은 평행사변형이다.

ㄴ. $A_1$이 마름모이면 $A_{2n}$은 직사각형이다.

ㄷ. $A_2$가 정사각형이면 $A_1$은 정사각형이다.

ㄹ. $A_n$이 정사각형이면 $A_{n+1}$은 정사각형이다.

풀이

## 4 융합형

오른쪽 그림과 같이 $\overline{AD} \# \overline{BC}$인 등변 사다리꼴 ABCD에서 두 대각선의 교점을 O, 점 O를 지나고 $\overline{CD}$에 수직인 직선이 $\overline{AB}$, $\overline{CD}$와 만나는 점을 각각 E, H라 하자. $\angle AOD=90°$이고 $\overline{AB}=5$ cm, $\overline{OD}=3$ cm, $\overline{OC}=4$ cm일 때, $\overline{EH}$의 길이를 구하시오.

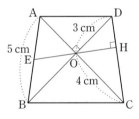

풀이

**5** 창의+융합

오른쪽 그림에서 점 D는 $\overline{AE}$와 $\overline{CG}$ 의 교점이고 □ABCD와 □DEFG 는 정사각형이다. $\overline{AG}$의 중점을 P, $\overline{PD}$의 연장선이 $\overline{CE}$와 만나는 점을 Q라 하자. $\overline{CE}=16$ cm, △DCE$=48$ cm$^2$일 때, $\overline{PQ}$의 길 이를 구하시오.

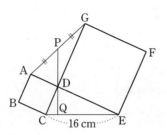

풀이

**6** 창의력

오른쪽 그림과 같이 넓이가 72 cm$^2$ 인 평행사변형 ABCD에서 $\overline{AE}:\overline{EF}:\overline{FD}=1:2:3$일 때, △AEG와 △GFD의 넓이의 합을 구하시오.

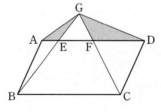

풀이

# III

# 도형의 닮음과 피타고라스 정리

# 01 도형의 닮음

## ❶ 닮음

한 도형을 일정한 비율로 확대하거나 축
소한 것이 다른 도형과 합동일 때, 이 두
도형은 서로 닮음인 관계에 있다고 하고,
닮은 도형이라 한다.

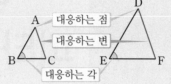

△ABC와 △DEF가 서로 닮은 도형일
때, 이것을 기호로 △ABC∽△DEF와 같이 나타낸다.

## ❷ 닮은 도형의 성질

(1) 닮은 평면도형의 성질   닮은 두 평면도형에서
  ① 대응하는 변의 길이의 비는 일정하다.
  ② 대응하는 각의 크기는 각각 같다. ─→ 닮음비

(2) 닮은 입체도형의 성질   닮은 두 입체도형에서
  ① 대응하는 모서리의 길이의 비는 일정하다. ─→ 닮음비
  ② 대응하는 면은 닮은 도형이다.

## ❸ 삼각형의 닮음 조건

(1) 세 쌍의 대응하는 변의 길이의 비가 같
  다. (SSS 닮음)
  ➡ $a : a' = b : b' = c : c'$

(2) 두 쌍의 대응하는 변의 길이의 비가 같
  고, 그 끼인각의 크기가 같다.
                (SAS 닮음)
  ➡ $a : a' = c : c'$, $\angle B = \angle B'$

(3) 두 쌍의 대응하는 각의 크기가 각각 같다. (AA 닮음)
  ➡ $\angle B = \angle B'$, $\angle C = \angle C'$

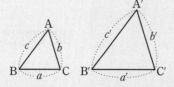

## ❹ 직각삼각형의 닮음의 활용

$\angle A = 90°$인 직각삼각형 ABC의 꼭짓점 A에서
$\overline{BC}$에 내린 수선의 발을 H라 하면

(1) △ABC∽△HBA이므로
  $\overline{AB} : \overline{HB} = \overline{BC} : \overline{BA}$   ∴ $\overline{AB}^2 = \overline{BH} \times \overline{BC}$

(2) △ABC∽△HAC이므로
  $\overline{BC} : \overline{AC} = \overline{AC} : \overline{HC}$   ∴ $\overline{AC}^2 = \overline{CH} \times \overline{CB}$

(3) △HBA∽△HAC이므로
  $\overline{HB} : \overline{HA} = \overline{HA} : \overline{HC}$   ∴ $\overline{AH}^2 = \overline{HB} \times \overline{HC}$

[ 확인 ❶ ]
아래 그림의 두 삼각기둥은 서로 닮은 도형
이다. $\overline{AB}$에 대응하는 모서리가 $\overline{A'B'}$일 때,
다음을 각각 구하시오.

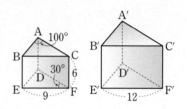

(1) 두 삼각기둥의 닮음비

(2) $\overline{C'F'}$의 길이

(3) $\angle A'B'C'$의 크기

[ 확인 ❷ ]
다음 그림의 두 삼각형이 서로 닮은 도형이
되기 위해 추가해야 할 조건을 모두 고르면?

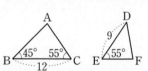

① $\angle A = 80°$      ② $\angle F = 80°$
③ $\overline{AB} = 8$, $\overline{EF} = 6$   ④ $\overline{AC} = 4$, $\angle F = 70°$
⑤ $\overline{AB} = 15$, $\overline{DF} = 12$

[ 확인 ❸ ]
다음 그림과 같은 직각삼각형 ABC에서
$x + y$의 값을 구하시오.

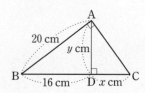

## 서로 닮은 도형 찾기

다음 물음에 답하시오.

**1-1** 오른쪽 그림과 같은 △ABC 에서 ∠A＝∠BCD일 때, $xy$ 의 값을 구하시오.

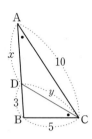

**1-2** 다음 그림과 같은 △ABC에서 ∠BAC＝∠BDA일 때, $\overline{DC}$의 길이를 구하시 오.

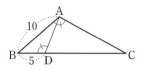

**2-1** 다음 그림과 같은 △ABC에서 $\overline{AD}$의 길이를 구 하시오.

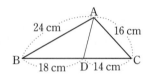

**2-2** 다음 그림과 같은 △ABC에서 $\overline{BC}$의 길이를 구 하시오.

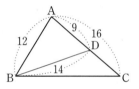

**3-1** 오른쪽 그림과 같은 △ABC에서 $\overline{AD}\perp\overline{BC}$, $\overline{BE}\perp\overline{AC}$일 때, $\overline{AF}$의 길이를 구하 시오.

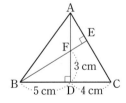

**3-2** 오른쪽 그림과 같은 △ABC에서 $\overline{AB}\perp\overline{CE}$, $\overline{AC}\perp\overline{BD}$일 때, $\overline{DC}$의 길이를 구하 시오.

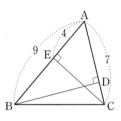

**상위권의 눈**

▶ 공통인 각과 다른 한 각의 크기가 같은 두 삼각형을 찾는다. (AA 닮음)
▶ 공통인 각을 하나 밖에 찾을 수 없을 때에는 공통인 각을 기준으로 대응하는 변의 길이의 비가 같은 두 삼각형을 찾는 다. (SAS 닮음)

## 직각삼각형의 닮음의 활용

다음 물음에 답하시오.

**4-1** 다음 그림과 같이 ∠A=90°인 직각삼각형 ABC의 꼭짓점 A에서 $\overline{BC}$에 내린 수선의 발을 D라 하자. $\overline{AB}$=5 cm, $\overline{BD}$=3 cm일 때, $\overline{AC}$의 길이를 구하시오.

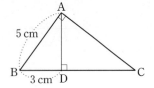

**4-2** 다음 그림과 같이 ∠C=90°인 직각삼각형 ABC의 꼭짓점 C에서 $\overline{AB}$에 내린 수선의 발을 D라 하자. $\overline{AC}$=15 cm, $\overline{BC}$=20 cm, $\overline{CD}$=12 cm일 때, $\overline{BD}$의 길이를 구하시오.

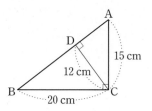

**5-1** 다음 그림과 같이 직사각형 ABCD의 대각선 BD와 $\overline{AE}$는 점 O에서 수직으로 만난다. $\overline{OB}$=9, $\overline{OD}$=16일 때, $\overline{AE}$의 길이를 구하시오.

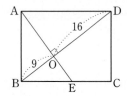

**5-2** 다음 그림과 같은 직사각형 ABCD에서 $\overline{AH} \perp \overline{BD}$이고 $\overline{AB}$=10 cm, $\overline{BH}$=6 cm일 때, □ABCD의 넓이를 구하시오.

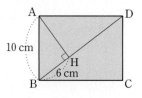

---

**상위권의 눈**

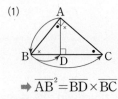

$\Rightarrow \overline{AB}^2 = \overline{BD} \times \overline{BC}$

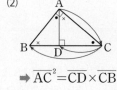

$\Rightarrow \overline{AC}^2 = \overline{CD} \times \overline{CB}$

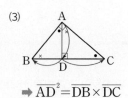

$\Rightarrow \overline{AD}^2 = \overline{DB} \times \overline{DC}$

참고 $\triangle ABC = \dfrac{1}{2} \times \overline{AB} \times \overline{AC} = \dfrac{1}{2} \times \overline{BC} \times \overline{AD}$    $\therefore \overline{AB} \times \overline{AC} = \overline{BC} \times \overline{AD}$

## 닮은 도형

### 01

다음 보기 중 항상 닮은 도형인 것은 모두 몇 개인지 구하시오.

┤ 보기 ├
ㄱ 반지름의 길이가 다른 두 원
ㄴ 반지름의 길이가 같은 두 부채꼴
ㄷ 한 내각의 크기가 30°인 두 직각삼각형
ㄹ 이웃하는 두 변의 길이의 비가 서로 같은 두 평행사변형
ㅁ 아랫변의 양 끝 각의 크기가 서로 같은 두 등변사다리꼴

### 03

다음 그림과 같이 직선 $y=-\dfrac{2}{3}x+6$이 한 변이 $x$축 위에 있는 세 정사각형 $A$, $B$, $C$의 한 꼭짓점을 지난다. 이때 세 정사각형 $A$, $B$, $C$의 닮음비를 가장 간단한 자연수의 비로 나타내시오.

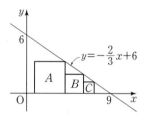

### 02

오른쪽 그림과 같이 A3 용지를 계속 반으로 접을 때마다 만들어지는 용지를 차례로 A4, A5, A6, ··· 용지라 한다. 이때 A4 용지와 A8 용지의 닮음비를 가장 간단한 자연수의 비로 나타내시오.

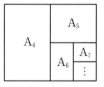

## 삼각형의 닮음 조건

### 04

오른쪽 그림과 같은 △ABC에서 ∠BAD=∠C, ∠DAE=∠CAE이다. $\overline{AB}$=9 cm, $\overline{BC}$=12 cm일 때, $\overline{DE}$의 길이를 구하시오.

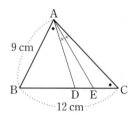

## 05

다음 그림에서 점 I는 △ABC의 내심이고 $\overline{DE} /\!/ \overline{BC}$이다. $\overline{AB}=20$, $\overline{BC}=30$, $\overline{AC}=15$일 때, $\overline{AD}$의 길이를 구하시오.

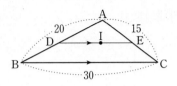

## 07

오른쪽 그림과 같은 정삼각형 ABC에서 $\overline{BC}$ 위에 $\overline{BD} : \overline{DC} = 2 : 1$이 되도록 점 D를 잡고, $\overline{AB}$ 위에 ∠EDA=60°가 되도록 점 E를 잡았다. 이때 $\overline{AE} : \overline{EB}$를 가장 간단한 자연수의 비로 나타내시오.

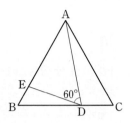

## 06

오른쪽 그림과 같이 ∠BAC=90°인 직각삼각형 ABC에서 빗변 BC와 그 연장선 위에 $\overline{AC}=\overline{DC}=\overline{CE}$가 되도록 두 점 D, E를 잡았다. 다음 중 옳지 <u>않은</u> 것은?

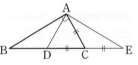

① ∠DAE=90°
② ∠BAD=∠EAC
③ △ABD∽△EBA
④ $\overline{AB}^2=\overline{BD}\times\overline{BE}$
⑤ $\overline{BD}=\overline{AD}$

## 08

오른쪽 그림과 같이 정사각형의 내부에 5개의 정사각형을 겹치지 않게 놓았더니 남은 부분에 직각삼각형이 생겼다. 이때 색칠한 부분의 넓이를 구하시오.
(단, 작은 4개의 정사각형은 모두 합동이다.)

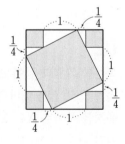

## 09

오른쪽 그림과 같은
□ABCD에서
∠ABE=∠DBC이다.
$\overline{AB}=\overline{BC}=6$, $\overline{DB}=12$,
$\overline{AE}=4$, $\overline{BE}=3$, $\overline{CE}=5$일
때, $\overline{DA}+\overline{DC}$의 값을 구하시오.

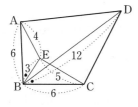

## 직각삼각형의 닮음

## 11

다음 그림과 같이 직사각형 ABCD에서 대각선 BD를
접는 선으로 하여 점 C가 점 E에 오도록 접었다.
$\overline{AB}=6$ cm, $\overline{BC}=8$ cm, $\overline{BD}=10$ cm일 때, △PBD
의 넓이를 구하시오.

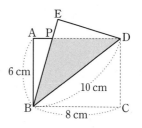

## 10

오른쪽 그림과 같이
$\overline{AB}=12$ cm인 정삼각형 ABC
와 $\overline{AD}=8$ cm인 정삼각형
AED가 있다. $\overline{BE}$의 연장선과
$\overline{CD}$의 교점을 F라 할 때,
$\overline{BE} \times \overline{FE}$의 값을 구하시오.

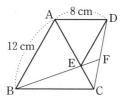

## 12

다음 그림과 같이 ∠BAC=90°인 직각삼각형 ABC에
서 점 M은 $\overline{BC}$의 중점이고 $\overline{AH}\perp\overline{BC}$, $\overline{HD}\perp\overline{AM}$이다.
$\overline{AB}=12$ cm, $\overline{BC}=20$ cm, $\overline{AC}=16$ cm일 때, $\overline{HD}$의
길이를 구하시오.

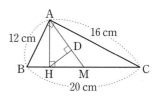

## 13

오른쪽 그림과 같이 좌표평면 위에 직사각형 ABCD가 $x$축, $y$축에 접하고 있을 때, 두 꼭짓점 C, D를 지나는 직선의 방정식을 구하시오.

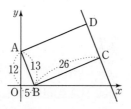

## 15

오른쪽 그림과 같이 $\angle C = 90°$ 이고 $\overline{AB} = 5$ cm, $\overline{BC} = 4$ cm, $\overline{AC} = 3$ cm인 직각삼각형 ABC가 있다. □DEFG가 $\overline{DE} : \overline{EF} = 2 : 1$ 인 직사각형이 되도록 직각삼각형 ABC의 각 변 위에 네 점 D, E, F, G를 정할 때, $\overline{EF}$의 길이를 구하시오.

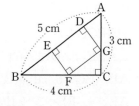

## 14

오른쪽 그림은 정사각형 ABCD를 $\overline{EF}$를 접는 선으로 하여 꼭짓점 A가 $\overline{BC}$ 위의 점 A′에 오도록 접은 것이다. $\overline{AE} = 5$ cm, $\overline{EB} = 3$ cm, $\overline{BA'} = 4$ cm일 때, $\overline{PF}$의 길이를 구하시오.

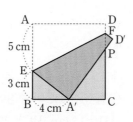

## 16

오른쪽 그림과 같이 넓이가 48 cm²인 정사각형 ABCD에서 두 점 E, F는 각각 $\overline{BC}$, $\overline{CD}$ 위의 점이고 $\angle EAF = 45°$이다. 점 E와 점 F에서 대각선 AC에 내린 수선의 발을 각각 P, Q라 하면 $\overline{AP} = 6$ cm일 때, $\overline{PQ}$의 길이를 구하시오.

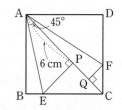

## 1 융합형

오른쪽 그림과 같은 직사각형 ABCD에서 점 M은 $\overline{CD}$의 중점이고, $\overline{AB}=12$ cm, $\overline{BC}=9$ cm, $\angle BEM=\angle MED$이다. $\overline{AM}$과 $\overline{BE}$의 교점을 P라 할 때, $\overline{BP} : \overline{EP}$ 의 길이의 비를 가장 간단한 자연수의 비로 나타내시오.

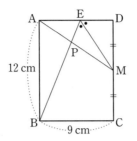

풀이

## 2 창의력

오른쪽 그림과 같이 $\overline{AB}=\overline{AC}=6$, $\overline{BC}=4$인 이등변삼각형 ABC에서 $\overline{AB}$, $\overline{AC}$의 삼등분점 중 꼭짓점 A에 가까운 점을 각각 D, E라 하고, $\overline{DE}$ 위의 점 P에 대하여 $\overline{BP}$의 연장선과 $\overline{CA}$의 교점을 G, $\overline{CP}$의 연장선과 $\overline{AB}$의 교점을 F라 하자. $\overline{BF}=a$, $\overline{CG}=b$일 때, $\dfrac{1}{a}+\dfrac{1}{b}$의 값을 구하시오.

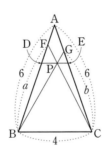

풀이

## 3

오른쪽 그림과 같은 삼각형 ABC의 꼭 짓점 B에서 ∠A, ∠C의 이등분선에 내 린 수선의 발을 각각 P, Q라 하자. $\overline{AB}=9$ cm, $\overline{BC}=10$ cm, $\overline{AC}=13$ cm일 때, $\overline{PQ}$의 길이를 구하 시오.

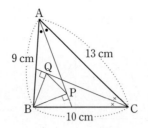

풀이

## 4 서술형

오른쪽 그림과 같은 평행사변형 ABCD의 꼭짓점 A에서 $\overline{BC}$와 $\overline{CD}$ 에 내린 수선의 발을 각각 M, N이라 하자. $\overline{AB}=6$ cm, $\overline{AM}=5$ cm, $\overline{AC}=7$ cm일 때, $\overline{MN}$의 길이를 구하시오.

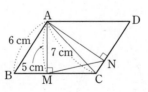

풀이

# 5

오른쪽 그림과 같이 ∠BAC=90°인 직각삼각형 ABC의 꼭짓점 A에서 $\overline{BC}$에 내린 수선의 발을 D, 점 D에서 $\overline{AC}$에 내린 수선의 발을 E, 점 E에서 $\overline{BC}$에 내린 수선의 발을 F라 하고, 이와 같은 방법으로 점 G, H, I, J, K를 차례대로 정하자. $\overline{AB}=24$ cm, $\overline{IH}=3$ cm일 때, $\overline{KJ}$의 길이를 구하시오.

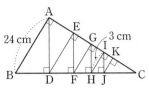

풀이

# 6 창의+융합

오른쪽 그림과 같이 ∠BAC=90°인 직각삼각형 ABC에서 □DEFG는 $\overline{DE}:\overline{EF}=1:2$인 직사각형이다. $\overline{DH}=2$, $\overline{IG}=8$일 때, $x$의 값을 구하시오.

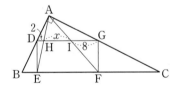

풀이

# 02 평행선과 선분의 길이의 비

## ❶ 삼각형에서 평행선과 선분의 길이의 비

△ABC에서 변 BC와 평행한 직선이 두 변 AB, AC 또는 그 연장선과 만나는 점을 각각 D, E라 할 때,

  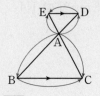

(1) $\overline{BC} /\!/ \overline{DE}$이면 $\overline{AB} : \overline{AD} = \overline{AC} : \overline{AE} = \overline{BC} : \overline{DE}$
(2) $\overline{AB} : \overline{AD} = \overline{AC} : \overline{AE} = \overline{BC} : \overline{DE}$이면 $\overline{BC} /\!/ \overline{DE}$

  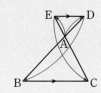

(3) $\overline{BC} /\!/ \overline{DE}$이면 $\overline{AD} : \overline{DB} = \overline{AE} : \overline{EC}$
(4) $\overline{AD} : \overline{DB} = \overline{AE} : \overline{EC}$이면 $\overline{BC} /\!/ \overline{DE}$

## ❷ 삼각형의 각의 이등분선

(1) 삼각형의 내각의 이등분선의 성질
    △ABC에서 ∠A의 이등분선이 $\overline{BC}$와 만나는 점을 D라 하면
    ➡ $\overline{AB} : \overline{AC} = \overline{BD} : \overline{CD}$

(2) 삼각형의 외각의 이등분선의 성질
    △ABC에서 ∠A의 외각의 이등분선이 $\overline{BC}$의 연장선과 만나는 점을 D라 하면
    $\overline{AB} : \overline{AC} = \overline{BD} : \overline{CD}$ → $\overline{AB} : \overline{AC} \neq \overline{BC} : \overline{CD}$임에 주의한다.

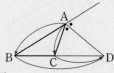

개념➕ 삼각형의 내각의 이등분선과 삼각형의 넓이의 비

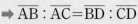

△ABD : △ACD = $\overline{BD} : \overline{CD} = \overline{AB} : \overline{AC}$

## ❸ 평행선 사이의 선분의 길이의 비

세 평행선이 다른 두 직선과 만날 때, 평행선 사이의 선분의 길이의 비는 같다.
➡ 오른쪽 그림에서 $l /\!/ m /\!/ n$이면 $a : b = c : d$ 또는 $a : c = b : d$

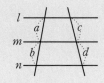 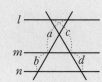

---

**[확인 ❶]**
다음 중 $\overline{BC} /\!/ \overline{DE}$인 것을 모두 고르면?
(정답 2개)

① 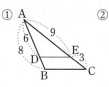  ②

③   ④

⑤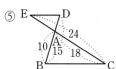

---

**[확인 ❷]**
다음 그림에서 $l /\!/ m /\!/ n$일 때, $x, y$의 값을 각각 구하시오.

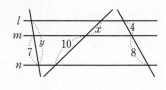

## ❹ 사다리꼴에서 평행선과 선분의 길이의 비

사다리꼴 ABCD에서 $\overline{AD}\,/\!/\,\overline{EF}\,/\!/\,\overline{BC}$이고
$\overline{AD}=a$, $\overline{BC}=b$, $\overline{AE}=m$, $\overline{EB}=n$일 때,

$$\overline{EF}=\frac{an+bm}{m+n}$$

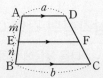

**개념➕**

점 A를 지나고 $\overline{DC}$와 평행한 직선이 $\overline{EF}$, $\overline{BC}$와 만나는 점을 각각 G,
H라 하면 $\overline{HC}=\overline{GF}=\overline{AD}=a$

$\triangle ABH$에서 $\overline{EG}:\overline{BH}=m:(m+n)$이므로 $\overline{EG}=\dfrac{m(b-a)}{m+n}$

➡ $\overline{EF}=\overline{EG}+\overline{GF}=\dfrac{an+bm}{m+n}$

## ❺ 평행선과 선분의 길이의 비의 응용

$\overline{AC}$와 $\overline{BD}$의 교점을 E라 할 때, $\overline{AB}\,/\!/\,\overline{EF}\,/\!/\,\overline{DC}$이고
$\overline{AB}=a$, $\overline{CD}=b$이면

(1) $\overline{EF}=\dfrac{ab}{a+b}$

(2) $\overline{AE}:\overline{EC}=\overline{BE}:\overline{ED}=\overline{BF}:\overline{FC}=a:b$

## ❻ 삼각형의 두 변의 중점을 연결한 선분

(1) $\triangle ABC$에서
$\overline{AM}=\overline{MB}$, $\overline{AN}=\overline{NC}$이면
$\overline{MN}\,/\!/\,\overline{BC}$, $\overline{MN}=\dfrac{1}{2}\overline{BC}$

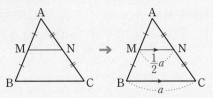

(2) $\triangle ABC$에서
$\overline{AM}=\overline{MB}$, $\overline{MN}\,/\!/\,\overline{BC}$이면
$\overline{AN}=\overline{NC}$

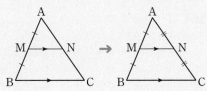

## ❼ 사다리꼴에서 두 변의 중점을 연결한 선분

$\overline{AD}\,/\!/\,\overline{BC}$인 사다리꼴 ABCD에서 두 점 M, N이 각
각 $\overline{AB}$, $\overline{DC}$의 중점일 때

(1) $\overline{AD}\,/\!/\,\overline{MN}\,/\!/\,\overline{BC}$

(2) $\overline{MN}=\overline{MP}+\overline{PN}=\dfrac{1}{2}(\overline{AD}+\overline{BC})$

(3) $\overline{PQ}=\overline{MQ}-\overline{MP}=\dfrac{1}{2}(\overline{BC}-\overline{AD})$ (단, $\overline{BC}>\overline{AD}$)

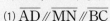

**[확인 ❸]**

다음 그림과 같은 사다리꼴 ABCD에서
$\overline{AD}\,/\!/\,\overline{EF}\,/\!/\,\overline{BC}$이고 $\overline{AE}:\overline{EB}=3:2$일
때, $\overline{EF}$의 길이를 구하시오.

**[확인 ❹]**

다음 그림에서 두 점 M, N은 각각 $\overline{AB}$,
$\overline{AC}$의 중점이고 두 점 P, Q는 각각 $\overline{DB}$,
$\overline{DC}$의 중점이다. $\overline{AC}$와 $\overline{PQ}$의 교점이 R이
고 $\overline{MN}=8$, $\overline{RQ}=6$일 때, $\overline{PR}$의 길이를
구하시오.

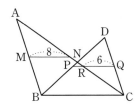
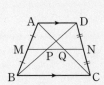

## 삼각형의 각의 이등분선

다음 물음에 답하시오.

**1-1** 다음 그림과 같은 △ABC에서 $\overline{AD}$는 ∠A의 이등분선이다. $\overline{AB}/\!/\overline{ED}$일 때, $\overline{CE}$의 길이를 구하시오.

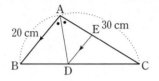

**1-2** 다음 그림과 같은 △ABC에서 $\overline{AD}$는 ∠A의 이등분선이고 $\overline{AE}:\overline{EB}=4:3$이다. $\overline{AB}=14$ cm, $\overline{AC}=12$ cm이고 △ABC의 넓이가 70 cm²일 때, △AEF의 넓이를 구하시오.

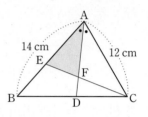

**2-1** 다음 그림과 같은 △ABC에서 $\overline{AD}$는 ∠A의 이등분선이다. ∠A의 외각의 이등분선과 $\overline{BC}$의 연장선의 교점을 E라 할 때, $\overline{DE}$의 길이를 구하시오.

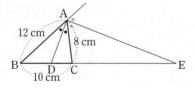

**2-2** 다음 그림과 같은 △ABC에서 ∠A의 외각의 이등분선과 $\overline{BC}$의 연장선의 교점을 E라 하자. △ABC의 넓이가 15 cm²일 때, △ACD의 넓이를 구하시오.

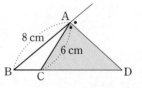

### 상위권의 눈

▶ △ABC에서 ∠A의 이등분선이 $\overline{BC}$와 만나는 점을 D라 하면
$\overline{AB}:\overline{AC}=\overline{BD}:\overline{CD}$

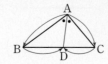

▶ △ABC에서 ∠A의 외각의 이등분선이 $\overline{BC}$의 연장선과 만나는 점을 D라 하면
$\overline{AB}:\overline{AC}=\overline{BD}:\overline{CD}$

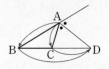

## 평행선 사이의 선분의 길이의 비
### 다음 물음에 답하시오.

**3-1** 다음 그림에서 $l /\!/ m /\!/ n$일 때, $x$, $y$의 값을 각각 구하시오.

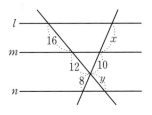

**3-2** 다음 그림에서 $l /\!/ m /\!/ n$일 때, $x$의 값을 구하시오.

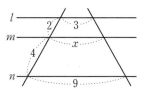

**4-1** 다음 그림에서 $\overline{AB}$, $\overline{EF}$, $\overline{DC}$는 모두 $\overline{BC}$에 수직이다. $\overline{AB}=6$, $\overline{EF}=4$, $\overline{FC}=16$일 때, $x+y$의 값을 구하시오.

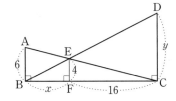

**4-2** 다음 그림에서 $\overline{AB}$, $\overline{EF}$, $\overline{DC}$는 모두 $\overline{BC}$에 수직이다. $\overline{AB}=12$ cm, $\overline{BC}=20$ cm, $\overline{DC}=15$ cm일 때, $\triangle EBC$의 넓이를 구하시오.

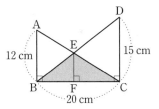

**상위권의 눈**

▶ $\overline{AC}$와 $\overline{BD}$의 교점을 E라 할 때, $\overline{AB} /\!/ \overline{EF} /\!/ \overline{DC}$이고 $\overline{AB}=a$, $\overline{CD}=b$이면

(1) $\triangle ABE \backsim \triangle CDE$ (AA 닮음)이므로
$\overline{AE} : \overline{CE} = \overline{BE} : \overline{DE} = \overline{AB} : \overline{CD} = a : b$

(2) $\triangle BFE \backsim \triangle BCD$ (AA 닮음)이므로
$\overline{BE} : \overline{BD} = \overline{BF} : \overline{BC} = \overline{EF} : \overline{DC} = a : (a+b)$

(3) $\triangle CEF \backsim \triangle CAB$ (AA 닮음)이므로
$\overline{CE} : \overline{CA} = \overline{CF} : \overline{CB} = \overline{EF} : \overline{AB} = b : (b+a)$

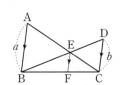

## 삼각형의 두 변의 중점을 연결한 선분의 활용

다음 물음에 답하시오.

**5-1** 다음 그림과 같은 △ABC에서 $\overline{AE}=\overline{EF}=\overline{FB}$, $\overline{AG}=\overline{GD}$이다. $\overline{EG}=3$ cm일 때, $\overline{GC}$의 길이를 구하시오.

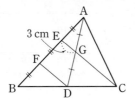

**5-2** 다음 그림과 같은 △ABC에서 $\overline{AF}=\overline{FB}$, $\overline{AE}=\overline{ED}=\overline{DC}$이다. $\overline{BG}=9$ cm일 때, $\overline{FE}$의 길이를 구하시오.

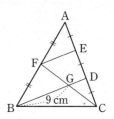

**6-1** 다음 그림과 같은 △ABC에서 $\overline{BA}$의 연장선 위에 $\overline{AB}=\overline{AD}$가 되도록 점 D를 잡았다. $\overline{AC}$의 중점을 E, $\overline{DE}$의 연장선과 $\overline{BC}$의 교점을 F라 할 때, $\overline{CF}$의 길이를 구하시오.

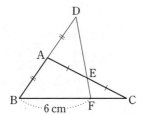

**6-2** 다음 그림과 같은 △ABC에서 $\overline{CA}$의 연장선 위에 $\overline{AC}=\overline{AD}$가 되도록 점 D를 잡았다. $\overline{AB}$의 중점을 E, $\overline{DE}$의 연장선과 $\overline{BC}$의 교점을 F라 할 때, $\overline{FC}$의 길이를 구하시오.

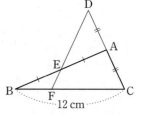

**상위권의 눈**

▶ 오른쪽 그림과 같은 △ABC에서 $\overline{AE}=\overline{EF}=\overline{FB}$, $\overline{AG}=\overline{GD}$일 때

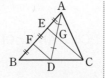

(1) △AFD에서
  $\overline{AE}=\overline{EF}$, $\overline{AG}=\overline{GD}$이므로
  $\overline{EG}/\!/\overline{FD}$, $\overline{FD}=2\overline{EG}$
(2) △BCE에서
  $\overline{BF}=\overline{FE}$, $\overline{FD}/\!/\overline{EC}$이므로
  $\overline{BD}=\overline{DC}$, $\overline{EC}=2\overline{FD}=4\overline{EG}$

▶ 오른쪽 그림과 같은 △ABC에서 $\overline{DA}=\overline{AB}$, $\overline{AE}=\overline{EC}$일 때

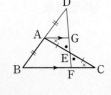

(1) △DBF에서
  $\overline{DA}=\overline{AB}$, $\overline{AG}/\!/\overline{BF}$이므로
  $\overline{DG}=\overline{GF}$, $\overline{AG}=\dfrac{1}{2}\overline{BF}$
(2) △EGA ≡ △EFC (ASA 합동)이므로
  $\overline{AG}=\overline{CF}$

**삼각형에서 평행선과 선분의 길이의 비**

## 01

다음 그림에서 $\overline{DE} /\!/ \overline{FG} /\!/ \overline{CH}$, $\overline{DG} /\!/ \overline{FH} /\!/ \overline{CB}$이고 $\overline{AE}=8$, $\overline{EG}=4$일 때, $\overline{HB}$의 길이를 구하시오.

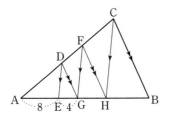

## 02

다음 그림과 같은 △ABC에서 $\overline{AB} /\!/ \overline{EF}$, $\overline{DE} /\!/ \overline{BC}$, $\overline{AC} /\!/ \overline{GF}$이다. $\overline{AB}=14$이고 $\overline{AE} : \overline{EC}=2 : 5$일 때, $\overline{DG}$의 길이를 구하시오.

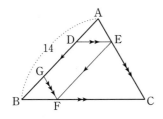

## 03

오른쪽 그림과 같이 $\overline{AD} /\!/ \overline{BC}$인 사다리꼴 ABCD에서 ∠C의 이등분선 이 $\overline{AB}$와 점 E에서 수직으로 만난다. $\overline{BE}=2\overline{AE}$이고, $\overline{BC}=8$ cm일 때, $\overline{AD}$의 길 이를 구하시오.

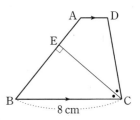

## 04

다음 그림과 같이 네 점 A, B, C, D는 한 직선 위에 있고 △ABE, △BCF, △CDG는 각각 $\overline{AB}$, $\overline{BC}$, $\overline{CD}$를 한 변으로 하는 정삼각형이다. 세 점 E, F, G를 지나는 직선 과 $\overline{AD}$의 연장선의 교점을 O라 하고 $\overline{EA}=16$ cm, $\overline{OA}=64$ cm일 때, $\overline{GD}$의 길이를 구하시오.

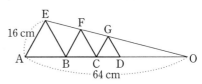

**삼각형의 각의 이등분선**

## 05

오른쪽 그림에서 점 I는 △ABC
의 내심이다. $\overline{AB}=15$ cm,
$\overline{BD}=6$ cm, $\overline{CD}=4$ cm일 때,
$\overline{AE}$의 길이를 구하시오.

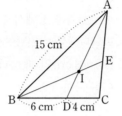

## 07

오른쪽 그림과 같이
∠A=90°인 직각삼각형
ABC에서 $\overline{AD}\perp\overline{BC}$이고
$\overline{CE}$는 ∠C의 이등분선이다.
$\overline{AB}=9$ cm, $\overline{BC}=15$ cm,
$\overline{AC}=12$ cm일 때, △AEF의 넓이를 구하시오.

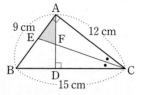

## 06

오른쪽 그림과 같은 △ABC에서
∠A=∠DBC가 되도록 점 D를
잡고, ∠ABD의 이등분선이 $\overline{AC}$
와 만나는 점을 E라 하자.
$\overline{BC}=10$ cm, $\overline{AC}=15$ cm일 때,
$\overline{AE}$의 길이를 구하시오.

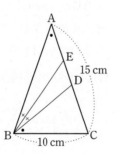

**사다리꼴에서 평행선과 선분의 길이의 비**

## 08

오른쪽 그림과 같은 사다리꼴
ABCD에서
$\overline{AD}/\!/\overline{EF}/\!/\overline{GH}/\!/\overline{BC}$이고
$\overline{AD}=10$ cm, $\overline{BC}=15$ cm
일 때, $\overline{GH}$의 길이를 구하시
오. (단, 점 O는 두 대각선의 교점이다.)

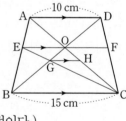

## 09

오른쪽 그림과 같이 $\overline{AD}\,/\!/\,\overline{BC}$인 사다리꼴 ABCD에서 두 대각선의 교점 O를 지나고 $\overline{BC}$에 평행한 직선을 그어 $\overline{AB}$, $\overline{DC}$와 만나는 점을 각각 E, F라 하자. $\overline{AD}=6$ cm, $\overline{EF}=8$ cm일 때, $\overline{BC}$의 길이를 구하시오.

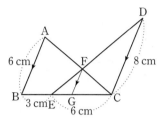

## 11

다음 그림에서 $\overline{AB}\,/\!/\,\overline{FG}\,/\!/\,\overline{DC}$이고 $\overline{AB}=6$ cm, $\overline{BE}=3$ cm, $\overline{EC}=6$ cm, $\overline{DC}=8$ cm일 때, $\overline{FG}$의 길이를 구하시오.

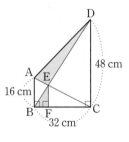

### 평행선과 선분의 길이의 비의 응용

## 10

오른쪽 그림에서 $\overline{AF}:\overline{FD}=\overline{BE}:\overline{EC}=3:2$이고 $\overline{AB}=10$ cm, $\overline{CD}=16$ cm일 때, $\overline{EF}$의 길이를 구하시오.

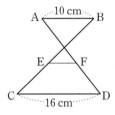

## 12

오른쪽 그림과 같이 $\overline{AB}$, $\overline{EF}$, $\overline{DC}$가 모두 $\overline{BC}$에 수직이고 $\overline{AB}=16$ cm, $\overline{BC}=32$ cm, $\overline{DC}=48$ cm일 때, $\triangle AED$와 $\triangle BFE$의 넓이의 차를 구하시오.

## 삼각형의 두 변의 중점을 연결한 선분

## 13

오른쪽 그림과 같은
△ABC의 꼭짓점 B에서
∠A의 이등분선에 내린 수
선의 발을 D라 하고, 점 D
에서 $\overline{AC}$에 평행한 직선이
$\overline{BC}$와 만나는 점을 E라 하자. $\overline{AB}=8$ cm, $\overline{BE}=6$ cm,
$\overline{DE}=2$ cm일 때, △ABC의 둘레의 길이를 구하시오.

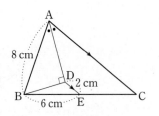

## 14

오른쪽 그림과 같은 △ABC
에서 점 D는 $\overline{AC}$의 중점이
고 두 점 E, F는 $\overline{BC}$의 삼등
분점이다. $\overline{AQ}=6$일 때, $\overline{FQ}$
의 길이를 구하시오.

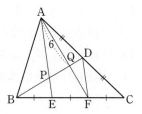

## 15

오른쪽 그림과 같은 △ABC
에서 점 E는 $\overline{AB}$의 중점이고
$\overline{BD} : \overline{CD}=5 : 1$이다. $\overline{AD}$
와 $\overline{CE}$의 교점을 F라 할 때,
$\overline{EF} : \overline{CF}$를 가장 간단한 자
연수의 비로 나타내시오.

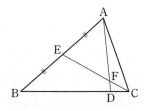

## 16

오른쪽 그림과 같이
$\overline{AB}=2\overline{AC}$인 △ABC에서
$\overline{AB}, \overline{BC}$의 중점을 각각 M,
N이라 하고, ∠A의 이등분
선이 $\overline{BC}, \overline{MN}$의 연장선과
만나는 점을 각각 P, Q라 하
자. $\overline{AP}=4$ cm일 때, $\overline{PQ}$의 길이를 구하시오.

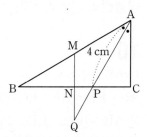

## 17

오른쪽 그림과 같은 △ABC에서 $\overline{BC}=3\overline{BD}$가 되도록 $\overline{BC}$ 위에 점 D를 잡고 $\overline{AC}$의 중점 E에 대하여 $\overline{AD}$와 $\overline{BE}$의 교점을 F라 하자. △AFE=15 cm²일 때, △FBD의 넓이를 구하시오.

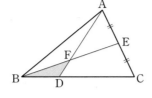

## 19

오른쪽 그림과 같이 $\overline{AD}/\!/\overline{BC}$인 등변사다리꼴 ABCD에서 세 점 M, P, N은 각각 $\overline{AD}$, $\overline{BD}$, $\overline{BC}$의 중점이다. ∠ABD=36°, ∠BDC=72°일 때, ∠PNM의 크기를 구하시오.

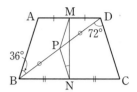

### 사다리꼴에서 두 변의 중점을 연결한 선분

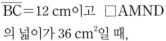

## 18

오른쪽 그림과 같이 $\overline{AD}/\!/\overline{BC}$인 사다리꼴 ABCD에서 두 점 M, N은 각각 $\overline{AB}$, $\overline{CD}$의 중점이다. $\overline{AD}=8$ cm, $\overline{BC}=12$ cm이고 □AMND의 넓이가 36 cm²일 때, □MBCN의 넓이를 구하시오.

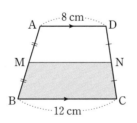

## 20

오른쪽 그림과 같이 $\overline{AD}/\!/\overline{BC}$인 사다리꼴 ABCD에서 두 점 $P_1$, $P_2$는 $\overline{AB}$의 삼등분점이고, 두 점 $Q_1$, $Q_2$는 $\overline{DC}$의 삼등분점이다. $\overline{AD}=3$ cm, $\overline{BC}=6$ cm일 때, □$AP_1Q_1D$, □$P_1P_2Q_2Q_1$, □$P_2BCQ_2$의 넓이의 비를 가장 간단한 자연수의 비로 나타내시오.

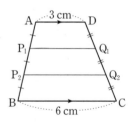

## 1

오른쪽 그림과 같은 △ABC에서
$\overline{DC}=2\overline{AD}$, $\overline{AE}=3\overline{EB}$이고 △EBF의
넓이가 6 cm²일 때, △FBC의 넓이를 구
하시오.

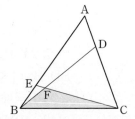

풀이

## 2 창의력

오른쪽 그림과 같이 $\overline{AB}=3\overline{AC}$인
△ABC에서 ∠A의 이등분선이
$\overline{BC}$와 만나는 점을 D, 꼭짓점 B에
서 $\overline{AD}$의 연장선에 내린 수선의 발
을 E라 하자. △ABC=20 cm²일
때, △ABE의 넓이를 구하시오.

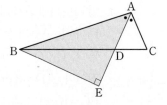

풀이

# 3

오른쪽 그림과 같이 $\overline{AD} /\!/ \overline{BC}$인 등변사다리꼴 ABCD에서 점 E는 $\overline{AD}$의 중점이고 점 G는 $\overline{BC}$의 중점이다. $\overline{EG} \perp \overline{BC}$, $\overline{AD}=12$ cm, $\overline{BC}=26$ cm, $\overline{EG}=15$ cm이고 $\overline{AF} : \overline{FB}=\overline{DH} : \overline{HC}=2 : 3$일 때, □EFGH의 넓이를 구하시오.

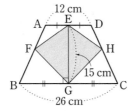

（풀이）

# 4 서술형

다음 그림은 한 모서리의 길이가 15 cm인 정사면체의 전개도이다. $\overline{AE} : \overline{EC}=4 : 1$일 때, $\overline{DF}+\overline{DG}$의 값을 구하시오.

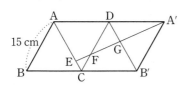

（풀이）

## 5 융합형

오른쪽 그림과 같은 △ABC에서 점 M은 $\overline{AB}$의 중점이고, 점 C에서 $\overline{AB}$에 내린 수선의 발을 D라 하자. ∠B＝2∠A이고 $\overline{BC}$＝6 cm일 때, $\overline{MD}$의 길이를 구하시오.

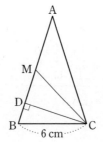

풀이

## 6

오른쪽 그림과 같은 △ABC에서 $\overline{AB}$의 중점을 P, $\overline{BP}$의 중점을 Q, $\overline{BC}$의 중점을 R라 하고 $\overline{AR}$와 $\overline{CP}$, $\overline{CQ}$의 교점을 각각 D, E라 하자. 이때 $\overline{AE} : \overline{ER}$를 가장 간단한 자연수의 비로 나타내시오.

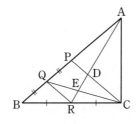

풀이

## 7

오른쪽 그림과 같이 $\overline{AD} /\!/ \overline{BC}$이고 $\overline{AD}$＝8 cm, $\overline{BC}$＝12 cm인 등변사다리꼴 ABCD의 각 변을 사등분하여 16개의 사각형으로 나누었다. ㈎와 ㈏의 넓이의 비를 $p : q$라 할 때, $p+q$의 값을 구하시오. (단, $p$, $q$는 서로소인 자연수)

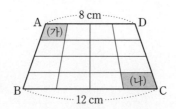

풀이

# 03 닮음의 활용

## ① 삼각형의 중선과 무게중심

(1) **삼각형의 중선** 삼각형의 한 꼭짓점과 그 대변의 중점을 이은 선분

(2) **삼각형의 중선의 성질**

삼각형의 중선은 그 삼각형의 넓이를 이등분한다.

➡ $\overline{AD}$가 △ABC의 중선이면

$$\triangle ABD = \triangle ACD = \frac{1}{2} \triangle ABC$$

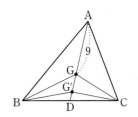

(3) **삼각형의 무게중심** 삼각형의 세 중선의 교점

(4) **삼각형의 무게중심의 성질**

삼각형의 세 중선은 한 점 G(무게중심)에서 만나고, 이 점은 세 중선의 길이를 각 꼭짓점으로부터 2 : 1로 나눈다.

➡ $\overline{AG} : \overline{GD} = \overline{BG} : \overline{GE} = \overline{CG} : \overline{GF} = 2 : 1$

> 참고 이등변삼각형의 외심, 내심, 무게중심은 모두 꼭지각의 이등분선 위에 있고, 정삼각형의 외심, 내심, 무게중심은 모두 일치한다.

(5) **삼각형의 무게중심과 넓이**

삼각형의 세 중선에 의하여 삼각형의 넓이는 6등분된다.

➡ $\triangle GAF = \triangle GBF = \triangle GBD = \triangle GCD$
$$= \triangle GCE = \triangle GAE = \frac{1}{6} \triangle ABC$$

## ② 닮은 도형의 넓이의 비와 부피의 비

(1) 닮은 두 평면도형의 닮음비가 $m : n$일 때

① 둘레의 길이의 비 ➡ $m : n$  ② 넓이의 비 ➡ $m^2 : n^2$

(2) 닮은 두 입체도형의 닮음비가 $m : n$일 때

① 겉넓이의 비 ➡ $m^2 : n^2$  ② 부피의 비 ➡ $m^3 : n^3$

## ③ 닮음의 활용

직접 잴 수 없는 높이, 거리 등을 도형의 닮음을 이용하여 간접적인 방법으로 측량할 수 있다.

(1) **축도** 어떤 도형을 일정한 비율로 줄인 그림

(2) **축척** 축도에서 실제 도형을 일정하게 줄인 비율

➡ (축척) $= \dfrac{(축도에서의 거리)}{(실제 거리)}$

---

**[확인 ❶]**

다음 그림에서 두 점 G, G′은 각각 △ABC와 △GBC의 무게중심이다. $\overline{AG} = 9$일 때, $\overline{GG'}$의 길이를 구하시오.

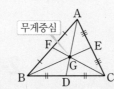

**[확인 ❷]**

두 구 A, B의 부피가 각각 $32\pi$ cm$^3$, $500\pi$ cm$^3$이고 구 A의 겉넓이가 $32\pi$ cm$^2$일 때, 구 B의 겉넓이를 구하시오.

**[확인 ❸]**

축척이 $\dfrac{1}{5000}$인 지도 위에 가로, 세로의 길이가 각각 4 cm, 3 cm인 직사각형 모양의 과수원이 있다. 이때 과수원의 실제 넓이는 몇 m$^2$인지 구하시오.

## 삼각형의 무게중심의 활용

다음 물음에 답하시오.

**1-1** 오른쪽 그림에서 $\overline{AD}$는 $\triangle ABC$의 중선이고 두 점 G, G′은 각각 $\triangle ABD$, $\triangle ADC$의 무게중심이다. $\overline{BC}=12$ cm일 때, $\overline{GG'}$의 길이를 구하시오.

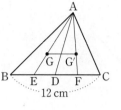

**1-2** 오른쪽 그림에서 두 점 G, G′은 각각 $\triangle ABC$, $\triangle DBC$의 무게중심이다. $\overline{GG'}=6$ cm일 때, $\overline{AD}$의 길이를 구하시오.

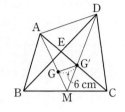

**2-1** 오른쪽 그림에서 점 G는 $\triangle ABC$의 무게중심이고 점 H는 $\overline{AD}$와 $\overline{FE}$의 교점이다. $\overline{GH}=2$ cm일 때, $\overline{AD}$의 길이를 구하시오.

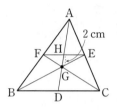

**2-2** 오른쪽 그림에서 점 G는 $\triangle ABC$의 무게중심이고 점 H는 $\overline{AD}$와 $\overline{FE}$의 교점이다. $\overline{AG}=12$ cm일 때, $\overline{GH}$의 길이를 구하시오.

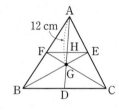

**3-1** 오른쪽 그림과 같은 $\triangle ABC$에서 두 점 D, E는 $\overline{BC}$의 삼등분점이고, 점 F는 $\overline{AD}$의 중점, 점 G는 $\overline{AE}$와 $\overline{CF}$의 교점이다. $\triangle ABC=54$ cm²일 때, $\triangle AFG$의 넓이를 구하시오.

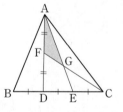

**3-2** 오른쪽 그림과 같은 $\triangle ABC$에서 세 점 D, E, F는 $\overline{BC}$의 사등분점이고, 점 G는 $\overline{AD}$의 중점, 점 H는 $\overline{AE}$와 $\overline{FG}$의 교점이다. $\triangle HEF=4$ cm²일 때, $\triangle ABC$의 넓이를 구하시오.

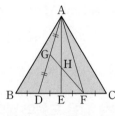

---

**상위권의 눈**

▶ 점 G가 $\triangle ABC$의 무게중심이고 $\overline{AD}$와 $\overline{FE}$의 교점을 H라 하면
(1) $\overline{AG}:\overline{GD}=2:1$
(2) $\overline{GD}:\overline{GH}=\overline{GB}:\overline{GE}=2:1$
(3) $\overline{AH}:\overline{HG}:\overline{GD}=3:1:2$

▶ 점 G가 $\triangle ABC$의 무게중심일 때
(1) $\triangle GAF=\triangle GBF=\triangle GBD$
$=\triangle GCD=\triangle GCE$
$=\triangle GAE$
$=\dfrac{1}{6}\triangle ABC$

(2) $\triangle GAB=\triangle GBC=\triangle GCA=\dfrac{1}{3}\triangle ABC$

## ┏ 평행사변형에서 삼각형의 무게중심의 활용 ┓

다음 물음에 답하시오.

**4-1** 오른쪽 그림과 같은 평 행사변형 ABCD에서 $\overline{BC}$, $\overline{CD}$의 중점을 각각 M, N이라 하고 대각선 BD와 $\overline{AM}$, $\overline{AN}$이 만나는 점을 각각 P, Q라 하 자. $\overline{PQ}=4$ cm일 때, $\overline{MN}$의 길이를 구하시오.

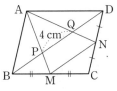

**4-2** 오른쪽 그림과 같은 평 행사변형 ABCD에서 $\overline{AB}$, $\overline{CD}$, $\overline{AD}$의 중점을 각각 L, M, N이라 하고 대각선 BD와 $\overline{CL}$, $\overline{MN}$의 교점을 각각 P, Q라 하자. 대각선 BD의 길이가 36 cm일 때, $\overline{PQ}$의 길이를 구하시오.

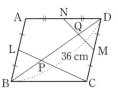

**5-1** 오른쪽 그림에서 점 O는 평행사변형 ABCD의 두 대각선의 교점이고 두 점 M, N은 각각 $\overline{BC}$, $\overline{CD}$ 의 중점이다. □ABCD의 넓이가 24 cm²일 때, △APQ의 넓이를 구하시오.

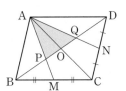

**5-2** 오른쪽 그림에서 점 O는 평행사변형 ABCD의 두 대각선의 교점이고 두 점 M, N은 각각 $\overline{BC}$, $\overline{CD}$ 의 중점이다. □ABCD의 넓이가 60 cm²일 때, 오각형 PMCNQ의 넓이를 구하시오.

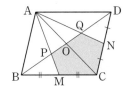

---

**상위권의 눈**

▶ 평행사변형 ABCD에서 두 대각선의 교점을 O, $\overline{BC}$, $\overline{CD}$의 중점을 각각 M, N이라 하면 두 점 P, Q는 각각 △ABC, △ACD의 무게중심이므로

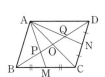

(1) $\overline{BP} : \overline{PO} = \overline{DQ} : \overline{QO} = 2 : 1$

(2) $\overline{BP} = \overline{PQ} = \overline{QD}$

(3) $\triangle APO = \dfrac{1}{6}\triangle ABC = \dfrac{1}{12}\square ABCD$

(4) $\square PMCO = \dfrac{1}{3}\triangle ABC = \dfrac{1}{6}\square ABCD$

## 닮음의 활용

다음 물음에 답하시오.

**6-1** 다음 [그림 1]과 같이 눈높이가 1.6 m인 지수가 어떤 탑에서 24 m 떨어진 곳에서 탑의 꼭대기 부분인 A 지점을 올려다본 각의 크기가 26°이었다. 이를 바탕으로 △ABC를 축소하여 △DEF를 그린 것이 [그림 2]와 같을 때, 탑의 실제 높이는 몇 m인지 구하시오.

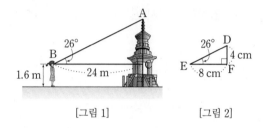

[그림 1]　　　[그림 2]

**6-2** 다음 그림과 같이 밑면의 한 변의 길이가 30 m인 정사각뿔 모양의 건축물의 높이를 구하기 위하여 길이가 1.5 m인 막대의 그림자의 길이를 측정하였더니 4.5 m이었다. 같은 시각에 건축물의 그림자의 길이가 45 m일 때, 건축물의 높이를 구하시오.

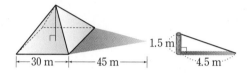

**7-1** 축척이 $\dfrac{1}{10000}$인 지도 위에 가로, 세로의 길이가 각각 7 cm, 3 cm인 직사각형 모양의 땅이 있다. 이때 땅의 실제 둘레의 길이는 몇 km인지 구하시오.

**7-2** 실제 거리가 1 km인 두 지점 사이의 거리가 5 cm로 그려지는 지도가 있다. 이 지도에서 가로의 길이가 50 cm, 세로의 길이가 20 cm인 직사각형 모양의 땅의 실제 넓이는 몇 km²인지 구하시오.

**상위권의 눈**

▶ 1 (m)＝100 (cm), 1 (km)＝1000 (m)이지만 1 (m²)＝10000 (cm²), 1 (km²)＝1000000 (m²)임에 주의한다.

### 삼각형의 무게중심의 활용

## 01

오른쪽 그림과 같이 ∠A=90°
인 직각삼각형 ABC에서 두
점 I, G는 각각 △ABC의 내
심과 무게중심이다.

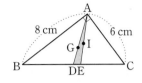

$\overline{AB}$=8 cm, $\overline{AC}$=6 cm일 때, △ADE의 넓이를 구하
시오.

## 02

오른쪽 그림과 같이
$\overline{AD}$∥$\overline{BC}$인 등변사다리꼴
ABCD에서 점 G는
△ABC의 무게중심이고,
점 G′은 △ACD의 무게중
심이다. $\overline{AC}$=24 cm일 때, $\overline{GG'}$의 길이를 구하시오.

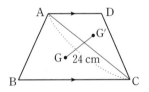

### 평행사변형에서 삼각형의 무게중심의 활용

## 03

오른쪽 그림과 같은 평행사변
형 ABCD에서 $\overline{AB}$, $\overline{CD}$의
중점을 각각 E, F라 하고,
$\overline{AC}$와 $\overline{BD}$, $\overline{BF}$의 교점을 각
각 O, G라 하자. $\overline{CD}$=12 cm, $\overline{AO}$=6 cm,
$\overline{ED}$=15 cm일 때, △GCF의 둘레의 길이를 구하시오.

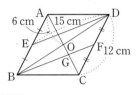

## 04

오른쪽 그림과 같은 평행사변
형 ABCD에서 $\overline{BC}$, $\overline{CD}$의 중
점을 각각 M, N이라 하고,
$\overline{BD}$와 $\overline{AM}$, $\overline{AN}$의 교점을 각
각 P, Q라 하자. □ABCD의 넓이가 120 cm²일 때,
△APQ와 △QMD의 넓이의 합을 구하시오.

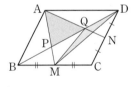

## 05

오른쪽 그림과 같은 평행사변형 ABCD에서 $\overline{BC}$, $\overline{CD}$의 중점을 각각 M, N이라 하고, $\overline{BD}$와 $\overline{AM}$, $\overline{AN}$의 교점을 각각 P, Q라 하자. □ABCD의 넓이가 96 cm²일 때, □PMNQ의 넓이를 구하시오.

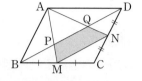

## 07

오른쪽 그림과 같이 직선 $y = \frac{1}{2}x + 3$과 $x$축 사이에 세 개의 정사각형 $A$, $B$, $C$가 있다. 이때 세 정사각형 $A$, $B$, $C$의 넓이의 비를 가장 간단한 자연수의 비로 나타내시오.

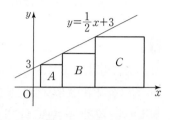

### 닮은 평면도형의 넓이의 비

## 06

오른쪽 그림과 같이 가장 큰 원의 지름을 삼등분하여 작은 원 3개를 만들고, 다시 작은 원 3개를 각각 삼등분하여 가장 작은 원 9개를 만들었다. 가장 큰 원의 넓이가 $72\pi$ cm²일 때, 가장 작은 원 9개의 넓이의 합을 구하시오.

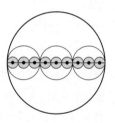

## 08

다음 그림과 같이 평행사변형 ABCD의 두 대각선의 교점을 O라 하고 △OAB, △OBC, △OCD, △ODA의 무게중심을 각각 P, Q, R, S라 하자. □PQRS의 넓이가 12 cm²일 때, 평행사변형 ABCD의 넓이를 구하시오.

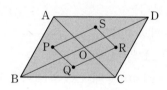

## 닮은 두 입체도형의 겉넓이의 비와 부피의 비

## 09

다음 [그림 1]과 같이 높이가 10 cm인 원뿔 모양의 그릇에 물을 넣고 뚜껑을 덮어서 뒤집었더니 [그림 2]와 같이 물의 높이가 8 cm가 되었다. [그림 1]에서의 물의 높이를 $h$ cm라 할 때, $h^3$의 값을 구하시오.

(단, 그릇의 두께는 생각하지 않는다.)

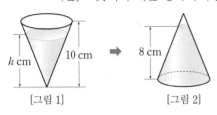

[그림 1]　　　　　[그림 2]

## 10

오른쪽 그림과 같이 모양과 크기가 똑같은 두 원뿔의 꼭짓점을 붙여서 높이가 30 cm인 모래 시계를 만들었다. 한쪽 원뿔에 모래를 가득 채운 다음 모래 시계를 뒤집었더니 위쪽 원뿔의 모래의 높이가 10 cm 줄어드는 데 1시간 18분이 걸렸다. 위쪽 원뿔에 남아 있는 모래가 아래쪽 원뿔로 모두 떨어지는 데 걸리는 시간을 구하시오.

## 11

오른쪽 그림과 같이 윗면과 아랫면의 반지름의 길이가 각각 12 cm, 8 cm인 원뿔대 모양의 컵에 높이의 $\frac{1}{2}$만큼 물을 채웠다. 컵의 부피가 $304\pi$ cm$^3$일 때, 컵에 들어 있는 물의 부피를 구하시오. (단, 컵의 두께는 생각하지 않는다.)

## 12

다음 그림과 같이 크기가 같은 정육면체 모양의 두 상자 (가), (나)가 있다. 상자 (가)에는 크기와 모양이 같은 구슬 8개를 꼭 맞게 넣고, 상자 (나)에는 크기와 모양이 같은 구슬 27개를 꼭 맞게 넣었다. 이때 두 상자 (가), (나)에 들어 있는 구슬 전체의 겉넓이의 비를 가장 간단한 자연수의 비로 나타내시오.

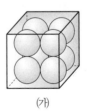　　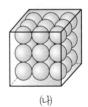

(가)　　　　　(나)

## 닮음의 활용

### 13

실제 거리가 10 m인 두 지점 사이의 거리가 2 cm로 그려지는 지도가 있다. 지도에서 넓이가 8 cm²인 땅의 실제 넓이는 몇 m²인지 구하시오.

### 14

다음 그림과 같이 길이가 1 m인 막대기의 그림자의 길이가 1.4 m일 때, 높이가 5 m인 나무의 그림자는 $x$ m 떨어진 벽면에 지면으로부터 1.5 m 높이까지 생겼다고 한다. 이때 $x$의 값을 구하시오. (단, 벽면은 지면과 수직이다.)

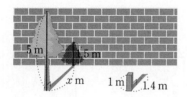

### 15

다음 그림과 같이 높이가 1 m인 담장이 지름 AB의 길이가 10 m인 원 모양의 땅을 둘러싸고 있다. 지름 AB의 중점 O에서 2 m 떨어진 지점에서 6 m 높이에 위치한 전등이 빛을 비추고 있을 때, 전등으로 인해 생긴 담장의 그림자 중 가장 긴 부분의 길이와 가장 짧은 부분의 길이의 합을 구하시오.

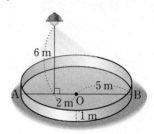

### 16

오른쪽 그림과 같이 높이가 20 cm인 원기둥의 밑면인 원의 중심 O 위에 전등이 켜져 있다. 원기둥의 밑넓이와 전등으로 인해 생긴 원기둥의 그림자의 넓이의 비가 4 : 5일 때, 원의 중심 O에서 전등까지의 거리를 구하시오.

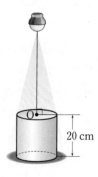

## 1

오른쪽 그림에서 점 G는 △ABC의 무게중심이다. $\overline{EF} /\!/ \overline{BC}$이고 $\overline{AG}$의 연장선과 $\overline{BC}$의 교점을 D, $\overline{FD}$의 연장선과 $\overline{AB}$의 연장선의 교점을 P, 점 C에서 $\overline{FP}$에 평행하게 그은 직선과 $\overline{AP}$의 연장선의 교점을 Q라 하자. $\overline{AE}=4$ cm, $\overline{DP}=8$ cm일 때, $\overline{CQ}-\overline{BQ}$의 값을 구하시오.

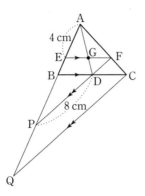

풀이

## 2

다음 그림에서 두 점 G, G′은 각각 △ABC, △ABM의 무게중심이다. $\overline{AB}=9$ cm, $\overline{BC}=14$ cm, $\overline{AC}=7$ cm, $\overline{AM}=4$ cm일 때, △G′MG의 둘레의 길이를 구하시오.

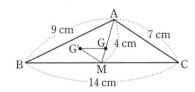

풀이

## 3 서술형

오른쪽 그림과 같이 $\overline{AB}=2\overline{AC}$인 △ABC에서 $\overline{AB}$, $\overline{BC}$의 중점을 각각 M, N이라 하고 ∠A의 이등분선이 $\overline{BC}$와 만나는 점을 P, $\overline{AP}$의 연장선이 $\overline{MN}$의 연장선과 만나는 점을 Q라 하자. △MBN, △PNQ, △ABC의 넓이의 비를 가장 간단한 자연수의 비로 나타내시오.

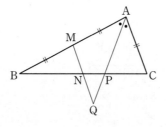

풀이

## 4 창의+융합

오른쪽 그림과 같이 $\overline{AB}=\overline{AC}=8$인 이등변삼각형 ABC가 있다. $\overline{AB}$ 위에 두 점 $L_1$, $L_2$를 잡고, 두 점 $L_1$, $L_2$에서 $\overline{AC}$에 평행한 직선을 그어 $\overline{BC}$와 만나는 점을 각각 $M_1$, $M_2$, 두 점 $M_1$, $M_2$에서 $\overline{AB}$에 평행한 직선을 그어 $\overline{AC}$와 만나는 점을 각각 $N_1$, $N_2$라 하자. $\overline{AL_1}^2+\overline{L_2B}^2=28$이고 색칠한 부분의 넓이가 △ABC의 넓이의 $\dfrac{1}{2}$일 때, $\overline{L_1L_2}$의 길이를 구하시오.

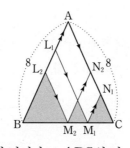

풀이

## 5 융합형

오른쪽 그림과 같이 정사면체 A−BCD의 각 면의 무게중심을 연결하여 새로운 정사면체 E−FGH를 만들었다. 정사면체 A−BCD의 부피가 189일 때, 정사면체 E−FGH의 부피를 구하시오.

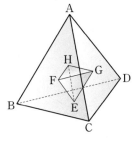

풀이

## 6

동준이는 공원을 산책하다가 어느 계단으로부터 1.6 m 떨어진 지점에서 멈추었다. 이때 오른쪽 그림과 같이 동준이의 그림자는 두 번째 계단 끝까지 닿아 있고, 동준이의 바로 옆의 쓰레기통의 그림자는 계단

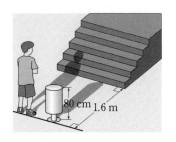

이 시작되는 끝부분에 닿아 있었다. 쓰레기통의 높이가 80 cm일 때, 동준이의 키는 몇 cm인지 구하시오.

(단, 한 계단의 폭은 40 cm, 높이는 30 cm로 일정하다.)

풀이

# 04 피타고라스 정리

## ❶ 피타고라스 정리

직각삼각형 ABC에서 직각을 낀 두 변의 길이를 각각 $a$, $b$라 하고 빗변의 길이를 $c$라 하면

➡ $a^2+b^2=c^2$

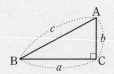

다음 그림과 같이 ∠A=90°인 직각삼각형 ABC에서 $\overline{AC}=3$ cm, $\overline{BC}=5$ cm일 때, △ABC의 넓이를 구하시오.

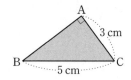

## ❷ 피타고라스 정리의 설명

오른쪽 그림과 같이 ∠C=90°인 직각삼각형 ABC의 꼭짓점 C에서 $\overline{AB}$에 내린 수선의 발을 D라 하자.

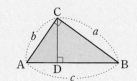

△ABC와 △CBD에서
∠B는 공통, ∠ACB=∠CDB=90°
이므로 △ABC∽△CBD (AA 닮음)
즉 $\overline{AB}:\overline{CB}=\overline{CB}:\overline{DB}$이므로 $c:a=a:\overline{DB}$

∴ $a^2=c\times\overline{DB}$ ······ ㉠

마찬가지로 △ABC∽△ACD (AA 닮음)
즉 $\overline{AB}:\overline{AC}=\overline{AC}:\overline{AD}$이므로 $c:b=b:\overline{AD}$

∴ $b^2=c\times\overline{AD}$ ······ ㉡

㉠, ㉡을 변끼리 더하면

$$a^2+b^2=c\times\overline{DB}+c\times\overline{AD}=c(\overline{DB}+\overline{AD})$$

이때 $\overline{DB}+\overline{AD}=c$이므로 $a^2+b^2=c^2$

**개념➕**

(1) 직각삼각형 ABC의 각 변을 한 변으로 하는 세 정사각형을 그리고, 꼭짓점 C에서 $\overline{AB}$에 내린 수선의 발을 J, 그 연장선과 $\overline{FG}$가 만나는 점을 K라 하면

① □ACDE=□AFKJ, □CBHI=□JKGB
② □AFGB=□ACDE+□CBHI
➡ $c^2=a^2+b^2$

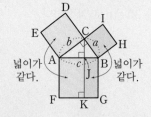

넓이가 같다.   넓이가 같다.

(2) 오른쪽 [그림 1]과 같이 직각삼각형 ABC에서 두 변 AC, BC를 연장하여 한 변의 길이가 $a+b$인 정사각형 CDEF를 만들면

① △ABC≡△GAD≡△HGE≡△BHF
② □AGHB는 한 변의 길이가 $c$인 정사각형
③ [그림 1]의 한 변의 길이가 $c$인 정사각형 AGHB의 넓이는 [그림 2]의 한 변의 길이가 각각 $a$, $b$인 두 정사각형의 넓이의 합과 같다.
➡ $c^2=a^2+b^2$

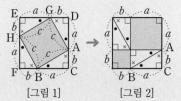

[그림 1]   [그림 2]

아래 그림은 ∠A=90°인 직각삼각형 ABC의 각 변을 한 변으로 하는 세 정사각형을 그린 것이다. 다음 중 넓이가 나머지 넷과 다른 하나는?

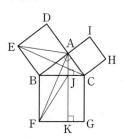

① △ABF          ② △ECA
③ △BFJ          ④ △EBA
⑤ △EBC

## ❸ 직각삼각형이 될 조건

세 변의 길이가 각각 $a$, $b$, $c$인 △ABC에서 $c^2=a^2+b^2$이면 이 삼각형은 빗변의 길이가 $c$인 직각삼각형이다.

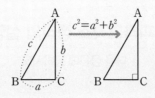

참고 피타고라스 정리를 만족시키는 세 자연수를 피타고라스의 수라 한다.

예 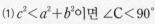 $(3, 4, 5)$, $(5, 12, 13)$, $(6, 8, 10)$, $(7, 24, 25)$, $(8, 15, 17)$, $(9, 12, 15)$, …

## ❹ 삼각형의 변의 길이에 대한 각의 크기

△ABC에서 $\overline{AB}=c$, $\overline{BC}=a$, $\overline{CA}=b$일 때
　　　　　　(단, $c$가 가장 긴 변의 길이)

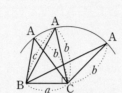

(1) $c^2<a^2+b^2$이면 $\angle C<90°$
　➡ △ABC는 예각삼각형
(2) $c^2=a^2+b^2$이면 $\angle C=90°$ ➡ △ABC는 직각삼각형
(3) $c^2>a^2+b^2$이면 $\angle C>90°$ ➡ △ABC는 둔각삼각형

## ❺ 피타고라스 정리의 활용 (1)

(1) $\angle A=90°$인 직각삼각형 ABC에서 두 점 D, E가 각각 $\overline{AB}$, $\overline{AC}$ 위에 있을 때
　➡ $\overline{DE}^2+\overline{BC}^2=\overline{BE}^2+\overline{CD}^2$

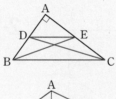

(2) 사각형 ABCD에서 두 대각선이 직교할 때
　➡ $\overline{AB}^2+\overline{CD}^2=\overline{AD}^2+\overline{BC}^2$

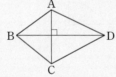

## ❻ 피타고라스 정리의 활용 (2)

(1) 직각삼각형 ABC에서 세 변을 지름으로 하는 반원의 넓이를 각각 $S_1$, $S_2$, $S_3$이라 할 때
　➡ $S_3=S_1+S_2$

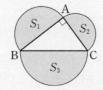

(2) 직각삼각형 ABC에서 세 변을 각각 지름으로 하는 반원을 그렸을 때
　➡ (색칠한 부분의 넓이) $=$ △ABC $=\dfrac{1}{2}bc$

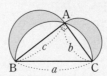

### [ 확인 ❸ ]

△ABC에서 $\overline{AB}=c$, $\overline{BC}=a$, $\overline{CA}=b$일 때, 다음 중 옳지 <u>않은</u> 것은?

① $c^2>a^2+b^2$이면 $\angle C>90°$이다.
② $a^2>b^2+c^2$이면 △ABC는 둔각삼각형이다.
③ $c^2=a^2+b^2$이면 $\angle C=90°$이다.
④ $c^2<a^2+b^2$이면 △ABC는 예각삼각형이다.
⑤ $c^2>a^2+b^2$이면 △ABC는 둔각삼각형이다.

### [ 확인 ❹ ]

다음 그림과 같이 $\angle B=90°$인 직각삼각형 ABC에서 $\overline{AE}=8$, $\overline{DB}=4$, $\overline{BE}=3$, $\overline{DC}=10$일 때, $\overline{AC}^2$의 값을 구하시오.

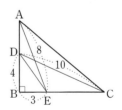

### [ 확인 ❺ ]

다음 그림은 $\angle A=90°$인 직각삼각형 ABC의 세 변을 각각 지름으로 하는 반원을 그린 것이다. $\overline{AB}=5$ cm이고 색칠한 부분의 넓이가 $30$ cm²일 때, $\overline{BC}$의 길이를 구하시오.

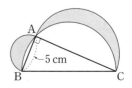

> ## 피타고라스 정리의 설명
> 다음 물음에 답하시오.

**1-1** 다음 그림은 ∠A=90°인 직각삼각형 ABC의 각 변을 한 변으로 하는 세 정사각형을 그린 것이다. □ADEB=18 cm², □BFGC=42 cm²일 때, △AGC의 넓이를 구하시오.

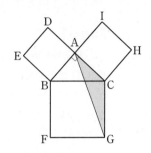

**1-2** 다음 그림은 ∠A=90°인 직각삼각형 ABC의 각 변을 한 변으로 하는 세 정사각형을 그린 것이다. 꼭짓점 A에서 $\overline{BC}$에 내린 수선의 발을 J라 하고, □ADEB와 □ACHI의 넓이의 비가 1 : 4이고 $\overline{AB}$=4 cm일 때, △JFG의 넓이를 구하시오.

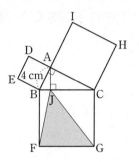

**2-1** 오른쪽 그림과 같은 정사각형 ABCD에서 $\overline{AE}=\overline{BF}=\overline{CG}=\overline{DH}$ =6 cm이고, □EFGH 의 넓이가 100 cm²일 때, $\overline{AD}$의 길이를 구하시오.

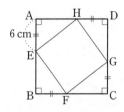

**2-2** 오른쪽 그림과 같이 한 변의 길이가 9 cm인 정사각형 ABCD에서 $\overline{AE}=\overline{BF}=\overline{CG}=\overline{DH}$ =5 cm일 때, □EFGH 의 넓이를 구하시오.

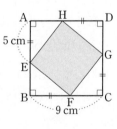

---

**상위권의 눈**

▶ 오른쪽 그림과 같이 ∠A=90°인 직각삼각형 ABC의 각 변을 한 변으로 하는 세 정사각형을 그리고, 꼭짓점 A에서 $\overline{BC}$에 내린 수선의 발을 J, 그 연장선과 $\overline{FG}$가 만나는 점을 K라 하면

(1) △EBA=△EBC=△ABF=△JBF

(2) □ADEB=□BFKJ, □ACHI=□JKGC

(3) □BFGC=□ADEB+□ACHI

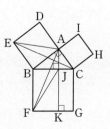

> # 피타고라스 정리의 활용
> 다음 물음에 답하시오.

**3-1** 오른쪽 그림과 같이 ∠B=90°인 직각삼각형 ABC에서 두 점 D, E는 각각 $\overline{AB}$, $\overline{BC}$의 중점이다. $\overline{AC}=10$일 때, $\overline{AE}^2+\overline{CD}^2$의 값을 구하시오.

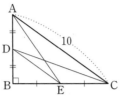

**3-2** 오른쪽 그림과 같이 ∠A=90°인 직각삼각형 ABC에서 $\overline{AD}=4$, $\overline{AE}=2$, $\overline{EC}=1$일 때, $\overline{BC}^2-\overline{BE}^2$의 값을 구하시오.

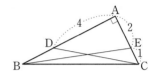

**4-1** 오른쪽 그림과 같은 □ABCD에서 $\overline{AC}\perp\overline{BD}$이고 $\overline{OA}=\overline{OD}=3$, $\overline{OC}=7$일 때, $\overline{BC}^2-\overline{AB}^2$의 값을 구하시오.

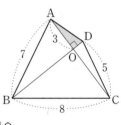

**4-2** 오른쪽 그림과 같은 □ABCD에서 $\overline{AC}\perp\overline{BD}$이고 $\overline{AB}=7$, $\overline{AO}=3$, $\overline{BC}=8$, $\overline{CD}=5$일 때, △AOD의 넓이를 구하시오.

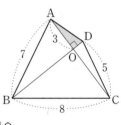

---

**상위권의 눈**

▶ 오른쪽 그림과 같이 ∠A=90°인 직각삼각형 ABC에서 두 점 D, E가 각각 $\overline{AB}$, $\overline{AC}$ 위에 있을 때 $\overline{DE}^2+\overline{BC}^2=\overline{BE}^2+\overline{CD}^2$

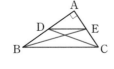

▶ 오른쪽 그림과 같이 두 대각선이 직교하는 사각형 ABCD에서 $\overline{AB}^2+\overline{CD}^2=\overline{AD}^2+\overline{BC}^2$

**피타고라스 정리**

## 01

오른쪽 그림과 같이 사다리꼴 ABCD에서 $\angle C = \angle D = \angle AEF = 90°$이다. $\overline{CF} = \overline{DF} = \overline{EF}$이고 $\overline{AD} = 4$ cm, $\overline{BC} = 9$ cm일 때, $\overline{CD}$의 길이를 구하시오.

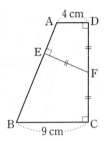

## 02

오른쪽 그림과 같이 $\angle B = 90°$인 직각삼각형 ABC의 빗변 AC를 삼등분하는 점을 각각 P, Q라 하자. $\overline{AB} = 12$, $\overline{BC} = 15$일 때, $\overline{PB}^2 + \overline{QB}^2$의 값을 구하시오.

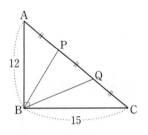

## 03

오른쪽 그림과 같이 $\angle B = 90°$인 직각삼각형 ABC에 내접하는 반원 O가 있다. $\overline{AB} = 9$ cm, $\overline{BC} = 12$ cm일 때, 반원 O의 반지름의 길이를 구하시오.

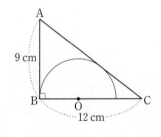

## 04

다음 그림에서 점 I는 $\angle C = 90°$인 직각삼각형 ABC의 내심이고, $\overline{AI}$의 연장선이 $\overline{BC}$와 만나는 점을 D라 하자. $\overline{BD} = 6$ cm, $\overline{CD} = 3$ cm일 때, $\overline{AD}$의 길이를 구하시오.

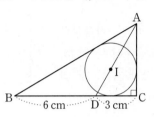

## 05

오른쪽 그림과 같이 한 변의 길이가 18 cm인 정사각형 모양의 종이를 점 D가 $\overline{BC}$ 위의 점 D′에 오도록 접었다. $\overline{CF} = 8$ cm일 때, $\triangle EA′G$의 넓이를 구하시오.

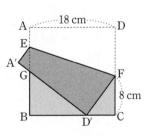

## 06

오른쪽 그림과 같이 밑면인 원의 반지름의 길이가 각각 $\frac{3}{2}$, 3이고, 모선의 길이가 6인 원뿔대의 점 A에서 출발하여 원뿔대의 옆면을 따라 $\overline{AB}$의 중점 M까지 실을 감을 때, 필요한 실의 최소 길이를 구하시오.

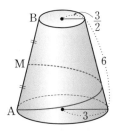

### 피타고라스 정리의 설명

## 07

오른쪽 그림과 같이 ∠C=90°인 직각삼각형 ABC에서 점 M은 $\overline{AB}$의 중점이고 $\overline{AB}\perp\overline{CD}$, $\overline{DH}\perp\overline{CM}$이다. $\overline{AC}=30$ cm, $\overline{BC}=40$ cm일 때, $\overline{DH}$의 길이를 구하시오.

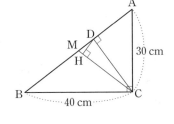

## 08

다음 그림은 정사각형과 직각삼각형을 연속하여 이어 그린 것이다. 직각삼각형 ABC에서 $\overline{AB}=8$, $\overline{BC}=17$일 때, 색칠한 정사각형의 넓이의 합을 구하시오.

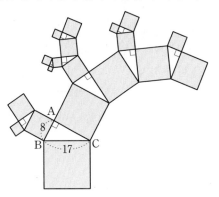

### 삼각형의 각의 크기와 변의 길이 사이의 관계

## 09

아래 보기에서 서로 다른 길이의 선분 3개를 임의로 골라 삼각형을 만들 때, 다음 중 옳은 것을 모두 고르면?

(정답 2개)

┤ 보기 ├

2 cm,   4 cm,   6 cm,   8 cm,   10 cm

① 만들 수 있는 삼각형은 총 4가지이다.
② 직각삼각형을 만들 수 있다.
③ 예각삼각형을 만들 수 있다.
④ 둔각삼각형을 만들 수 있다.
⑤ 닮음인 두 삼각형을 만들 수 있다.

## 피타고라스 정리의 활용

## 10

오른쪽 그림과 같은 직사
각형 ABCD의 꼭짓점 A
에서 대각선 BD에 내린
수선의 발을 H라 하자.
$\overline{AB}=15$ cm,
$\overline{AD}=20$ cm일 때, $\overline{CH}^2$의 값을 구하시오.

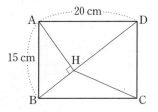

## 11

오른쪽 그림과 같은 직사각형
ABCD에서 $\overline{AD} /\!/ \overline{PQ} /\!/ \overline{BC}$
이고 $\overline{AP}=11$, $\overline{BP}=8$일 때,
$\overline{DQ}^2 - \overline{QC}^2$의 값을 구하시
오.

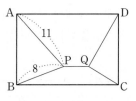

## 12

오른쪽 그림과 같이
□ABCD의 각 변을 지름으
로 하는 네 반원을 그렸다.
$\overline{AC}\perp\overline{BD}$이고 $\overline{BC}$와 $\overline{CD}$를
지름으로 하는 반원의 넓이가
각각 $30\pi$ cm², $16\pi$ cm²이

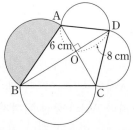

다. $\overline{AO}=6$ cm, $\overline{DO}=8$ cm일 때, $\overline{AB}$를 지름으로 하
는 반원의 넓이를 구하시오.

## 13

오른쪽 그림은 원 O에 내접하
는 직사각형 ABCD의 각 변을
지름으로 하는 네 반원을 그린
것이다. 원의 중심 O에서 $\overline{DC}$
에 내린 수선의 발을 E, $\overline{OE}$의
연장선과 원 O의 교점을 F라

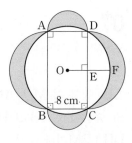

하면 $\overline{OE} : \overline{EF}=8 : 9$이다. $\overline{BC}=8$ cm일 때, 색칠한 부
분의 넓이의 합을 구하시오.

## 1 융합형

오른쪽 그림은 $\overline{AB}=\overline{AC}=10$ cm, $\overline{BC}=12$ cm인 이등변삼각형 ABC에 정사각형 DEFG가 내접한 것이다. 꼭짓점 B에서 $\overline{AC}$에 내린 수선의 발을 H라 할 때, 정사각형 DEFG의 한 변의 길이를 구하시오.

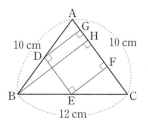

풀이

## 2

오른쪽 그림과 같이 ∠B=90° 인 직각삼각형 ABC의 빗변 AC를 4등분한 점을 꼭짓점 A에서 가까운 점부터 차례로 $P_1$, $P_2$, $P_3$이라 하자. $\overline{AC}=20$ cm일 때, $\overline{BP_1}^2+\overline{BP_2}^2+\overline{BP_3}^2$의 값을 구하시오.

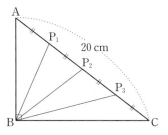

풀이

## 3

오른쪽 그림과 같이 ∠A = 90°인 직각삼각형 ABC의 각 변을 한 변으로 하는 정사각형 ADEB, BFGC, ACHI를 그렸다. $\overline{AB}$ = 3 cm, $\overline{AC}$ = 4 cm일 때, 육각형 DEFGHI의 넓이를 구하시오.

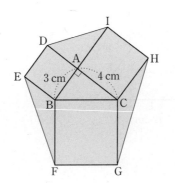

풀이

## 4

오른쪽 그림은 한 모서리의 길이가 각각 14 cm, 8 cm인 두 정육면체를 두 모서리가 겹치도록 붙여 놓은 것이다. 점 A와 점 B를 끈으로 연결할 때, 끈의 최소 길이를 $k$ cm라 하자. 이때 $k^2$의 값을 구하시오.

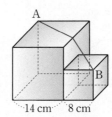

풀이

# IV
## 확률

# 01 경우의 수

## ① 사건과 경우의 수

(1) 사건　동일한 조건에서 반복할 수 있는 실험이나 관찰에 의하여 나타나는 어떤 결과

(2) 경우의 수　어떤 사건이 일어나는 가짓수

## ② 합의 법칙

두 사건 $A$, $B$가 동시에 일어나지 않을 때, 사건 $A$가 일어나는 경우의 수가 $m$, 사건 $B$가 일어나는 경우의 수가 $n$이면

$$(사건\ A\ 또는\ 사건\ B가\ 일어나는\ 경우의\ 수)=m+n$$

## ③ 곱의 법칙

두 사건 $A$, $B$가 서로 영향을 끼치지 않을 때, 사건 $A$가 일어나는 경우의 수가 $m$, 그 각각에 대하여 사건 $B$가 일어나는 경우의 수가 $n$이면

$$(사건\ A와\ 사건\ B가\ 동시에\ 일어나는\ 경우의\ 수)=m \times n$$

## ④ 한 줄로 세우는 경우의 수

(1) $n$명을 한 줄로 세우는 경우의 수 ➡ $n \times (n-1) \times (n-2) \times \cdots \times 2 \times 1$

(2) $n$명 중에서 2명을 뽑아 한 줄로 세우는 경우의 수 ➡ $n \times (n-1)$

(3) $n$명 중에서 3명을 뽑아 한 줄로 세우는 경우의 수
　➡ $n \times (n-1) \times (n-2)$

## ⑤ 대표를 뽑는 경우의 수

(1) $n$명 중에서 자격이 다른 대표 2명을 뽑는 경우의 수 ➡ $n \times (n-1)$

(2) $n$명 중에서 자격이 같은 대표 2명을 뽑는 경우의 수 ➡ $\dfrac{n \times (n-1)}{2 \times 1}$

---

**개념⁺** 　선분 또는 삼각형의 개수

$n(n \geq 3)$개의 점 중에서 어느 세 점도 한 직선 위에 있지 않을 때

① 두 점을 연결하여 만들 수 있는 선분의 개수
　➡ $n$명 중에서 자격이 같은 대표 2명을 뽑는 경우의 수
　➡ $\dfrac{n \times (n-1)}{2 \times 1}$

② 세 점을 연결하여 만들 수 있는 삼각형의 개수
　➡ $n$명 중에서 자격이 같은 대표 3명을 뽑는 경우의 수
　➡ $\dfrac{n \times (n-1) \times (n-2)}{3 \times 2 \times 1}$

---

**[ 확인 ❶ ]**

1에서 20까지의 자연수가 각각 적힌 20장의 카드 중에서 한 장을 뽑을 때, 2의 배수 또는 5의 배수가 적힌 카드를 뽑는 경우의 수를 구하시오.

**[ 확인 ❷ ]**

다음 그림과 같은 4개의 전등으로 불을 켜고 끄면서 신호를 만들 때, 모두 몇 가지의 신호를 만들 수 있는지 구하시오. (단, 전등이 모두 꺼진 경우는 신호로 보지 않는다.)

**[ 확인 ❸ ]**

5명의 후보 중에서 회장 1명, 부회장 1명, 총무 1명을 뽑는 경우의 수를 $a$, 대표 3명을 뽑는 경우의 수를 $b$라 할 때, $a+b$의 값을 구하시오.

## 한 줄로 세우는 경우의 수

다음 물음에 답하시오.

**1-1** 남학생 3명, 여학생 3명을 한 줄로 세울 때, 여학생 3명이 서로 이웃하도록 세우는 경우의 수를 구하시오.

**1-2** 남학생 2명, 여학생 4명을 한 줄로 세울 때, 남학생은 남학생끼리, 여학생은 여학생끼리 이웃하도록 세우는 경우의 수를 구하시오.

**2-1** A, B, C, D, E 5명의 학생이 한 조를 이루어 이어달리기를 할 때, B가 첫 번째 주자로 뛰지 않으면서 C에게 바통을 넘길 수 있는 경우의 수를 구하시오.

**2-2** A, B, C, D 4명의 학생을 한 줄로 세울 때, B가 C보다 앞에 서는 경우의 수를 구하시오.

**3-1** 남학생 3명, 여학생 2명을 한 줄로 세울 때, 남학생과 여학생을 교대로 세우는 경우의 수를 구하시오.

**3-2** 남학생 4명, 여학생 4명을 한 줄로 세울 때, 어느 남학생끼리도 이웃하지 않고, 어느 여학생끼리도 이웃하지 않도록 세우는 경우의 수를 구하시오.

---

**상위권의 눈**

▶ 이웃하여 한 줄로 세우는 경우의 수
 ➡ (이웃하는 것을 하나로 묶어서 한 줄로 세우는 경우의 수)×(묶음 안에서 자리를 바꾸는 경우의 수)
▶ 특정한 사람의 자리를 고정하고 한 줄로 세우는 경우의 수
 ➡ 먼저 특정한 사람의 자리를 고정해 놓은 다음 나머지 사람을 한 줄로 세우는 경우의 수와 같다.

## 자연수의 개수

다음 물음에 답하시오.

**4-1** 1에서 5까지의 자연수가 각각 적힌 5장의 카드 중에서 3장을 뽑아 만들 수 있는 세 자리의 자연수 중 홀수의 개수를 구하시오.

**4-2** 0, 1, 2, 3, 4의 숫자가 각각 적힌 5장의 카드 중에서 3장을 뽑아 만들 수 있는 세 자리의 자연수 중 짝수의 개수를 구하시오.

**5-1** 1에서 5까지의 자연수가 각각 적힌 5장의 카드 중에서 2장을 뽑아 만들 수 있는 두 자리의 자연수 중 3의 배수의 개수를 구하시오.

**5-2** 0, 1, 2, 3, 4의 숫자가 각각 적힌 5장의 카드 중에서 3장을 뽑아 만들 수 있는 세 자리의 자연수 중 3의 배수의 개수를 구하시오.

**6-1** 1, 2, 3, 4, 5의 숫자가 각각 적힌 5장의 카드를 나열하여 만들 수 있는 다섯 자리의 자연수를 작은 수부터 차례로 나열할 때, 다음 물음에 답하시오.

(1) 32415는 몇 번째 수인지 구하시오.
(2) 98번째 수를 구하시오.

**6-2** 0, 1, 2, 3, 4의 숫자가 각각 적힌 5장의 카드를 나열하여 만들 수 있는 다섯 자리의 자연수를 작은 수부터 차례로 나열할 때, 다음 물음에 답하시오.

(1) 23140은 몇 번째 수인지 구하시오.
(2) 61번째 수를 구하시오.

**상위권의 눈**

▶ 0을 포함한 서로 다른 한 자리의 숫자가 각각 적힌 카드 중에서 몇 장을 뽑아 만들 수 있는 자연수의 개수를 구할 때, 0은 맨 앞자리에 올 수 없음에 주의한다.

**사건과 경우의 수**

## 01

길이가 12 cm인 끈을 두 번 잘랐을 때 생기는 끈 3개로 삼각형을 만들려고 한다. 이때 만들 수 있는 삼각형은 모두 몇 개인지 구하시오. (단, 끈은 1 cm 단위로 자르고, 합동인 삼각형은 하나로 생각한다.)

## 02

주사위를 두 번 던져서 첫 번째로 나온 눈의 수를 $a$, 두 번째로 나온 눈의 수를 $b$라 할 때, 서로 다른 직선 $ax-by-b=0$의 개수를 구하시오.

**합의 법칙과 곱의 법칙을 이용한 경우의 수**

## 03

1에서 50까지의 자연수가 각각 적힌 50장의 카드 중에서 1장을 뽑아 카드에 적힌 수를 60 또는 110으로 나눌 때, 유한소수가 되는 경우의 수를 구하시오.

## 04

오른쪽 그림과 같이 한 변의 길이가 1인 정사각형 ABCD가 있다. 은주와 지수는 주사위를 던져서 꼭짓점 B에서 출발하여 나온 눈의 수만큼 화살표 방향으로 변을 따라 말을 이동하기로 하였다. 주사위를 각각 두 번씩 던질 때, 두 말이 모두 A에 있는 경우의 수를 구하시오.

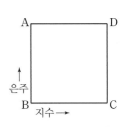

## 05

오른쪽 그림과 같이 다섯 개의 영역 A, B, C, D, E에 빨강, 노랑, 파랑의 3가지 색을 칠하려고 한다. 같은 색을 여러 번 사용할 수 있으나 이웃한 부분에는 서로 다른 색을 칠하려고 할 때, 색을 칠하는 경우의 수를 구하시오.

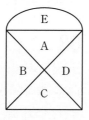

## 06

오른쪽 그림과 같이 정육면체와 정사각형이 서로 이어 붙어 있다. 꼭짓점 A에서 출발하여 모서리 또는 변을 따라 꼭짓점 B까지 최단 거리로 가는 경우의 수를 구하시오.

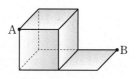

### 대표를 뽑는 경우의 수

## 07

영민이는 배낭여행을 하기 위해 가고 싶은 나라를 대륙별로 다음 표와 같이 적어 보았다. 두 대륙을 여행하는데 첫 번째 대륙에서는 3개국을, 두 번째 대륙에서는 2개국을 여행하기로 하였을 때, 여행하는 나라를 선택하는 경우의 수를 구하시오. (단, 여행하는 나라의 순서는 고려하지 않는다.)

| 대륙 | 가고 싶은 나라 |
| --- | --- |
| 아시아 | 중국, 타이, 베트남, 싱가포르 |
| 유럽 | 프랑스, 이탈리아, 영국 |
| 아메리카 | 미국, 캐나다, 브라질, 멕시코 |

## 08

의자가 5개인 면접실에 5명의 지원자가 임의로 앉을 때, 2명만 자신의 수험 번호가 적힌 자리에 앉고 나머지 3명은 다른 지원자의 수험 번호가 적힌 자리에 앉는 경우의 수를 구하시오.

## 09

다음과 같이 월드컵 축구 대회의 본선 경기는 리그전과 토너먼트로 진행되는데 리그전은 대회에 참가한 모든 팀이 각각 돌아가면서 한 차례씩 경기를 하는 방식이고, 토너먼트는 2개 팀씩 경기를 하여 이긴 팀은 다음 경기를 하고 진 팀은 탈락하는 방식이다. 이때 월드컵 축구 대회의 본선에서 열리는 모든 경기의 수를 구하시오.

(단, 비기는 경우는 없다.)

> (개) 32개 팀을 한 조에 4개 팀씩 총 8개 조로 나눈 후 먼저 각 조에서 리그전을 치른다.
> (나) 각 조에서 상위 2개 팀이 16강에 진출하여 토너먼트를 치른다.
> (다) 4강에서 진 팀끼리 3, 4위전을 치른다.

## 10

남녀 회원을 합하여 10명이 참석한 모임이 있다. 이 모임에서 3명의 임원을 선출하려고 할 때, 적어도 여자 회원 한 명을 임원으로 뽑는 경우의 수는 100이라 한다. 이때 남자 회원 수를 구하시오.

## 선분 또는 삼각형의 개수

## 11

다음 그림과 같이 평행한 두 직선 $l$, $m$ 사이의 거리가 1 cm이고, 그 위에 5개의 점이 1 cm 간격으로 각각 놓여 있다. 주어진 10개의 점 중에서 4개의 점을 연결하여 사각형을 만들 때, 그 넓이가 3 cm²가 되는 경우의 수를 구하시오.

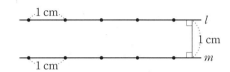

## 12

오른쪽 그림과 같은 별 모양의 도형 위에 10개의 점이 있다. 이 중에서 2개의 점을 연결하여 만들 수 있는 서로 다른 직선의 개수를 $a$, 3개의 점을 연결하여 만들 수 있는 서로 다른 삼각형의 개수를 $b$라 할 때, $b-a$의 값을 구하시오.

## 1 융합형

모든 자연수 $n$에 대하여 $f(n)=(n$의 각 자리의 숫자의 합)이라 하자. 예를 들어 $f(27)=2+7=9$이다. 이때 서로 다른 두 자리의 자연수 $a, b, c$에 대하여 $f(a)+f(b)+f(c)=6$을 만족하는 세 자연수 $a, b, c$의 순서쌍 $(a, b, c)$의 개수를 구하시오.

풀이

## 2

오른쪽 그림과 같은 정사각형 모양의 도로망을 따라 규진이는 A에서 B까지, 민수는 B에서 A까지 최단 거리로 걸을 때, 규진이와 민수가 만나는 경우의 수를 구하시오.
(단, 규진이와 민수는 동시에 출발하고, 같은 속력으로 걷는다.)

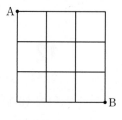

풀이

## **3** 창의+융합

크기가 같은 정육면체 모양의 블록 13개를 위에서 내려다 본 모양이 [그림 1], 오른쪽 옆에서 본 모양이 [그림 2]와 같이 되도록 모두 쌓아 입체도형을 만들려고 할 때, 만들 수 있는 경우의 수를 구하시오. (단, 블록은 서로 구별하지 않는다.)

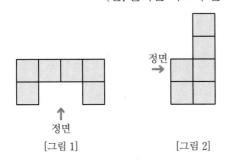

정면
[그림 1]

[그림 2]

풀이

## **4** 서술형

오른쪽 그림과 같은 십이각형의 세 꼭짓점을 이어서 만들 수 있는 삼각형 중에서 십이각형과 어느 한 변도 맞닿지 않는 삼각형의 개수를 구하시오.

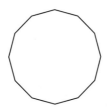

풀이

# 02 확률

## ❶ 확률의 뜻과 성질

(1) **확률**  일반적으로 모든 경우가 일어날 가능성이 같은 어떤 실험이나 관찰에서 일어날 수 있는 모든 경우의 수에 대한 사건 $A$가 일어나는 경우의 수의 비율을 사건 $A$가 일어날 확률이라 한다.

$$(사건\ A가\ 일어날\ 확률)=\frac{(사건\ A가\ 일어나는\ 경우의\ 수)}{(모든\ 경우의\ 수)}$$

(2) **확률의 성질**

① 어떤 사건이 일어날 확률을 $p$라 하면 $0 \le p \le 1$이다.

② 절대로 일어나지 않는 사건의 확률은 0이다.

③ 반드시 일어나는 사건의 확률은 1이다.

④ 사건 $A$가 일어날 확률을 $p$라 하면

$(사건\ A가\ 일어나지\ 않을\ 확률)=1-p$

> **참고**  '적어도', '~가 아닌' 등의 표현이 있으면 어떤 사건이 일어나지 않을 확률을 이용한다.

## ❷ 확률의 계산

사건 $A$가 일어날 확률을 $p$, 사건 $B$가 일어날 확률을 $q$라 하면

(1) **사건 $A$ 또는 사건 $B$가 일어날 확률(확률의 덧셈)**

동일한 실험이나 관찰에서 두 사건 $A$, $B$가 동시에 일어나지 않을 때,

$(사건\ A\ 또는\ 사건\ B가\ 일어날\ 확률)=p+q$

(2) **사건 $A$와 사건 $B$가 동시에 일어날 확률(확률의 곱셈)**

두 사건 $A$, $B$가 서로 영향을 끼치지 않을 때,

$(사건\ A와\ 사건\ B가\ 동시에\ 일어날\ 확률)=p \times q$

## ❸ 연속하여 뽑는 경우의 확률

(1) **꺼낸 것을 다시 넣고 뽑는 경우**  처음 사건이 나중 사건에 영향을 주지 않는다.

➡ (처음에 꺼낼 때의 전체 개수)=(나중에 꺼낼 때의 전체 개수)

(2) **꺼낸 것을 다시 넣지 않고 뽑는 경우**  처음 사건이 나중 사건에 영향을 준다.

➡ (처음에 꺼낼 때의 전체 개수)≠(나중에 꺼낼 때의 전체 개수)

## ❹ 도형에서의 확률

$$(도형에서의\ 확률)=\frac{(도형에서\ 해당하는\ 부분의\ 넓이)}{(도형\ 전체의\ 넓이)}$$

[ **확인 ❶** ]

한 개의 주사위를 두 번 던져서 처음에 나온 눈의 수를 $x$, 나중에 나온 눈의 수를 $y$라 할 때, $x+2y=8$일 확률을 구하시오.

[ **확인 ❷** ]

어떤 사건 $A$가 일어날 확률을 $p$, 일어나지 않을 확률을 $q$라 할 때, 다음 보기 중 옳은 것을 모두 고르시오.

┤보기├
ㄱ $0 < p < 1$  ㄴ $0 \le p \le 1$
ㄷ $0 < q \le 1$  ㄹ $p = 1 - q$
ㅁ $q = 0$이면 사건 $A$는 반드시 일어난다.

[ **확인 ❸** ]

오른쪽 그림과 같이 정사각형을 9등분 한 과녁에 화살을 한 발 쏠 때, 노란색 부분 또는 파란색 부분을 맞힐 확률을 구하시오. (단, 화살이 과녁을 벗어나거나 경계선을 맞히는 경우는 생각하지 않는다.)

## 어떤 사건이 일어나지 않을 확률

다음 물음에 답하시오.

**1-1** 1에서 20까지의 자연수가 각각 적힌 20장의 카드 중에서 한 장을 임의로 뽑을 때, 3의 배수가 나오지 않을 확률을 구하시오.

**1-2** 은서와 다영이를 포함한 5명의 학생을 한 줄로 세울 때, 은서와 다영이가 떨어져서 서게 될 확률을 구하시오.

**2-1** 서로 다른 두 개의 주사위를 동시에 던질 때, 적어도 하나는 짝수의 눈이 나올 확률을 구하시오.

**2-2** ○, ×로 답을 표시하는 퀴즈에서 한 학생이 4문제에 임의로 답을 표시하였을 때, 적어도 한 문제는 맞힐 확률을 구하시오.

**3-1** 다희와 재민이는 이번 주 일요일에 만나기로 약속하였다. 다희가 약속을 지킬 확률이 $\frac{3}{4}$, 재민이가 약속을 지키지 못할 확률이 $\frac{1}{6}$일 때, 두 사람이 만나지 못할 확률을 구하시오.

**3-2** 목표물을 맞힐 확률이 각각 $\frac{4}{5}$, $\frac{2}{7}$인 두 명의 양궁 선수가 한 개의 풍선을 향해 동시에 화살을 한 번씩 쏠 때, 풍선이 터질 확률을 구하시오.

### 상위권의 눈

▶ 사건 A가 일어날 확률을 $p$라 하면 (사건 A가 일어나지 않을 확률)$=1-p$

▶ (적어도 하나는 ~일 확률)$=1-$(모두 ~가 아닐 확률)

▶ 두 사건 A, B가 서로 영향을 끼치지 않을 때,
(두 사건 A, B 중 적어도 하나는 일어날 확률)$=1-$(두 사건 A, B가 모두 일어나지 않을 확률)
$=1-$(사건 A가 일어나지 않을 확률)$\times$(사건 B가 일어나지 않을 확률)

## 확률의 덧셈과 곱셈

다음 물음에 답하시오.

**4-1** 보라와 지안이가 경기를 한 번 할 때, 보라가 이길 확률은 $\dfrac{3}{7}$이다. 경기를 두 번 할 때, 보라의 경기 성적이 1승 1패일 확률을 구하시오.

(단, 비기는 경우는 없다.)

**4-2** 두 자연수 $a, b$가 홀수일 확률이 각각 $\dfrac{1}{5}, \dfrac{2}{3}$일 때, $a+b$가 짝수일 확률을 구하시오.

**5-1** A 주머니에는 검은 공 3개, 흰 공 2개가 들어 있고, B 주머니에는 검은 공 2개, 흰 공 3개가 들어 있다. A, B 두 주머니에서 각각 한 개의 공을 임의로 꺼낼 때, 서로 같은 색의 공이 나올 확률을 구하시오.

**5-2** A 주머니에는 검은 공 3개, 흰 공 5개가 들어 있고, B 주머니에는 검은 공 3개, 흰 공 1개가 들어 있다. A, B 두 주머니 중 임의로 한 주머니를 택하여 한 개의 공을 임의로 꺼낼 때, 검은 공이 나올 확률을 구하시오.

**6-1** 비가 온 날의 다음 날에 비가 올 확률은 $\dfrac{1}{6}$, 비가 오지 않은 날의 다음 날에 비가 올 확률은 $\dfrac{2}{5}$라 한다. 목요일에 비가 왔을 때, 이틀 후인 토요일에 비가 올 확률을 구하시오.

**6-2** 유리가 지각한 날의 다음 날에 지각할 확률은 $\dfrac{1}{3}$, 지각하지 않은 날의 다음 날에 지각할 확률은 $\dfrac{5}{6}$라 한다. 화요일에 지각을 했을 때, 이틀 후인 목요일에 지각을 하지 않을 확률을 구하시오.

---

**상위권의 눈**

▶ 서로 영향을 끼치지 않는 두 사건 A, B가 일어날 확률을 각각 $p, q$라 하면
  (1) 사건 A가 일어나고 사건 B가 일어나지 않을 확률은 $p \times (1-q)$
  (2) 사건 A가 일어나지 않고 사건 B가 일어날 확률은 $(1-p) \times q$

## 연속하여 뽑는 경우의 확률

다음 물음에 답하시오.

**7-1** 흰 공 1개, 검은 공 5개가 들어 있는 주머니에서 A가 공 1개를 임의로 꺼내 확인한 후 다시 넣고 B가 공 1개를 임의로 꺼낼 때, 적어도 한 사람은 흰 공을 꺼낼 확률을 구하시오.

**7-2** 흰 공 1개, 검은 공 5개가 들어 있는 주머니에서 A, B 두 사람이 차례로 공을 임의로 한 개씩 꺼낼 때, 적어도 한 사람은 흰 공을 꺼낼 확률을 구하시오. (단, 꺼낸 공은 다시 넣지 않는다.)

**8-1** 흰 바둑돌 3개, 검은 바둑돌 7개가 들어 있는 상자에서 A가 바둑돌 1개를 임의로 꺼내 확인한 후 다시 넣고 B가 바둑돌 1개를 임의로 꺼낼 때, 흰 바둑돌과 검은 바둑돌이 각각 1개씩 나올 확률을 구하시오.

**8-2** 흰 바둑돌 3개, 검은 바둑돌 7개가 들어 있는 상자에서 A, B 두 사람이 차례로 바둑돌을 임의로 한 개씩 꺼낼 때, 흰 바둑돌과 검은 바둑돌이 각각 1개씩 나올 확률을 구하시오.
(단, 꺼낸 바둑돌은 다시 넣지 않는다.)

**9-1** 9개의 제비 중 4개의 당첨 제비가 들어 있는 상자에서 재은이가 제비 1개를 임의로 뽑아 확인하고 다시 넣은 후 제훈이가 제비 1개를 임의로 뽑을 때, 한 사람만 당첨될 확률을 구하시오.

**9-2** 9개의 제비 중 4개의 당첨 제비가 들어 있는 상자에서 재은이가 제비 1개를 임의로 뽑고 제훈이가 나중에 제비 1개를 임의로 뽑을 때, 한 사람만 당첨될 확률을 구하시오.
(단, 뽑은 제비는 다시 넣지 않는다.)

**상위권의 눈**

▶ 꺼낸 것을 다시 넣고 뽑는 경우에는
(처음에 꺼낼 때의 전체 개수)＝(나중에 꺼낼 때의 전체 개수)

▶ 꺼낸 것을 다시 넣지 않고 뽑는 경우에는
(처음에 꺼낼 때의 전체 개수)≠(나중에 꺼낼 때의 전체 개수)

## 확률의 뜻

### 01

길이가 각각 2 cm, 3 cm, 4 cm, 5 cm, 6 cm, 7 cm인 6개의 선분이 있다. 이 중에서 3개의 선분을 택할 때, 삼각형이 만들어질 확률을 구하시오.

### 02

키가 서로 다른 사람 4명을 한 줄로 세울 때, 왼쪽에서 세 번째에 선 사람의 키가 이웃한 두 사람보다 클 확률을 구하시오.

### 03

0, 1, 2, 3, ⋯, 9의 숫자가 각각 적힌 10장의 카드 중에서 한 장을 뽑아 카드에 적힌 수를 $a$라 하고, 남은 9장의 카드 중에서 또 한 장을 뽑아 카드에 적힌 수를 $b$라 하자. 백의 자리, 십의 자리, 일의 자리의 숫자가 각각 5, $a$, $b$인 세 자리의 자연수가 6의 배수일 확률을 구하시오.

## 확률의 덧셈

### 04

오른쪽 그림과 같이 한 변의 길이가 1인 정오각형 ABCDE가 있다. 서로 다른 두 개의 주사위를 동시에 던져서 나온 눈의 수의 합만큼 점 P가 꼭짓점 A를 출발하여 정오각형의 변을 따라 시계 반대 방향으로 이동한다. 이때 점 P가 꼭짓점 E에 오게 될 확률을 구하시오.

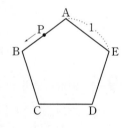

## 05

1학년 남학생 1명과 여학생 1명, 2학년 남학생 2명과 여학생 1명이 있다. 이 5명의 학생을 한 줄로 세울 때, 양 끝에 모두 남학생이 서거나 모두 2학년 학생이 설 확률을 구하시오.

### 확률의 곱셈

## 06

각 면에 0, $-1$, $1$, $-2$, $2$, $3$이 각각 적힌 정육면체 모양의 주사위를 두 번 던져서 처음에 나온 눈의 수를 $a$, 나중에 나온 눈의 수를 $b$라 할 때, 일차방정식 $ax+y-b=0$의 그래프가 제4사분면을 지나지 않을 확률을 구하시오.

## 07

5번의 경기 중 먼저 3승을 하는 사람이 이기는 게임에서 A, B 두 사람은 이기면 10000원, 지면 5000원의 상금을 받기로 하였다. 게임을 끝까지 이어 나갈 수 없을 때에는 두 사람이 이길 확률에 따라 상금을 나누어 가지기로 하였는데 A가 2승 1패인 상태에서 게임이 중단되어 게임을 더 이상 이어 나갈 수 없었다. 이때 A, B 두 사람이 각각 나누어 가져야 할 상금은 얼마인지 구하시오. (단, 각 게임에서 A, B 두 사람이 이길 확률은 같고, 비기는 경우는 없다.)

## 08

A, B, C 세 반이 축구 시합을 하는데 A반이 B반을 이길 확률은 $\dfrac{3}{5}$, B반이 C반을 이길 확률은 $\dfrac{1}{4}$, C반이 A반을 이길 확률은 $\dfrac{2}{3}$라 한다. 추첨을 하여 세 학급 중 한 학급은 부전승으로 결승전에 진출한다고 할 때, B반이 우승할 확률을 구하시오. (단, 비기는 경우는 없다.)

## 연속하여 꺼내는 경우의 확률

## 09

다음 그림과 같이 A 주머니에는 흰 공 2개와 검은 공 3개가 들어 있고 B 주머니에는 흰 공 1개와 검은 공 3개가 들어 있다. A 주머니에서 한 개의 공을 임의로 꺼내어 흰 공이면 흰 공 2개를 B 주머니에 넣고 검은 공이면 검은 공 2개를 B 주머니에 넣은 후, B 주머니에서 한 개의 공을 임의로 꺼낸다. 이때 꺼낸 공이 흰 공일 확률을 구하시오.

A                    B

## 10

주머니에 1, 2, 3, 4, 5의 숫자가 각각 적힌 5개의 공이 들어 있다. 이 주머니에서 3개의 공을 임의로 하나씩 꺼내어 나온 수를 각각 $a$, $b$, $c$라 할 때, $a+bc$가 짝수일 확률을 구하시오. (단, 꺼낸 공은 다시 주머니에 넣는다.)

## 11

A 상자에는 빨간 공 3개와 검은 공 4개가 들어 있고, B 상자는 비어 있다. A 상자에서 한 개의 공을 임의로 꺼내어 빨간 공이 나오면 [실행 1]을 하고 빨간 공이 나오지 않으면 [실행 2]를 할 때, B 상자에 빨간 공이 한 개 있을 확률을 구하시오.

[실행 1] 꺼낸 공을 상자 B에 넣는다.
[실행 2] 꺼낸 공을 상자 B에 넣고, 상자 A에서 1개의 공을 임의로 더 꺼내어 상자 B에 넣는다.

## 여러 가지 확률

## 12

한 개의 주사위를 두 번 던져서 처음에 나온 눈의 수를 $a$, 나중에 나온 눈의 수를 $b$라 할 때, 연립방정식
$\begin{cases} ax+by=3 \\ x+2y=1 \end{cases}$ 의 해가 없을 확률을 구하시오.

## 13

서로 다른 세 개의 주사위를 동시에 던져서 나온 눈의 수를 각각 $a, b, c$라 할 때, $(a-b)(b-c)(c-a)=0$일 확률을 구하시오.

## 14

다음 그림과 같이 좌표평면 위에 세 점 $A(3, 4)$, $B(3, 2)$, $C(5, 2)$가 있다. 한 개의 주사위를 두 번 던져서 처음에 나온 눈의 수를 $a$, 나중에 나온 눈의 수를 $b$라 할 때, 일차함수 $y=\dfrac{b}{a}x$의 그래프가 △ABC와 만날 확률을 구하시오.

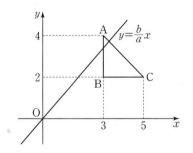

## 도형에서의 확률

## 15

다음 그림과 같이 3등분된 A 원판과 4등분된 B 원판이 있다. 민재는 A 원판, 주아는 B 원판에 화살을 한 번씩 쏘았을 때, 맞힌 부분에 적힌 숫자가 더 큰 사람이 이기는 게임을 하였다. 민재가 이길 확률을 구하시오. (단, 화살이 원판을 벗어나거나 경계선을 맞히는 경우는 생각하지 않는다.)

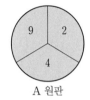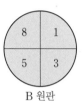

A 원판          B 원판

## 16

오른쪽 그림과 같이 중심이 같은 세 원으로 만든 과녁이 있다. 세 원의 넓이의 비는 $1 : 4 : 9$이고, 과녁을 맞힐 확률은 $\dfrac{3}{4}$일 때, 화살을 두 번 쏘아서 3점을 얻을 확률을 구하시오. (단, 화살이 경계선을 맞히는 경우는 생각하지 않으며, 과녁을 벗어나면 0점을 얻는다.)

## 1

다음 그림과 같이 점 P가 수직선 위의 원점에 놓여 있다. 주사위 한 개를 한 번 던져서 짝수의 눈이 나오면 오른쪽으로 2만큼, 홀수의 눈이 나오면 왼쪽으로 1만큼 점 P를 이동시키려고 한다. 주사위를 4번 던진 후에 점 P가 $-1$을 지나지 않고 2에 위치할 확률을 구하시오.

풀이

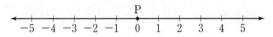

## 2 서술형

A, B, C, D의 4팀이 다음과 같은 방법으로 경기를 치르기로 하였다. A팀이 매 경기에서 나머지 팀을 이길 확률이 $\dfrac{1}{3}$이라고 할 때, A팀이 우승할 확률을 구하시오.

풀이

> (개) A팀과 B팀이 경기를 하고, C팀과 D팀이 경기를 한다.
> (내) (개)에서 이긴 팀끼리 경기를 한다.
> (대) (개)에서 진 팀끼리 경기를 한다.
> (래) (내)에서 진 팀과 (대)에서 이긴 팀이 경기를 한다.
> (매) (내)에서 이긴 팀과 (래)에서 이긴 팀이 경기를 한다.
> (배) (매)에서 이긴 팀이 우승팀이 된다.

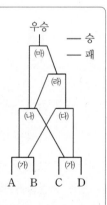

## 3

오른쪽 그림과 같이 한 모서리의 길이가 1인 정육면체를 쌓아 한 모서리의 길이가 8인 정육면체 한 개를 만들고, 밑면이 한 변의 길이가 2인 정사각형이고 높이가 8인 직육면체 모양으로 구멍을 뚫었다. 이 입체도형을 물감이 담긴 통에 넣어서 모든 표면을 색칠하고 다시 무너뜨렸다. 한 모서리의 길이가 1인 작은 정육면체 한 개를 임의로 선택하였을 때, 한 면만 색칠된 정육면체일 확률을 구하시오.

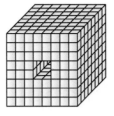

(풀이)

## 4 창의+융합

1에서 10까지의 자연수가 각각 적혀 있는 10개의 구슬이 들어 있는 주머니에서 한 개의 구슬을 임의로 꺼내었을 때 나온 수를 $m$이라 하고 다시 넣은 후 한 개의 구슬을 임의로 또 꺼내었을 때 나온 수를 $n$이라 할 때, $3^m + 4^n$이 5로 나누어 떨어질 확률을 구하시오.

(풀이)

## 5 창의력

오른쪽 그림과 같이 P 지점에 공을 넣으면
아래쪽으로만 이동하여 A, B, C 세 곳 중 어
느 한 곳으로 공이 나오는 관이 있다. 이때
공이 나온 곳의 전구는 꺼져 있으면 켜지고,
켜져 있으면 꺼진다. 예를 들어 전구가 모두
꺼진 상태에서 공을 두 번 연속으로 넣었을
때, 두 번 모두 A로 나오면 A에 있는 전구는
켜졌다 꺼지고, A로 한 번, B로 한 번 나오
면 A, B에 있는 전구는 각각 켜진다. 공 4개를 연속으로 넣었을 때,
A, B, C에 있는 전구 중 두 개의 전구는 켜지고, 한 개의 전구는 꺼
질 확률을 구하시오. (단, 처음 전구의 상태는 모두 꺼져 있고, 각 갈
림길에서 공이 어느 한 방향으로 이동할 확률은 같다.)

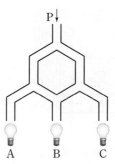

풀이

2015 개정 교육과정 반영

상위권에게만 허락되는 도전

# 1등급 비밀
# 최강 TOT 수학

TOP
OF THE
TOP

1등급 비밀!
# 최강
# TOT

상위권 심화 문제집
## 최강 TOT 중학수학 <sub>중1~3학년, 학기용</sub>

➜ 강남 상위권의 비밀을 담은 문제집

➜ 작은 차이로 실력을 높이는 고난도 수학

➜ 진짜 수학 잘하는 학생이 보는 상위권 필수 교재

1등급 비밀! **TOP OF THE TOP**

2-2
중학수학

최강
TOT

TOP
OF THE
TOP

정답과 풀이

천재교육

1등급 비밀! TOP OF THE TOP

# 정답과 풀이

중 2-2

# Ⅰ 삼각형의 성질

## 01 이등변삼각형

[확인 ❶] ⓐ (1) 60° (2) 32°

(1) ∠ACB=180°−120°=60°
∠A=∠ACB=60°
∴ ∠x=180°−(60°+60°)=60°

(2) ∠ADB=90°이므로
∠x=180°−(58°+90°)=32°

[확인 ❷] ⓐ ㉠, ㉣

㉠ ∠B=∠C이므로 △ABC는 $\overline{AB}=\overline{AC}$인 이등변삼각형이다.
㉣ ∠JLK=180°−112°=68°
△JKL에서 ∠JKL=180°−(44°+68°)=68°
∴ ∠JKL=∠JLK
즉 △JKL은 $\overline{JK}=\overline{JL}$인 이등변삼각형이다.

[확인 ❸] ⓐ ㉠과 ㉢, RHA 합동

㉠과 ㉢에서 빗변의 길이와 한 예각의 크기가 각각 같으므로 두 직각삼각형은 합동이다. (RHA 합동)

[확인 ❹] ⓐ ④

△AOP와 △BOP에서
∠POA=① ∠POB , ② $\overline{OP}$ 는 공통,
③ ∠OAP =∠OBP=90°이므로
△AOP≡△BOP (④ RHA 합동)
∴ ⑤ $\overline{PA}$ =$\overline{PB}$

| STEP 1 | 억울하게 울리는 문제 | | pp. 008~010 |
|---|---|---|---|
| **1-1** 25° | **1-2** 30° | **2-1** 28° | **2-2** 35° |
| **3-1** 20° | **3-2** 75° | **4-1** 59° | **4-2** ③, ⑤ |
| **5-1** ④ | **5-2** $\frac{169}{2}$ cm² | | **6-1** 70° |
| **6-2** 18 cm² | | | |

---

**1-1** ⓐ 25°

오른쪽 그림과 같이
∠B=∠x라 하면
△DBE에서
$\overline{DB}=\overline{DE}$이므로
∠DEB=∠B=∠x
∠ADE=∠x+∠x=2∠x
△EAD에서 $\overline{EA}=\overline{ED}$이므로
∠EAD=∠EDA=2∠x
△ABE에서
∠AEC=∠x+2∠x=3∠x
△AEC에서 $\overline{AE}=\overline{AC}$이므로
∠ACE=∠AEC=3∠x
이때 △AEC에서 세 내각의 크기의 합은 180°이므로
30°+3∠x+3∠x=180°
6∠x=150° ∴ ∠x=25°

**1-2** ⓐ 30°

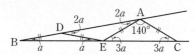

위 그림과 같이 ∠B=∠a라 하면
△DBE에서 $\overline{DB}=\overline{DE}$이므로
∠DEB=∠B=∠a
∠ADE=∠a+∠a=2∠a
△EAD에서 $\overline{EA}=\overline{ED}$이므로
∠EAD=∠EDA=2∠a
△ABE에서
∠AEC=∠a+2∠a=3∠a
△AEC에서 $\overline{AE}=\overline{AC}$이므로
∠ACE=∠AEC=3∠a
이때 △ABC에서 세 내각의 크기의 합은 180°이므로
140°+∠a+3∠a=180°
4∠a=40° ∴ ∠a=10°
∴ ∠x=3∠a=3×10°=30°

**2-1** ⓐ 28°

△ABC에서 $\overline{AB}=\overline{AC}$이므로
∠ABC=∠ACB=$\frac{1}{2}$×(180°−56°)=62°
∠DBC=$\frac{1}{2}$∠ABC=$\frac{1}{2}$×62°=31°
∠ACE=180°−∠ACB=180°−62°=118°이므로
∠DCE=$\frac{1}{2}$∠ACE=$\frac{1}{2}$×118°=59°
△DBC에서 ∠BDC+∠DBC=∠DCE이므로
∠x+31°=59° ∴ ∠x=28°

## 2-2 冒 $35°$

$\triangle ABC$에서 $\overline{AB}=\overline{AC}$이므로

$\angle ABC=\angle ACB=\dfrac{1}{2}\times(180°-48°)=66°$

$\angle DBC=\dfrac{1}{3}\angle ABC=\dfrac{1}{3}\times 66°=22°$

$\angle ACE=180°-\angle ACB=180°-66°=114°$이므로

$\angle DCE=\dfrac{1}{2}\angle ACE=\dfrac{1}{2}\times 114°=57°$

$\triangle DBC$에서 $\angle BDC+\angle DBC=\angle DCE$이므로

$\angle x+22°=57°$　∴ $\angle x=35°$

## 3-1 冒 $20°$

$\triangle ABD$와 $\triangle ACE$에서

$\overline{AB}=\overline{AC}$, $\overline{BD}=\overline{CE}$, $\angle B=\angle C$

따라서 $\triangle ABD\equiv\triangle ACE$ (SAS 합동)이므로

$\overline{AD}=\overline{AE}$

즉 $\triangle ADE$는 $\overline{AD}=\overline{AE}$인 이등변삼각형이므로

$\angle AED=\angle ADE=80°$

∴ $\angle EAD=180°-(80°+80°)=20°$

## 3-2 冒 $75°$

$\triangle ABD$와 $\triangle ACE$에서

$\overline{AB}=\overline{AC}$, $\overline{BD}=\overline{CE}$, $\angle B=\angle C$

따라서 $\triangle ABD\equiv\triangle ACE$ (SAS 합동)이므로

$\overline{AD}=\overline{AE}$

즉 $\triangle ADE$는 $\overline{AD}=\overline{AE}$인 이등변삼각형이므로

$\angle x=\dfrac{1}{2}\times(180°-30°)=75°$

## 4-1 冒 $59°$

$\triangle ABC$에서

$\angle B=\dfrac{1}{2}\times(180°-56°)=62°$

$\triangle BED$와 $\triangle CFE$에서

$\overline{BD}=\overline{CE}$, $\overline{BE}=\overline{CF}$, $\angle B=\angle C$

따라서 $\triangle BED\equiv\triangle CFE$ (SAS 합동)이므로

$\angle BDE=\angle CEF$

∴ $\angle DEF=180°-(\angle BED+\angle CEF)$

$=180°-(\angle BED+\angle BDE)$

$=\angle B=62°$

이때 $\triangle EFD$에서 $\overline{ED}=\overline{EF}$이므로

$\angle FDE=\dfrac{1}{2}\times(180°-62°)=59°$

## 4-2 冒 ③, ⑤

①, ② $\triangle BED$와 $\triangle CFE$에서

$\overline{BE}=\overline{CF}$, $\overline{BD}=\overline{CE}$, $\angle B=\angle C$

따라서 $\triangle BED\equiv\triangle CFE$ (SAS 합동)이므로

$\overline{ED}=\overline{EF}$, $\angle EDB=\angle FEC$

③ $\angle B=180°-(\angle BDE+\angle BED)$

$=180°-(\angle CEF+\angle BED)$

$=\angle b$

④ $\angle C=\angle B=\angle b$이므로 $\triangle ABC$에서

$\angle a+2\angle b=180°$　∴ $\angle a=180°-2\angle b$

⑤ $\angle EFD=\angle EDF$이므로 $\triangle EFD$에서

$\angle EFD=\dfrac{1}{2}\times(180°-\angle b)=90°-\dfrac{1}{2}\angle b$　……㉠

이때 ④에서 $2\angle b=180°-\angle a$

∴ $\angle b=90°-\dfrac{1}{2}\angle a$　……㉡

㉠에 ㉡을 대입하면

$\angle EFD=90°-\dfrac{1}{2}\angle b=90°-\dfrac{1}{2}\times\left(90°-\dfrac{1}{2}\angle a\right)$

$=90°-45°+\dfrac{1}{4}\angle a=45°+\dfrac{1}{4}\angle a$

따라서 옳은 것은 ③, ⑤이다.

## 5-1 冒 ④

①, ④ $\triangle ADB$와 $\triangle BEC$에서

$\angle ADB=\angle BEC=90°$, $\overline{AB}=\overline{BC}$,

$\angle BAD=90°-\angle ABD=\angle CBE$

∴ $\triangle ADB\equiv\triangle BEC$ (RHA 합동)

② $\triangle ABC$에서 $\overline{AB}=\overline{BC}$이므로

$\angle BAC=\angle BCA$

③ $\overline{DB}=\overline{EC}=b$, $\overline{BE}=\overline{AD}=a$이므로

$\overline{DE}=\overline{DB}+\overline{BE}=a+b$

⑤ (사각형 ADEC의 넓이)$=\dfrac{1}{2}\times(a+b)\times(a+b)$

$=\dfrac{1}{2}(a+b)^2$

따라서 옳지 않은 것은 ④이다.

## 5-2 冒 $\dfrac{169}{2}$ cm²

$\triangle ADB$와 $\triangle BEC$에서

$\angle ADB=\angle BEC=90°$, $\overline{AB}=\overline{BC}$,

$\angle BAD=90°-\angle DBA=\angle CBE$

따라서 $\triangle ADB\equiv\triangle BEC$ (RHA 합동)이므로

$\overline{BE}=\overline{AD}=12$ cm, $\overline{EC}=\overline{DB}=5$ cm

∴ $\triangle ABC=$(사다리꼴 ADEC의 넓이)$-2\triangle ADB$

$=\dfrac{1}{2}\times(12+5)\times 17-2\times\left(\dfrac{1}{2}\times 5\times 12\right)$

$=\dfrac{289}{2}-60=\dfrac{169}{2}$ (cm²)

## 6-1 답 70°

$\triangle$BCD와 $\triangle$BED에서

$\angle$BCD$=\angle$BED$=90°$, $\overline{BD}$는 공통, $\overline{DC}=\overline{DE}$

따라서 $\triangle$BCD$\equiv\triangle$BED (RHS 합동)이므로

$\angle$DBC$=\angle$DBE

$\triangle$ABC에서 $\angle$B$=180°-(50°+90°)=40°$이므로

$\angle$DBC$=\dfrac{1}{2}\angle$B$=\dfrac{1}{2}\times40°=20°$

따라서 $\triangle$DBC에서

$\angle$CDB$=180°-(20°+90°)=70°$

## 6-2 답 18 cm²

$\triangle$BCD와 $\triangle$BED에서

$\angle$BCD$=\angle$BED$=90°$, $\overline{BD}$는 공통, $\overline{BC}=\overline{BE}$

따라서 $\triangle$BCD$\equiv\triangle$BED (RHS 합동)이므로

$\overline{ED}=\overline{CD}=6$ cm

이때 $\triangle$ABC에서 $\overline{AC}=\overline{BC}$이므로

$\angle$A$=\dfrac{1}{2}\times(180°-90°)=45°$

$\therefore\ \angle$EDA$=180°-(45°+90°)=45°$

즉 $\triangle$AED는 이등변삼각형이므로 $\overline{EA}=\overline{ED}=6$ cm

$\therefore\ \triangle$AED$=\dfrac{1}{2}\times6\times6=18$ (cm²)

---

**STEP 2** | 반드시 등수 올리는 문제     pp. 011~014

| | | | |
|---|---|---|---|
| **01** 36° | **02** 32° | **03** 18° | **04** 24° |
| **05** 20° | **06** 12 | **07** 38° | **08** 32° |
| **09** 12 cm | **10** 5 cm | **11** 18° | **12** 5 cm² |
| **13** 6 cm² | **14** 75° | **15** 5 cm | **16** 24 cm |

## 01 답 36°

$\angle$ABP$=\angle x$라 하면

$\triangle$PAB에서 $\overline{PA}=\overline{PB}$이므로

$\angle$PAB$=\angle$ABP$=\angle x$

$\triangle$ABC에서 $\overline{AB}=\overline{AC}$이므로

$\angle$BCA$=\angle$ABC$=2\angle x$

$\triangle$ABC에서 $\angle x+2\angle x+2\angle x=180°$이므로

$5\angle x=180°$    $\therefore\ \angle x=36°$

$\angle$PCQ$=180°-\angle$BCA

$\qquad\quad=180°-2\times36°=108°$

$\triangle$CQP에서 $\overline{CP}=\overline{CQ}$이므로

$\angle$CPQ$=\dfrac{1}{2}\times(180°-108°)=36°$

전략

이등변삼각형의 두 밑각의 크기가 같음을 이용한다.

## 02 답 32°

$\triangle$ABC에서

$\angle$BCA$=\dfrac{1}{2}\times(180°-52°)=64°$

$\overline{AB}\,/\!/\,\overline{DC}$이므로

$\angle$ACD$=\angle$A$=52°$ (엇각)

한편 $\triangle$CDB에서 $\overline{CB}=\overline{CD}$이므로

$\angle$D$=\angle$DBC

$\therefore\ \angle$D$=\dfrac{1}{2}\times\{180°-(64°+52°)\}=32°$

전략

평행한 두 직선이 다른 한 직선과 만날 때, 엇각의 크기는 서로 같다.

## 03 답 18°

$\triangle$ABD와 $\triangle$ACE에서

$\overline{AB}=\overline{AC}$, $\overline{BD}=\overline{CE}$, $\angle$B$=\angle$C

따라서 $\triangle$ABD$\equiv\triangle$ACE (SAS 합동)이므로

$\overline{AD}=\overline{AE}$

즉 $\triangle$AED는 이등변삼각형이므로

$\angle$ADE$=\dfrac{1}{2}\times(180°-18°)=81°$

$\triangle$ABD에서

$\angle$B$=180°-2\angle$ADB

$\quad=180°-2\times81°$

$\quad=18°$

전략

$\triangle$ABD$\equiv\triangle$ACE임을 알고 $\triangle$AED가 $\overline{AE}=\overline{AD}$인 이등변삼각형임을 이용한다.

## 04 답 24°

$\angle$BAD$=\angle x$라 하면

$\angle$BAC$=3\angle$BAD$=3\angle x$이므로

$\angle$DAC$=3\angle x-\angle x=2\angle x$

$\triangle$ABC에서 $\overline{AB}=\overline{AC}$이므로

$\angle$ACB$=\dfrac{1}{2}\times(180°-3\angle x)=90°-\dfrac{3}{2}\angle x$

$\therefore\ \angle$ACE$=\left(90°-\dfrac{3}{2}\angle x\right)-12°=78°-\dfrac{3}{2}\angle x$

따라서 $\triangle$AEC에서

$2\angle x+90°+\left(78°-\dfrac{3}{2}\angle x\right)=180°$

$\dfrac{1}{2}\angle x=12°$    $\therefore\ \angle x=24°$

$\therefore\ \angle$BAD$=24°$

전략

$\angle$BAD$=\angle x$라 하고 $\angle$ACE의 크기를 $\angle x$에 대한 식으로 나타낸다.

## 05 답 20°

$\angle CAD = \angle x$라 하면

$\triangle CDA$에서 $\overline{CA} = \overline{CD}$이므로

$\angle CDA = \angle CAD = \angle x$

한편 $\angle BCA = \angle x + \angle x = 2\angle x$이고

$\triangle ABC$는 $\overline{BA} = \overline{BC}$이므로

$\angle BAC = \angle BCA = 2\angle x$

이때 $2\angle x + \angle x + 60° = 180°$이므로

$3\angle x = 120°$ ∴ $\angle x = 40°$

따라서 $\angle BAC = \angle BCA = 2 \times 40° = 80°$이므로

$\triangle ABC$에서

$\angle B = 180° - (80° + 80°) = 20°$

> **전략**
> $\angle CAD = \angle x$라 하고 이등변삼각형의 성질과 삼각형의 외각의 성질을 이용하여 $\angle x$로 나타낼 수 있는 각들을 찾는다.

## 06 답 12

$\overline{AE} = x$, $\overline{BD} = y$라 하면

$\overline{AC} = \overline{AB} = 4x$, $\overline{BC} = 2\overline{BD} = 2y$

$\overline{AE} + \overline{BC} = 10$, $\overline{AC} + \overline{BD} = 19$이므로

$x + 2y = 10$, $4x + y = 19$

두 식을 연립하여 풀면

$x = 4$, $y = 3$

따라서 $\overline{AE} = 4$이므로 $\overline{AB} = 4\overline{AE} = 4 \times 4 = 16$

∴ $\overline{BE} = \overline{AB} - \overline{AE} = 16 - 4 = 12$

> **전략**
> $\overline{AE} = x$, $\overline{BD} = y$라 놓고 연립방정식을 세워 푼다.

## 07 답 38°

$\triangle ABC$에서 $\overline{AB} = \overline{AC}$이므로

$\angle B = \dfrac{1}{2} \times (180° - 80°) = 50°$

∴ $\angle B' = \angle B = 50°$

이때 $\angle BCD = \angle B'CD = 21°$ (접은 각)이므로

$\triangle DBC$에서 $\angle ADC = 50° + 21° = 71°$

따라서 $\triangle B'DC$에서 $50° + (\angle x + 71°) + 21° = 180°$

∴ $\angle x = 38°$

> **전략**
> $\triangle DBC$에서 $\angle ADC = \angle DBC + \angle BCD$임을 이용한다.

## 08 답 32°

$\angle AEF = \angle EFC$ (접은 각), $\angle FEC = \angle AFE$ (엇각)이므로

$\angle AEF = \angle AFE$

따라서 $\triangle AEF$는 $\overline{AE} = \overline{AF}$인 이등변삼각형이다.

이때 $\angle D'AE = \angle DCE = 90°$ (접은 각)이므로

$\angle FAE = 90° - 26° = 64°$

∴ $\angle AEF = \dfrac{1}{2} \times (180° - 64°) = 58°$

한편 $\angle GFD = \angle AFE = 58°$ (맞꼭지각)이므로

$\triangle GFD$에서

$\angle DGF = 180° - (58° + 90°) = 32°$

> **전략**
> $\angle AEF = \angle AFE$이므로 $\triangle AEF$는 $\overline{AE} = \overline{AF}$인 이등변삼각형임을 이용한다.

## 09 답 12 cm

$\triangle AEC$에서 $\angle ECA = 180° - (45° + 90°) = 45°$

즉 $\angle EAC = \angle ECA$이므로

$\triangle AEC$는 $\overline{AE} = \overline{EC}$인 이등변삼각형이다.

$\triangle AEF$와 $\triangle CEB$에서

$\overline{AE} = \overline{CE}$, $\angle AEF = \angle CEB = 90°$,

$\angle EAF = 90° - \angle B = \angle ECB$

따라서 $\triangle AEF \equiv \triangle CEB$ (ASA 합동)이므로

$\overline{AF} = \overline{CB} = 3 + 9 = 12$ (cm)

> **전략**
> $\triangle AEF \equiv \triangle CEB$임을 이용한다.

## 10 답 5 cm

$\angle B = \angle x$라 하면

$\triangle ABC$에서 $\overline{AB} = \overline{AC}$이므로 $\angle C = \angle B = \angle x$

$\triangle MBD$에서

$\angle BMD = 180° - (\angle x + 90°) = 90° - \angle x$

∴ $\angle EMA = \angle BMD = 90° - \angle x$ (맞꼭지각) ⋯⋯ ㉠

$\triangle EDC$에서

$\angle CED = 180° - (90° + \angle x) = 90° - \angle x$ ⋯⋯ ㉡

㉠, ㉡에서 $\angle EMA = \angle CED$

따라서 $\triangle AEM$은 $\overline{AE} = \overline{AM}$인 이등변삼각형이므로

$\overline{AE} = \overline{AM} = \dfrac{1}{2}\overline{AB} = \dfrac{1}{2} \times 10 = 5$ (cm)

> **전략**
> $\angle B = \angle x$라 할 때,
> $\triangle AEM$에서 $\angle EMA = \angle BMD = 90° - \angle x$이고
> $\triangle EDC$에서 $\angle CED = 90° - \angle x$
> 즉 $\angle EMA = \angle AEM$이므로 $\triangle AEM$이 $\overline{AE} = \overline{AM}$인 이등변삼각형임을 이용한다.

## 11 ⓐ 18°

$\triangle ABC$에서 $\overline{AB}=\overline{AC}$이므로

$\angle ABC=\angle ACB=\dfrac{1}{2}\times(180°-36°)=72°$

$\angle DBE : \angle EBC=1 : 3$이므로

$\angle DBE=\dfrac{1}{4}\times72°=18°$, $\angle EBC=\dfrac{3}{4}\times72°=54°$

$\triangle EBC$에서 $\angle BEC=180°-(54°+72°)=54°$

따라서 $\angle CBE=\angle CEB$이므로 $\triangle EBC$는 $\overline{BC}=\overline{EC}$인 이등변삼각형이다.

$\triangle DBC$와 $\triangle DEC$에서

$\overline{BC}=\overline{EC}$, $\angle DCB=\angle DCE$, $\overline{DC}$는 공통

따라서 $\triangle DBC\equiv\triangle DEC$ (SAS 합동)이므로 $\overline{DB}=\overline{DE}$

즉 $\triangle DBE$는 이등변삼각형이므로

$\angle DEB=\angle DBE=18°$

전략
△EBC와 △DBE가 이등변삼각형임을 이용한다.

## 12 ⓐ 5 cm²

$\triangle BDM$과 $\triangle CEM$에서

$\angle BDM=\angle CEM=90°$, $\overline{BM}=\overline{CM}$,

$\angle BMD=\angle CME$ (맞꼭지각)

따라서 $\triangle BDM\equiv\triangle CEM$ (RHA 합동)이므로

$\overline{DM}=\overline{EM}=1\ cm$, $\overline{BD}=\overline{CE}=2\ cm$

$\therefore\triangle ABD=\dfrac{1}{2}\times2\times(4+1)=5\ (cm^2)$

전략
△BDM≡△CEM임을 이용한다.

## 13 ⓐ 6 cm²

$\triangle ABF$와 $\triangle BCG$에서

$\angle BFA=\angle CGB=90°$, $\overline{AB}=\overline{BC}$,

$\angle FAB=90°-\angle ABF=\angle GBC$

따라서 $\triangle ABF\equiv\triangle BCG$ (RHA 합동)이므로

$\overline{BF}=\overline{CG}=7\ cm$, $\overline{BG}=\overline{AF}=3\ cm$

$\overline{GF}=\overline{BF}-\overline{BG}=7-3=4\ (cm)$이므로

$\triangle AGF=\dfrac{1}{2}\times4\times3=6\ (cm^2)$

전략
△ABF≡△BCG임을 이용하여 $\overline{GF}$의 길이를 구한다.

## 14 ⓐ 75°

$\triangle AED$와 $\triangle CFD$에서

$\angle A=\angle DCF=90°$, $\overline{DE}=\overline{DF}$, $\overline{DA}=\overline{DC}$

따라서 $\triangle AED\equiv\triangle CFD$ (RHS 합동)이므로

$\angle CDF=\angle ADE=180°-(90°+60°)=30°$

$\angle EDF=\angle EDC+\angle CDF$

$\qquad\quad=\angle EDC+\angle ADE=90°$

즉 $\triangle DEF$는 $\overline{DE}=\overline{DF}$인 직각이등변삼각형이다.

$\therefore\angle DFE=\dfrac{1}{2}\times(180°-90°)=45°$

따라서 $\triangle DGF$에서

$\angle EGD=30°+45°=75°$

전략
△AED≡△CFD임을 이용한다.

## 15 ⓐ 5 cm

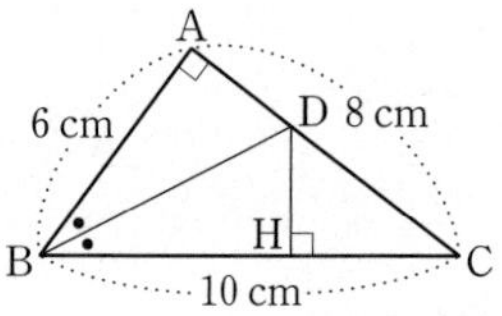

오른쪽 그림과 같이 점 D에서 $\overline{BC}$에 내린 수선의 발을 H라 하면

$\triangle ABD$와 $\triangle HBD$에서

$\angle A=\angle BHD=90°$, $\overline{BD}$는 공통,

$\angle ABD=\angle HBD$

$\therefore\triangle ABD\equiv\triangle HBD$ (RHA 합동)

이때 $\overline{AD}=\overline{HD}=x\ cm$라 하면

$\triangle ABC=\triangle ABD+\triangle DBC$에서

$\dfrac{1}{2}\times6\times8=\dfrac{1}{2}\times6\times x+\dfrac{1}{2}\times10\times x$

$8x=24$　$\therefore x=3$

$\therefore\overline{CD}=\overline{AC}-\overline{AD}=8-3=5\ (cm)$

전략
점 D에서 $\overline{BC}$에 수선의 발을 내리고 합동인 삼각형을 찾아 길이가 같은 선분을 찾는다.

## 16 ⓐ 24 cm

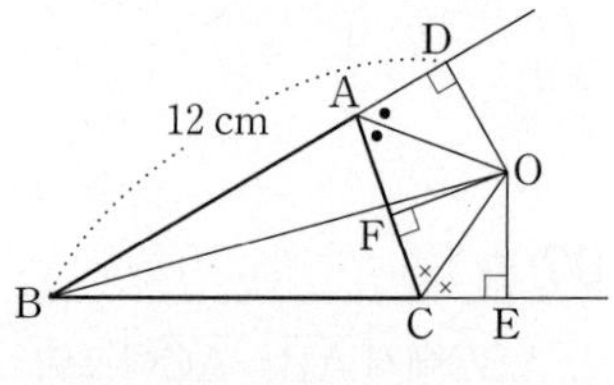

오른쪽 그림과 같이 점 O에서 $\overline{AC}$에 내린 수선의 발을 F라 하면

$\triangle ODA$와 $\triangle OFA$에서

$\angle ODA=\angle OFA=90°$,

$\overline{OA}$는 공통, $\angle OAD=\angle OAF$

따라서 $\triangle ODA\equiv\triangle OFA$ (RHA 합동)이므로

$\overline{AD}=\overline{AF}$, $\overline{OD}=\overline{OF}$

$\triangle OFC$와 $\triangle OEC$에서

$\angle OFC=\angle OEC=90°$, $\overline{OC}$는 공통, $\angle OCF=\angle OCE$

따라서 $\triangle OFC\equiv\triangle OEC$ (RHA 합동)이므로

$\overline{CF}=\overline{CE}$, $\overline{OF}=\overline{OE}$

이때 $\overline{OB}$를 그으면

$\triangle OBD$와 $\triangle OBE$에서

$\angle ODB = \angle OEB = 90°$, $\overline{OB}$는 공통,
$\overline{OD} = \overline{OF}$, $\overline{OF} = \overline{OE}$에서 $\overline{OD} = \overline{OE}$
따라서 $\triangle OBD \equiv \triangle OBE$ (RHS 합동)이므로
$\overline{BE} = \overline{BD} = 12$ cm
따라서 $\triangle ABC$의 둘레의 길이는
$$\overline{AB} + \overline{BC} + \overline{CA} = \overline{AB} + \overline{BC} + (\overline{AF} + \overline{CF})$$
$$= \overline{AB} + \overline{BC} + (\overline{AD} + \overline{CE})$$
$$= (\overline{AB} + \overline{AD}) + (\overline{BC} + \overline{CE})$$
$$= 2\overline{BD} = 2 \times 12 = 24 \text{ (cm)}$$

**전략**

($\triangle ABC$의 둘레의 길이)$= \overline{BD} + \overline{BE}$임을 이용한다.

---

**STEP 3** | 전교 1등 확실하게 굳히는 문제      pp. 015 ~ 017

| **1** 2 cm | **2** 135 | **3** 30° | **4** 70° |
| **5** 8 | **6** 80° | | |

## 1 ⓐ 2 cm

$\overline{AB} /\!/ \overline{B'C'}$이므로
$\angle ABD = \angle DEB'$ (엇각), $\angle BAD = \angle DB'E$ (엇각)
이때 $\triangle ABC \equiv \triangle AB'C'$이므로 $\angle ABC = \angle AB'C'$
$\therefore \angle ABD = \angle BAD$, $\angle DB'E = \angle DEB'$
즉 $\triangle DAB$, $\triangle DB'E$는 모두 이등변삼각형이므로
$\overline{AD} = \overline{BD}$, $\overline{DB'} = \overline{DE}$
$\overline{BE} = \overline{BD} + \overline{DE} = \overline{AD} + \overline{DB'}$
$\quad = \overline{AB'} = \overline{AB} = 6$ (cm)
이므로 $\overline{CE} = \overline{BC} - \overline{BE} = 8 - 6 = 2$ (cm)

**전략**

$\overline{AB} /\!/ \overline{B'C'}$이므로 $\triangle DAB$, $\triangle DB'E$는 모두 이등변삼각형이다.

## 2 ⓐ 135

$\overline{AD} = \overline{DE} = \overline{EF} = \overline{FC} = \overline{CB}$이므로
$\triangle ADE$, $\triangle DFE$, $\triangle EFC$, $\triangle FBC$는 모두
이등변삼각형이다. 오른쪽 그림과 같이
$\angle A = \angle x$라 하면 $\angle DEA = \angle A = \angle x$
$\angle EFD = \angle EDF = \angle A + \angle DEA = 2\angle x$
$\angle FCE = \angle FEC = \angle A + \angle AFE = 3\angle x$
$\angle CBF = \angle CFB = \angle A + \angle FCA = 4\angle x$
이때 $\overline{AB} = \overline{AC}$이므로 $\angle ACB = \angle B = 4\angle x$
             ⋯⋯ 20 %
$\triangle ABC$의 세 내각의 크기의 합이 $180°$이므로
$\angle x + 4\angle x + 4\angle x = 180°$, $9\angle x = 180°$
$\therefore \angle x = 20°$          ⋯⋯ 30 %
만들어지는 정다각형을 정$n$각형이라 하면
$n \times 20° = 360°$    $\therefore n = 18$      ⋯⋯ 30 %

따라서 만들어지는 정다각형은 정십팔각형이므로 대각선의 개수
는 $\dfrac{18 \times (18-3)}{2} = 135$          ⋯⋯ 20 %

**전략**

이등변삼각형의 성질을 이용하여 $\angle A$의 크기를 구한다. 또 정 $n$각형의 대각선의 개수는 $\dfrac{n(n-3)}{2}$임을 이용한다.

## 3 ⓐ 30°

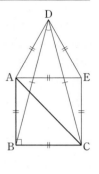

오른쪽 그림과 같이 사각형 ABCE가 정사각형이 되도록 점 E를 정하고 $\overline{DE}$를 그으면
$\triangle DAB$와 $\triangle DEC$에서
$\overline{AB} = \overline{EC}$, $\overline{DB} = \overline{DC}$,
$\angle ABD = 90° - \angle DBC$
$\quad\quad\quad\quad = 90° - \angle DCB = \angle ECD$
따라서 $\triangle DAB \equiv \triangle DEC$ (SAS 합동)
이므로 $\overline{AD} = \overline{ED}$, $\angle ADB = \angle EDC$
이때 $\overline{AE} = \overline{ED} = \overline{DA}$이므로 $\triangle DAE$는 정삼각형이다.
즉 $\angle DAE = 60°$
$\triangle ABD$에서
$\angle DAB = \angle BAE + \angle DAE = 90° + 60° = 150°$이고
$\overline{AD} = \overline{AB}$이므로
$\angle ADB = \dfrac{1}{2} \times (180° - 150°) = 15°$
따라서 $\angle EDC = \angle ADB = 15°$이므로
$\angle BDC = 60° - (15° + 15°) = 30°$

**전략**

보조선을 그어서 정삼각형과 정사각형을 만든 후 합동인 두 삼각형을 이용한다.

## 4 ⓐ 70°

$\triangle ABC$가 이등변삼각형이므로
$\angle ABC = \angle C = \dfrac{1}{2} \times (180° - 20°) = 80°$
오른쪽 그림과 같이 $\overline{AB}$를 한 변으로 하는 정삼각형 AEB를 그리고
$\overline{ED}$를 그으면
$\triangle EDA$와 $\triangle ABC$에서
$\overline{EA} = \overline{AC}$, $\overline{DA} = \overline{BC}$,
$\angle EAD = \angle EAB + \angle BAD$
$\quad\quad\quad\quad = 60° + 20° = 80° = \angle ACB$
따라서 $\triangle EDA \equiv \triangle ABC$ (SAS 합동)이므로
$\overline{ED} = \overline{AB}$, $\angle AED = \angle BAC = 20°$
즉 $\overline{ED} = \overline{EB}$이므로 $\triangle EBD$는 이등변삼각형이다.
$\angle DEB = \angle AEB - \angle AED = 60° - 20° = 40°$이므로
$\angle EBD = \dfrac{1}{2} \times (180° - 40°) = 70°$

$$\therefore \angle DBC = \angle EBC - \angle EBD$$
$$= (\angle EBA + \angle ABC) - \angle EBD$$
$$= (60° + 80°) - 70° = 70°$$

**전략**

보조선을 그어 합동인 두 삼각형을 만들어 본다.

## 5 ⓐ 8

오른쪽 그림과 같이 점 D에서 $\overline{BC}$
에 내린 수선의 발을 H라 하면
$\triangle DHE$와 $\triangle ECF$에서
$$\angle DHE = \angle ECF = 90°,$$
$$\overline{DE} = \overline{EF},$$
$$\angle DEH = 90° - \angle CEF = \angle EFC$$
따라서
$\triangle DHE \equiv \triangle ECF$ (RHA 합동)이므로
$$\overline{DH} = \overline{EC} = x, \ \overline{HE} = \overline{CF} = y$$
$\triangle DBH$에서 $\angle DBH = 45°$이므로 $\triangle DBH$는 직각이등변삼각형이다.
$$\therefore \overline{BH} = \overline{DH} = x$$
$\overline{BC} = \overline{BH} + \overline{HE} + \overline{EC}$이므로
$$2x + y = 52 \qquad \cdots\cdots \ ㉠$$
이때 $x + y = 32 \qquad \cdots\cdots \ ㉡$
㉠, ㉡을 연립하여 풀면
$$x = 20, \ y = 12$$
$$\therefore x - y = 20 - 12 = 8$$

**전략**

점 D에서 $\overline{BC}$에 내린 수선의 발을 H라 할 때, $\triangle DHE \equiv \triangle ECF$임을 이용한다.

## 6 ⓑ 80°

$\overline{AB} = \overline{AC}$이므로
$$\angle ABC = \angle ACB = \frac{1}{2} \times (180° - 100°) = 40°$$
$$\therefore \angle PBC = \angle ABC - \angle ABP = 40° - 10° = 30°$$

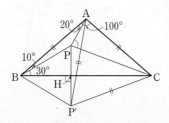

위 그림과 같이 $\overline{AC}$를 한 변으로 하는 정삼각형 $AP'C$를 그리면
$\triangle APB$와 $\triangle APP'$에서
$$\angle PAP' = \angle BAC - (\angle BAP + \angle CAP')$$
$$= 100° - (20° + 60°)$$
$$= 20° = \angle PAB,$$

$\overline{AP}$는 공통, $\overline{AB} = \overline{AC} = \overline{AP'}$
따라서 $\triangle APB \equiv \triangle APP'$(SAS 합동)이므로
$$\angle PP'A = \angle PBA = 10°$$
$\overline{BC}$와 $\overline{PP'}$의 교점을 H라 하면 $\triangle HP'C$에서
$$\angle HP'C = \angle PP'A + \angle AP'C = 10° + 60° = 70°,$$
$$\angle P'CH = 60° - 40° = 20°$$이므로
$$\angle P'HC = 180° - (70° + 20°) = 90°$$
$\triangle PBP'$에서 $\overline{PB} = \overline{PP'}$이고
$$\angle BPP' = 180° - (\angle BHP + \angle PBH)$$
$$= 180° - (90° + 30°) = 60°$$
이므로 $\triangle PBP'$은 정삼각형이다.
이때 $\overline{BC}$는 $\overline{PP'}$의 수직이등분선이므로 $\overline{PH} = \overline{HP'}$
즉 $\triangle CPP'$은 $\overline{CP} = \overline{CP'}$인 이등변삼각형이므로
$$\angle PCH = \angle P'CH = 20°,$$
$$\angle ACP = \angle ACB - \angle PCH$$
$$= 40° - 20° = 20°$$
따라서 $\triangle APC$에서
$$\angle APC = 180° - (\angle PAC + \angle ACP)$$
$$= 180° - (20° + 60° + 20°) = 80°$$

**전략**

$\overline{AC}$를 한 변으로 하는 정삼각형 $AP'C$를 그려서 $\triangle APB \equiv \triangle APP'$임을 이용한다.

# 02 삼각형의 외심과 내심

**[확인 ❶]** 달 3 cm

점 O가 △ABC의 외심이므로 $\overline{OA}=\overline{OB}$

△OAB의 둘레의 길이가 10 cm이므로

$4+\overline{OA}+\overline{OB}=10$

$2\overline{OA}=6$　　∴ $\overline{OA}=3$ (cm)

**[확인 ❷]** 달 38°

$\angle BOC=2\angle A=2\times52°=104°$

이때 $\overline{OB}=\overline{OC}$이므로

$\angle x=\dfrac{1}{2}\times(180°-104°)=38°$

**[확인 ❸]** 달 125°

$\angle IBC=\angle IBA=30°$, $\angle ICB=\angle ICA=25°$이므로

△IBC에서 $\angle BIC=180°-(30°+25°)=125°$

**[확인 ❹]** 달 56°

$\angle BAI=\dfrac{1}{2}\angle BAC=\dfrac{1}{2}\times68°=34°$

$34°+\angle IBC+\angle ICB=90°$

∴ $\angle IBC+\angle ICB=56°$

---

**STEP 1**　억울하게 울리는 문제　　　pp. 020～022

| | | | |
|---|---|---|---|
| **1-1** ③, ⑤ | **1-2** ②, ⑤ | **2-1** ②, ④ | **2-2** ④ |
| **3-1** 3 cm | **3-2** 54 cm² | **4-1** 60 cm² | |
| **4-2** $(24-4\pi)$ cm² | | **5-1** 9° | **5-2** 10° |
| **6-1** 40° | **6-2** 70° | | |

## 1-1 달 ③, ⑤

① △ABC의 세 변의 수직이등분선의 교점이 외심 O이므로

$\overline{AD}=\overline{BD}$

② $\overline{OB}=\overline{OC}$이므로 △OBC는 이등변삼각형이다.

　　∴ $\angle OBE=\angle OCE$

④ $\overline{OA}=\overline{OB}=\overline{OC}$(외접원의 반지름의 길이)

따라서 옳지 않은 것은 ③, ⑤이다.

> **참고**
> ③, ⑤는 점 O가 내심일 때 성립한다.

## 1-2 달 ②, ⑤

② $\overline{ID}=\overline{IE}=\overline{IF}$(내접원의 반지름의 길이)

⑤ △ABC의 세 내각의 이등분선은 내심에서 만난다.

따라서 옳은 것은 ②, ⑤이다.

---

> **참고**
> ①, ③, ④는 점 I가 외심일 때 성립한다.

## 2-1 달 ②, ④

점 D는 두 내각의 이등분선의 교점이므로 △ABC의 내심이다.

⑤ 이등변삼각형의 내심과 외심은 꼭지각의 이등분선 위에 있다.

따라서 옳은 것은 ②, ④이다.

## 2-2 달 ④

△ABC의 외심을 찾으면 되므로 옳은 것은 ④이다.

## 3-1 달 3 cm

$\overline{BE}=\overline{BD}=5$ cm

$\overline{AF}=\overline{AD}=3$ cm이므로 $\overline{CF}=15-3=12$ (cm)

∴ $\overline{CE}=\overline{CF}=12$ cm

즉 $\overline{BC}=\overline{BE}+\overline{CE}=5+12=17$ (cm)이므로

내접원 I의 반지름의 길이를 $r$ cm라 하면

$\dfrac{1}{2}\times r\times\{(3+5)+17+15\}=60$

$20r=60$　　∴ $r=3$

따라서 내접원 I의 반지름의 길이는 3 cm이다.

## 3-2 달 54 cm²

$\overline{CF}=\overline{CE}=9$ cm이므로

$\overline{AD}=\overline{AF}=12-9=3$ (cm)

$\overline{BD}=\overline{BE}=6$ cm이므로

$\overline{AB}=\overline{AD}+\overline{BD}=3+6=9$ (cm)

∴ $\triangle ABC=\dfrac{1}{2}\times3\times\{9+(6+9)+12\}=54$ (cm²)

## 4-1 달 60 cm²

$\overline{IE}$를 그으면 사각형 DBEI는 정사각형이므로

$\overline{DB}=\overline{BE}=\overline{ID}=3$ cm

$\overline{AF}=x$ cm라 하면 $\overline{AD}=\overline{AF}=x$ cm,

$\overline{CE}=\overline{CF}=17-x$ (cm)이므로

$\overline{AB}=x+3$ (cm),

$\overline{BC}=\overline{BE}+\overline{CE}=3+(17-x)=20-x$ (cm)

∴ $\triangle ABC=\dfrac{1}{2}\times3\times\{(x+3)+(20-x)+17\}$

　　　　　$=60$ (cm²)

## 4-2 달 $(24-4\pi)$ cm²

내접원 I의 반지름의 길이를 $r$ cm라 하면

$\dfrac{1}{2}\times8\times6=\dfrac{1}{2}\times r\times(10+8+6)$, $24=12r$　　∴ $r=2$

∴ (색칠한 부분의 넓이)$=\dfrac{1}{2}\times8\times6-\pi\times2^2$

　　　　　　　　　　$=24-4\pi$ (cm²)

## 5-1 답 9°

점 O가 △ABC의 외심이므로

$\angle BOC = 2\angle A = 2 \times 48° = 96°$

△OBC에서 $\overline{OB} = \overline{OC}$이므로

$\angle OBC = \dfrac{1}{2} \times (180° - 96°) = 42°$

한편 △ABC에서 $\overline{AB} = \overline{AC}$이므로

$\angle ABC = \dfrac{1}{2} \times (180° - 48°) = 66°$

점 I가 △ABC의 내심이므로

$\angle IBC = \dfrac{1}{2}\angle ABC = \dfrac{1}{2} \times 66° = 33°$

$\therefore \angle OBI = \angle OBC - \angle IBC$
$\qquad = 42° - 33° = 9°$

## 5-2 답 10°

점 O가 △ABC의 외심이므로

$\angle AOB = 2\angle C = 2 \times 45° = 90°$

△OAB에서 $\overline{OA} = \overline{OB}$이므로

$\angle OAB = \dfrac{1}{2} \times (180° - 90°) = 45°$

한편 △ABC에서

$\angle BAC = 180° - (65° + 45°) = 70°$

점 I가 △ABC의 내심이므로

$\angle IAB = \dfrac{1}{2}\angle BAC = \dfrac{1}{2} \times 70° = 35°$

$\therefore \angle OAI = \angle OAB - \angle IAB$
$\qquad = 45° - 35° = 10°$

## 6-1 답 40°

$\overline{OB}$를 그으면 점 O가 △ABC의 외심이므로

$\angle OBA = \angle OAB = 20°$

$\angle AOB = 180° - (20° + 20°) = 140°$이므로

$\angle C = \dfrac{1}{2}\angle AOB = \dfrac{1}{2} \times 140° = 70°$

점 I가 △ABC의 내심이므로

$\angle IAB = \angle IAC = 35°$

따라서 △ABC에서

$\angle B = 180° - (35° + 35° + 70°) = 40°$

## 6-2 답 70°

$\overline{OB}$를 그으면 점 O가 △ABC의 외심이므로

$\angle OBA = \angle OAB = 30°$

$\angle AOB = 180° - (30° + 30°) = 120°$이므로

$\angle C = \dfrac{1}{2}\angle AOB = \dfrac{1}{2} \times 120° = 60°$

△AEC에서

$\angle AED = 40° + 60° = 100°$

점 I가 △ABC의 내심이므로

$\angle IAB = \angle IAC = 40°$

따라서 △ADE에서

$\angle DAE = \angle BAE - \angle BAD = 40° - 30° = 10°$이므로

$\angle ADE = 180° - (10° + 100°) = 70°$

---

**STEP 2** | 반드시 등수 올리는 문제     pp. 023~027

| | | | |
|---|---|---|---|
| **01** 41 cm² | **02** 4 cm | **03** 11° | **04** 32° |
| **05** 50° | **06** 60° | **07** 20° | **08** 60° |
| **09** 186° | **10** 132° | **11** 55° | **12** 18π cm² |
| **13** 60 cm² | **14** 20° | **15** 10 cm² | **16** 9π cm² |
| **17** 64° | **18** 8° | **19** $\dfrac{7}{2}$ cm | **20** 4 cm |

## 01 답 41 cm²

오른쪽 그림과 같이 $\overline{OB}$, $\overline{OC}$를 각각
그으면

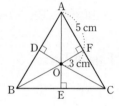

△OAD ≡ △OBD (RHS 합동),

△OBE ≡ △OCE (RHS 합동),

△OCF ≡ △OAF (RHS 합동)

이므로

$\triangle ABC = (\triangle OAD + \triangle OBD) + (\triangle OBE + \triangle OCE)$
$\qquad\qquad\qquad\qquad\qquad + (\triangle OCF + \triangle OAF)$
$\qquad = 2\triangle OBD + 2\triangle OBE + 2\triangle OAF$
$\qquad = 2(\triangle OBD + \triangle OBE) + 2\triangle OAF$
$\qquad = 2 \times (\text{사각형 DBEO의 넓이}) + 2\triangle OAF$
$\qquad = 2 \times 13 + 2 \times \left(\dfrac{1}{2} \times 3 \times 5\right)$
$\qquad = 26 + 15 = 41 \ (\text{cm}^2)$

**전략**

합동인 삼각형을 찾아 넓이를 구한다.

## 02 답 4 cm

$\overline{OA}$를 그으면

△OAB에서 $\overline{OA} = \overline{OB}$이므로

$\angle OAB = \angle OBA = 30°$

△OCA에서 $\overline{OC} = \overline{OA}$이므로

$\angle OAC = \angle OCA = 15°$

따라서 $\angle BAC = 30° + 15° = 45°$이므로

$\angle BOC = 2\angle BAC = 2 \times 45° = 90°$

이때 △OBC는 $\angle BOC = 90°$인 직각이등변삼각형이므로

$\dfrac{1}{2} \times \overline{OB}^2 = 8, \ \overline{OB}^2 = 16$

$\therefore \overline{OB} = 4 \ (\text{cm}) \ (\because \overline{OB} > 0)$

**전략**

보조선을 그어 $\angle BAC$의 크기를 구한다.

## 03 ⓐ 11°

△ABD는 ∠A=90°인 직각이등변삼각형이므로

$\angle ABD = \dfrac{1}{2} \times (180° - 90°) = 45°$

∴ ∠EBC=90°-45°=45°

점 M은 ∠B=90°인 직각삼각형 ABC의 외심이므로

$\overline{MA} = \overline{MB} = \overline{MC}$

따라서 △MBC는 $\overline{MB} = \overline{MC}$인 이등변삼각형이므로

∠MBC=∠MCB=34°

∴ ∠EBM=∠EBC-∠MBC

$= 45° - 34° = 11°$

전략

△ABD와 △MBC가 각각 이등변삼각형임을 이용한다.

## 04 ⓐ 32°

외심 O가 $\overline{BC}$ 위에 있으므로 △ABC는 ∠BAC=90°인 직각삼각형이다.

또 점 O'이 △ABO의 외심이므로 △O'BO는 $\overline{O'B} = \overline{O'O}$인 이등변삼각형이다.

∴ ∠O'BO=∠O'OB=32°

이때 ∠BO'O=180°-(32°+32°)=116°이므로

$\angle BAO = \dfrac{1}{2} \angle BO'O = \dfrac{1}{2} \times 116° = 58°$

∴ ∠CAO=90°-58°=32°

전략

외심 O가 $\overline{BC}$ 위에 있으므로 △ABC는 ∠BAC=90°인 직각삼각형이다.

## 05 ⓐ 50°

오른쪽 그림과 같이 $\overline{OD}$를 그으면

$\overline{OA} = \overline{OD} = \overline{OC}$

이때 ∠ODA=∠$a$라 하면 △ODA는 $\overline{OA} = \overline{OD}$인 이등변삼각형이므로

∠OAD=∠ODA=∠$a$

∠ODC=∠$b$라 하면 △OCD는 $\overline{OC} = \overline{OD}$인 이등변삼각형이므로 ∠OCD=∠ODC=∠$b$

이때 ∠D=∠$a$+∠$b$=110°이므로

사각형 DAOC에서

∠AOC=360°-(∠$a$+∠$a$+∠$b$+∠$b$)

$= 360° - 2(\angle a + \angle b)$

$= 360° - 2 \times 110° = 140°$

$\therefore \angle x = \dfrac{1}{2} \angle AOC = \dfrac{1}{2} \times 140° = 70°$

한편 △OCA는 $\overline{OA} = \overline{OC}$인 이등변삼각형이므로

$\angle y = \dfrac{1}{2} \times (180° - 140°) = 20°$

∴ ∠$x$-∠$y$=70°-20°=50°

전략

$\overline{OD}$를 긋고 ∠ODA=∠$a$, ∠ODC=∠$b$라 할 때, ∠AOC의 크기를 구한다.

**다른 풀이** 점 O는 △ACD의 외심이므로

∠AOC(큰 각)=2∠D=2×110°=220°

즉 ∠AOC(작은 각)=360°-220°=140°이므로

$\angle x = \dfrac{1}{2} \angle AOC = \dfrac{1}{2} \times 140° = 70°$

한편 △OCA는 $\overline{OA} = \overline{OC}$인 이등변삼각형이므로

$\angle y = \dfrac{1}{2} \times (180° - 140°) = 20°$

∴ ∠$x$-∠$y$=70°-20°=50°

## 06 ⓐ 60°

∠PBQ=∠PQB=∠$a$, ∠QPC=∠QCP=∠$b$라 하고

오른쪽 그림과 같이 $\overline{OA}$를 그으면

△OAB에서 $\overline{OA} = \overline{OB}$이므로

∠OAB=∠OBA=∠$a$

△OCA에서 $\overline{OC} = \overline{OA}$이므로

∠OAC=∠OCA=∠$b$

∴ ∠A=∠$a$+∠$b$

한편 점 O는 △ABC의 외심이므로

∠BOC=2∠A=2(∠$a$+∠$b$)

∴ ∠POQ=∠BOC=2(∠$a$+∠$b$) (맞꼭지각)

따라서 △OQP에서

2(∠$a$+∠$b$)+∠$a$+∠$b$=180°이므로

3(∠$a$+∠$b$)=180° ∴ ∠$a$+∠$b$=60°

∴ ∠A=∠$a$+∠$b$=60°

전략

△PBQ에서 ∠PBQ=∠PQB=∠$a$, △QPC에서 ∠QPC=∠QCP=∠$b$라 놓고 보조선을 그어 푼다.

**다른 풀이** 오른쪽 그림과 같이

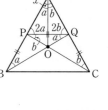

∠A=∠$x$라 하면

∠BOC=2∠A=2∠$x$이므로

∠POQ=∠BOC=2∠$x$ (맞꼭지각)

이때 △POQ에서

∠$b$+2∠$x$+∠$a$=180° ······ ㉠

한편 △PBQ에서

∠APQ=∠$a$+∠$a$=2∠$a$,

△PCQ에서

∠PQA=∠$b$+∠$b$=2∠$b$이므로

△APQ에서

∠$x$+2∠$a$+2∠$b$=180° ······ ㉡

㉠, ㉡을 연립하여 풀면 ∠$x$=60°

∴ ∠A=60°

## 07 🅰 20°

△ABC에서
$\angle C = 180° - (80° + 30°) = 70°$
△AHC에서
$\angle CAH = 180° - (90° + 70°) = 20°$
한편 점 I는 △ABC의 내심이므로
$\angle IAC = \frac{1}{2}\angle BAC = \frac{1}{2} \times 80° = 40°$
$\therefore \angle IAH = \angle IAC - \angle CAH$
$\qquad = 40° - 20° = 20°$

> **전략**
> 먼저 ∠C의 크기를 구한 후 ∠IAB=∠IAC임을 이용한다.

## 08 🅰 60°

점 I′은 △IBC의 내심이므로
$\angle BI'C = 90° + \frac{1}{2}\angle BIC = 90° + \frac{1}{2} \times 100° = 140°$
$\angle I'BC = \angle a$, $\angle I'CB = \angle b$라 하면
$\angle a + \angle b = 180° - 140° = 40°$
$\therefore \angle A = 180° - 3(\angle a + \angle b)$
$\qquad = 180° - 3 \times 40° = 60°$

> **전략**
> ∠I′BC=∠a, ∠I′CB=∠b로 놓고 △I′BC에서
> ∠BI′C+∠a+∠b=180°임을 이용한다.

## 09 🅰 186°

$\angle IAB = \angle IAC = \angle a$,
$\angle IBA = \angle IBC = \angle b$라 하면
△ACD에서 $\angle x = \angle a + 64°$
△BCE에서 $\angle y = \angle b + 64°$
한편 △ABC에서
$2\angle a + 2\angle b + 64° = 180°$이므로
$2(\angle a + \angle b) = 116°$   $\therefore \angle a + \angle b = 58°$
$\therefore \angle x + \angle y = (\angle a + 64°) + (\angle b + 64°)$
$\qquad\qquad = 58° + 128° = 186°$

> **전략**
> 삼각형의 외각의 성질을 이용한다.

## 10 🅰 132°

점 O는 ∠A의 이등분선과 ∠D의 이등분선의 교점이므로
△ABD의 내심이다.
△ABC에서 $\angle ABC = 180° - (62° + 68°) = 50°$
△CBD는 $\overline{CB} = \overline{CD}$인 이등변삼각형이므로
$\angle CBD = \frac{1}{2} \times 68° = 34°$
$\therefore \angle IOI' = 90° + \frac{1}{2} \times (50° + 34°) = 132°$

> **전략**
> 점 O가 △ABD의 내심임을 이용한다.

> **다른 풀이** 점 I는 △ABC의 내심이므로
> $\angle IAC = \angle IAB = \frac{1}{2}\angle BAC = \frac{1}{2} \times 62° = 31°$
> 한편 △CBD는 $\overline{CB} = \overline{CD}$인 이등변삼각형이므로
> $\angle CBD = \angle CDB = \frac{1}{2} \times 68° = 34°$
> 이때 점 I′는 △CBD의 내심이므로
> $\angle I'DC = \frac{1}{2}\angle CDB = \frac{1}{2} \times 34° = 17°$
> 따라서 △AOD에서
> $\angle IOI' = 180° - (31° + 17°) = 132°$

## 11 🅰 55°

$\overline{AD} /\!/ \overline{BC}$이므로
$\angle ADB = \angle DBC = 40°$
△ABD는 $\overline{AB} = \overline{AD}$인 이등변삼각형이므로
$\angle ABD = \angle ADB = 40°$
$\therefore \angle DAB = 180° - (40° + 40°) = 100°$
이때 점 I가 △ABD의 내심이므로
$\angle DAI = \frac{1}{2}\angle DAB = \frac{1}{2} \times 100° = 50°$
한편 △BCD는 $\overline{BD} = \overline{BC}$인 이등변삼각형이므로
$\angle BDC = \frac{1}{2} \times (180° - 40°) = 70°$
점 I′은 △BCD의 내심이므로
$\angle BDI' = \frac{1}{2}\angle BDC = \frac{1}{2} \times 70° = 35°$
따라서 $\angle ADO = 40° + 35° = 75°$이므로
△AOD에서
$\angle AOD = 180° - (50° + 75°) = 55°$

> **전략**
> $\overline{AD} /\!/ \overline{BC}$임을 이용하여 ∠ADB의 크기를 구하고 이등변삼각형의 성질을 이용한다.

## 12 🅰 $18\pi$ cm²

내접원의 반지름의 길이를 $r$ cm라 하면
$\triangle ABC = \frac{1}{2} \times r \times (17 + 28 + 25)$이므로
$35r = 210$   $\therefore r = 6$
△IAD ≡ △IAF (RHS 합동), △IBD ≡ △IBE (RHS 합동),
△ICE ≡ △ICF (RHS 합동)이므로
$\angle AID = \angle AIF$, $\angle BID = \angle BIE$, $\angle CIE = \angle CIF$
따라서 $\angle AID + \angle BIE + \angle CIF = \frac{1}{2} \times 360° = 180°$이므로
색칠한 부채꼴의 넓이의 합은
$\pi \times 6^2 \times \frac{180}{360} = 18\pi$ (cm²)

전략

합동인 삼각형을 이용하여 ∠AID+∠BIE+∠CIF의 크기를 구한다.

## 13 ❹ 60 cm²

오른쪽 그림과 같이 $\overline{\text{BI}}$, $\overline{\text{CI}}$를 그

으면 점 I가 △ABC의 내심이

므로

∠IBD=∠IBC,

∠ICE=∠ICB

이때 $\overline{\text{DE}}$∥$\overline{\text{BC}}$이므로

∠DIB=∠IBC (엇각), ∠EIC=∠ICB (엇각)

즉 △DBI와 △EIC는 모두 이등변삼각형이므로

$\overline{\text{DI}}=\overline{\text{DB}}=5$ cm, $\overline{\text{EI}}=\overline{\text{EC}}=6$ cm

∴ $\overline{\text{DE}}=\overline{\text{DI}}+\overline{\text{IE}}=5+6=11$ (cm)

이때 점 I에서 $\overline{\text{BC}}$에 내린 수선의 발을 H라 하면 $\overline{\text{IH}}=4$ cm

∴ (사각형 DBCE의 넓이)$=\dfrac{1}{2}\times(11+19)\times4=60$ (cm²)

전략

엇각의 성질을 이용하여 △DBI와 △EIC가 이등변삼각형임을 안다.

## 14 ❹ 20°

△CFE에서 $\overline{\text{CE}}=\overline{\text{CF}}$이므로

∠FEC$=\dfrac{1}{2}\times(180°-90°)=45°$

∴ ∠DEF$=180°-(65°+45°)=70°$

이때 점 I는 △DEF의 외접원의 중심, 즉 외심이므로

∠DIF$=2∠DEF=2\times70°=140°$이고, $\overline{\text{ID}}=\overline{\text{IF}}$

∴ ∠IDF$=\dfrac{1}{2}\times(180°-140°)=20°$

전략

△CFE가 이등변삼각형임을 안다.

## 15 ❹ 10 cm²

오른쪽 그림과 같이 $\overline{\text{IF}}$를 그

으면 내접원 I의 넓이가

9π cm²이므로

$\pi\times\overline{\text{IE}}^2=9\pi$, $\overline{\text{IE}}^2=9$

∴ $\overline{\text{IE}}=3$ (cm) (∵ $\overline{\text{IE}}>0$)

$\overline{\text{IB}}$, $\overline{\text{IC}}$를 그으면

△IBD≡△IBF (RHS 합동),

△ICE≡△ICF (RHS 합동)

∴ △IBD=△IBF, △ICE=△ICF

이때 △IBD=△IBF=$S_1$, △ICE=△ICF=$S_2$라 하면

△IBC=$S_1+S_2=\dfrac{1}{2}\times14\times3=21$ (cm²)이므로

(사각형 ADIE의 넓이)$=$△ABC$-2(S_1+S_2)$

$=52-2\times21$

$=52-42=10$ (cm²)

전략

$\overline{\text{IF}}$, $\overline{\text{IB}}$, $\overline{\text{IC}}$를 그어 △IBD=△IBF, △ICE=△ICF임을 이용한다.

## 16 ❹ 9π cm²

△ABD는 $\overline{\text{AB}}=\overline{\text{AD}}$인 이등변삼각형이므로

$\overline{\text{BM}}=\overline{\text{DM}}=6$ cm

이때 $\overline{\text{BN}}:\overline{\text{NM}}=1:2$이므로

$\overline{\text{BN}}=\dfrac{1}{3}\times6=2$ (cm), $\overline{\text{NM}}=\dfrac{2}{3}\times6=4$ (cm)

∴ $\overline{\text{ND}}=4+6=10$ (cm)

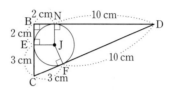

한편 위 그림과 같이 점 J에서 $\overline{\text{BC}}$와 $\overline{\text{CD}}$에 내린 수선의 발을 각각

E, F라 하면 $\overline{\text{BE}}=\overline{\text{BN}}=2$ cm, $\overline{\text{DF}}=\overline{\text{DN}}=10$ cm이므로

$\overline{\text{CE}}=\overline{\text{CF}}=13-10=3$ (cm)

즉 $\overline{\text{BC}}=2+3=5$ (cm), $\overline{\text{BD}}=2+10=12$ (cm)이므로

△BCD$=\dfrac{1}{2}\times5\times12=30$ (cm²)

∴ △ABD$=$(사각형 ABCD의 넓이)$-$△BCD

$=78-30=48$ (cm²)

한편 원 I의 반지름의 길이를 $r$ cm라 하면

$\dfrac{1}{2}\times r\times(10+12+10)=48$이므로

$16r=48$ ∴ $r=3$

∴ (원 I의 넓이)$=\pi\times3^2=9\pi$ (cm²)

전략

△ABD$=$(사각형 ABCD의 넓이)$-$△BCD를 이용하여 △ABD의

넓이를 구하고 이를 이용하여 원 I의 반지름의 길이를 구한다.

## 17 ❹ 64°

△ABC에서 $\overline{\text{AB}}=\overline{\text{AC}}$이므로

∠ABC$=\dfrac{1}{2}\times(180°-76°)=52°$

점 I가 △ABC의 내심이므로

∠IBA$=\dfrac{1}{2}∠\text{ABC}=\dfrac{1}{2}\times52°=26°$

점 O가 △ABC의 외심이므로 $\overline{\text{OM}}$은 $\overline{\text{AB}}$의 수직이등분선이다.

즉 ∠OMB$=90°$

따라서 △BDM에서

∠BDM$=180°-(90°+26°)=64°$

전략

내심은 각의 이등분선의 교점이고, 외심은 변의 수직이등분선의 교점이다.

## 18 답 8°

$\overline{OC}$를 그으면 점 O는 △ABC의 외심이므로

∠OCB=∠OBC=14°

따라서 △OBC에서

∠BOC=180°−(14°+14°)=152°

∴ ∠BAC=$\frac{1}{2}$∠BOC=$\frac{1}{2}$×152°=76°

이때 점 I가 △ABC의 내심이므로

∠IAB=$\frac{1}{2}$∠BAC=$\frac{1}{2}$×76°=38°

한편 △ABH에서

∠BAH=180°−(30°+14°+90°)=46°

∴ ∠IAH=∠BAH−∠IAB

　　　　=46°−38°=8°

> **전략**
>
> ∠IAH=∠BAH−∠IAB임을 이용한다.

## 19 답 $\frac{7}{2}$ cm

내접원 I의 반지름의 길이를 $r$ cm
라 하면

$\frac{1}{2}$×8×15=$\frac{1}{2}$×$r$×(8+15+17)

20$r$=60　∴ $r$=3

따라서 내접원 I의 반지름의 길이는
3 cm이므로

$\overline{BH}$=8−3=5 (cm)

한편 직각삼각형 ABC의 외접원의 중심, 즉 외심을 O라 하면 직
각삼각형의 외심은 빗변의 중점이므로

$\overline{OB}$=$\frac{1}{2}$$\overline{BC}$=$\frac{1}{2}$×17=$\frac{17}{2}$ (cm)

따라서 점 H에서 직각삼각형 ABC의 외접원의 중심 O까지의 거
리는

$\overline{BO}$−$\overline{BH}$=$\frac{17}{2}$−5=$\frac{7}{2}$ (cm)

> **전략**
>
> △ABC의 넓이를 이용하여 내접원 I의 반지름의 길이를 구하고 직각삼
> 각형의 외심의 위치를 이용하여 외접원 O의 반지름의 길이를 구한다.

## 20 답 4 cm

점 I는 △ABC의 내심이므로 ∠IAB=∠IAC

이때 ∠IAC=∠CBD이므로 ∠IAB=∠CBD

---

오른쪽 그림과 같이 $\overline{BI}$를 그으면

△ABI에서

∠IBA=∠IBC이고

∠IBD=∠IBC+∠CBD

　　　　=∠IBA+∠IAB

　　　　=∠BID (∵ △ABI의 외각)

따라서 △BDI는 $\overline{DB}$=$\overline{DI}$인 이등변삼각형이므로

$\overline{BD}$=$\overline{ID}$=$\overline{OD}$−$\overline{OI}$=5−1=4 (cm)

> **전략**
>
> 내심의 성질과 삼각형의 외각의 성질을 이용하여 크기가 같은 각을 표시
> 하여 이등변삼각형을 찾는다.

---

| STEP 3 | 전교 1등 확실하게 굳히는 문제 | pp. 028~030 |
| --- | --- | --- |

| **1** 156° | **2** 18° | **3** 7 cm | **4** 135° |
| --- | --- | --- | --- |
| **5** 35° | **6** $\frac{6}{5}$ cm | | |

## 1 답 156°

∠OMN=∠$x$라 하면 ∠ABC=4∠$x$, ∠ACB=6∠$x$이므로

∠BAC=180°−(4∠$x$+6∠$x$)=180°−10∠$x$

△OBC는 $\overline{OB}$=$\overline{OC}$인 이등변삼각형이므로 $\overline{ON}$은 ∠BOC의
이등분선이다. 즉

∠NOC=$\frac{1}{2}$∠BOC=∠BAC=180°−10∠$x$

이때 점 O는 △ABC의 외심이므로

∠MOC=2∠ABC=8∠$x$

∴ ∠MON=∠MOC+∠NOC

　　　　=8∠$x$+(180°−10∠$x$)=180°−2∠$x$

따라서 △ONM에서

(180°−2∠$x$)+12°+∠$x$=180°　∴ ∠$x$=12°

∴ ∠MON=180°−2×12°=156°

> **전략**
>
> ∠OMN=∠$x$로 놓고 다른 각의 크기를 ∠$x$를 이용하여 나타낸다.

## 2 답 18°

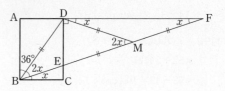

위의 그림과 같이 $\overline{EF}$의 중점을 M이라 하면 점 M은 직각삼각형 DEF의 빗변의 중점이므로 △DEF의 외심이다.

$\therefore \overline{BD}=\dfrac{1}{2}\overline{EF}=\overline{EM}=\overline{FM}=\overline{DM}$

$\angle EBC=\angle x$라 하면

$\angle EFD=\angle EBC=\angle x$ (엇각)

$\overline{DM}=\overline{FM}$이므로 $\angle FDM=\angle EFD=\angle x$

△DMF에서 $\angle DME=\angle x+\angle x=2\angle x$

$\overline{BD}=\overline{DM}$이므로 $\angle DBM=\angle DME=2\angle x$

이때 $36°+\angle DBE+\angle EBC=90°$이므로

$36°+2\angle x+\angle x=36°+3\angle x=90°$ $\therefore \angle x=18°$

$\therefore \angle EBC=18°$

> **전략**
> 엇각의 성질, 이등변삼각형의 성질, 삼각형의 외각의 성질을 이용한다.

**3** 답 7 cm

오른쪽 그림과 같이 $\overline{IA}$, $\overline{IB}$, $\overline{IE}$를 그으면

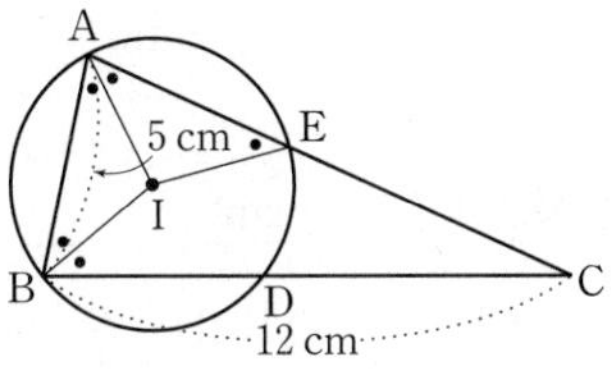

$\overline{IA}=\overline{IB}=\overline{IE}$
   $=$ (원 I의 반지름의 길이)

△IAB에서 $\overline{IA}=\overline{IB}$이므로

$\angle IAB=\angle IBA$

△IEA에서 $\overline{IE}=\overline{IA}$이므로 $\angle IEA=\angle IAE$

점 I가 △ABC의 내심이므로

$\angle IAB=\angle IAC$, $\angle IBA=\angle IBC$

$\therefore \angle IBC=\angle IBA=\angle IAB=\angle IAE=\angle IEA$

즉 △ABC에서 $\angle CAB=\angle CBA$이므로 $\overline{AC}=\overline{BC}=12$ cm

한편 △IAB와 △IAE에서

$\overline{IA}$는 공통, $\overline{IB}=\overline{IE}$,

$\angle AIB=180°-(\angle IAB+\angle IBA)$
   $=180°-(\angle IAE+\angle IEA)=\angle AIE$

따라서 △IAB≡△IAE (SAS 합동)이므로

$\overline{AE}=\overline{AB}=5$ cm

$\therefore \overline{EC}=\overline{AC}-\overline{AE}=12-5=7$ (cm)

> **전략**
> $\overline{IA}$, $\overline{IB}$, $\overline{IE}$를 긋고 △IAB≡△IAE임을 이용한다.

**4** 답 135°

△ABC와 △ACD가 모두 직각삼각형이므로 점 O는 △ABC와 △ACD의 외심이다.

이등변삼각형의 외심과 내심은 꼭지각의 이등분선 위에 있으므로 오른쪽 그림과 같이 $\overline{BO}$를 그으면 점 I는 $\overline{BO}$ 위에 있고 $\angle BOA=90°$

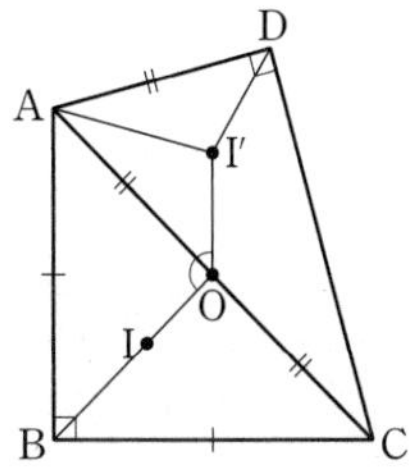

또 $\overline{I'A}$, $\overline{I'D}$를 그으면 점 I'은 △ACD의 내심이므로

$\angle I'AC=\angle I'AD$

△I'AO와 △I'AD에서

$\overline{I'A}$는 공통, $\angle I'AO=\angle I'AD$, $\overline{AO}=\overline{AD}$

따라서 △I'AO≡△I'AD (SAS 합동)이므로

$\angle I'OA=\angle I'DA=\dfrac{1}{2}\angle D=\dfrac{1}{2}\times 90°=45°$

$\therefore \angle IOI'=\angle IOA+\angle I'OA=90°+45°=135°$

> **전략**
> $\overline{BO}$를 그으면 이등변삼각형의 외심과 내심은 꼭지각의 이등분선 위에 있으므로 점 I는 $\overline{BO}$ 위에 있다.

**5** 답 35°

점 I는 △ABC의 내심이므로

$\angle IBA=\angle IBC$, $\angle ICA=\angle ICB$

△BDE와 △BGE에서

$\angle EBD=\angle EBG$, $\overline{BE}$는 공통, $\angle BED=\angle BEG$

따라서 △BDE≡△BGE (ASA 합동)이므로 $\overline{DE}=\overline{GE}$

또 △CDF와 △CHF에서

$\angle DCF=\angle HCF$, $\overline{CF}$는 공통, $\angle CFD=\angle CFH$

따라서 △CDF≡△CHF (ASA 합동)이므로 $\overline{DF}=\overline{HF}$

이때 △GDH에서 점 I는 $\overline{GD}$, $\overline{HD}$의 수직이등분선의 교점이므로 △GDH의 외심이다.

점 I는 △ABC의 내심이므로

$\angle BIC=90°+\dfrac{1}{2}\angle A=90°+\dfrac{1}{2}\times 70°=125°$

사각형 IEDF에서

$\angle EDF=360°-(125°+90°+90°)=55°$

점 I는 △GDH의 외심이므로

$\angle GIH=2\angle GDH=2\times 55°=110°$

따라서 △IHG는 $\overline{IG}=\overline{IH}$인 이등변삼각형이므로

$\angle IGH=\dfrac{1}{2}\times(180°-110°)=35°$

> **전략**
> △GDH에서 점 I는 $\overline{GD}$, $\overline{HD}$의 수직이등분선의 교점이므로 △GDH의 외심임을 이용한다.

**6** 답 $\dfrac{6}{5}$ cm

△ABC는 $\angle C=90°$인 직각삼각형이므로

$\triangle ABC=\dfrac{1}{2}\times 12\times 5=30$ (cm²)

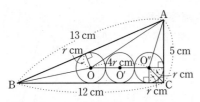

이때 위 그림과 같이 세 원의 중심을 각각 O, O′, O″이라 하고 반지름의 길이를 $r$ cm라 하면

$\triangle ABC = \triangle ABO + \triangle AOO'' + \triangle AO''C$
$\qquad\qquad\qquad + (\text{사각형 OBCO″의 넓이})$

이므로

$30 = \left(\dfrac{1}{2} \times 13 \times r\right) + \left\{\dfrac{1}{2} \times 4r \times (5-r)\right\} + \left(\dfrac{1}{2} \times 5 \times r\right)$
$\qquad\qquad\qquad\qquad + \left\{\dfrac{1}{2} \times (4r+12) \times r\right\}$

$30 = \dfrac{1}{2}\{13r + 4r(5-r) + 5r + (4r+12)r\}$

$30 = \dfrac{1}{2}(13r + 20r - 4r^2 + 5r + 4r^2 + 12r)$

$25r = 30 \qquad \therefore r = \dfrac{6}{5}$

따라서 구하는 원의 반지름의 길이는 $\dfrac{6}{5}$ cm이다.

**전략**

$\triangle ABC$의 넓이를 구한 후, 세 원의 반지름의 길이를 $r$ cm라 하고 $\triangle ABC$의 넓이를 $r$를 사용하여 나타낸다.

---

# Ⅱ 사각형의 성질

## 01 평행사변형

**[ 확인 ❶ ]** 📘 $\angle x = 35°$, $\angle y = 115°$

$\angle y = \angle A = 115°$
$\angle x = 180° - (30° + 115°) = 35°$

**[ 확인 ❷ ]** 📘 ④

④ $\angle DCA$

**[ 확인 ❸ ]** 📘 $138°$

□PBQD는 평행사변형이므로
$\angle BPD + \angle PBQ = 180°$
$\therefore \angle BPD = 180° - \angle PBQ$
$\qquad\qquad = 180° - 42° = 138°$

**[ 확인 ❹ ]** 📘 $24 \text{ cm}^2$

$\triangle OCD = \dfrac{1}{4}\square ABCD = \dfrac{1}{4} \times 96 = 24 \ (\text{cm}^2)$

---

**STEP 1** | 억울하게 울리는 문제      pp. 034～036

| | | | |
|---|---|---|---|
| **1-1** 2 cm | **1-2** 1 cm | **2-1** 58° | **2-2** 35° |
| **3-1** ③ | **3-2** 7 cm | **4-1** ①, ④ | **4-2** ②, ⑤ |

**5-1** (가) $\overline{DF}$ (나) $\overline{CD}$ (다) $\angle DCF$ (라) RHA (마) $\overline{DF}$
**5-2** (가) $\overline{BQ}$ (나) □SBQD (다) $\overline{EB}$ (라) □PBRD (마) $\overline{BF}$

| | | | |
|---|---|---|---|
| **6-1** 10 cm² | **6-2** 65 cm² | **7-1** 13 cm² | **7-2** 24 cm² |

### 1-1 📘 2 cm

$\overline{AD} /\!/ \overline{BC}$이므로 $\angle AEB = \angle EBC$ (엇각)
이때 $\angle ABE = \angle EBC$이므로 $\angle AEB = \angle ABE$
따라서 $\triangle ABE$는 $\overline{AB} = \overline{AE}$인 이등변삼각형이므로
$\overline{AE} = \overline{AB} = \overline{CD} = 3 \text{ cm}$
이때 $\overline{AD} = \overline{BC} = 5 \text{ cm}$이므로
$\overline{DE} = \overline{AD} - \overline{AE} = 5 - 3 = 2 \ (\text{cm})$

## 1-2 📖 1 cm

$\overline{AB} \,/\!/\, \overline{DF}$이므로 $\angle DFA = \angle BAE$ (엇각)

이때 $\angle BAE = \angle DAF$이므로 $\angle DFA = \angle DAF$

따라서 $\triangle DAF$는 $\overline{DA} = \overline{DF}$인 이등변삼각형이므로

$\overline{DF} = \overline{DA} = 4$ cm

이때 $\overline{DC} = \overline{AB} = 3$ cm이므로

$\overline{CF} = \overline{DF} - \overline{DC} = 4 - 3 = 1$ (cm)

## 2-1 📖 58°

$\angle ADF = \dfrac{1}{2} \angle ADC = \dfrac{1}{2} \angle B = \dfrac{1}{2} \times 64° = 32°$

$\triangle AFD$에서 $\angle DAF = 180° - (90° + 32°) = 58°$

이때 $\angle DAB + \angle B = 180°$이므로

$\angle DAB = 180° - 64° = 116°$

$\therefore \angle FAB = \angle DAB - \angle DAF$

$\qquad\qquad = 116° - 58° = 58°$

## 2-2 📖 35°

$\angle D = \angle B = 58°$이므로

$\triangle ACD$에서 $\angle DAC = 180° - (52° + 58°) = 70°$

즉 $\angle DAE = \dfrac{1}{2} \angle DAC = \dfrac{1}{2} \times 70° = 35°$이므로

$\angle E = \angle DAE = 35°$ (엇각)

## 3-1 📖 ③

$\triangle AOP$와 $\triangle COQ$에서

$\angle AOP = \angle COQ$ (맞꼭지각) (①),

$\angle OAP = \angle OCQ$ (엇각) (②), $\overline{OA} = \overline{OC}$ (④)

따라서 $\triangle AOP \equiv \triangle COQ$ (ASA 합동) (⑤)이므로

$\overline{OP} = \overline{OQ}$

## 3-2 📖 7 cm

$\triangle OAE$와 $\triangle OCF$에서

$\angle OAE = \angle OCF$ (엇각), $\overline{OA} = \overline{OC}$,

$\angle AOE = \angle COF$ (맞꼭지각)

따라서 $\triangle OAE \equiv \triangle OCF$ (ASA 합동)이므로

$\overline{CF} = \overline{AE} = 3$ cm

$\therefore \overline{BF} = \overline{BC} - \overline{CF} = 10 - 3 = 7$ (cm)

## 4-1 📖 ①, ④

① $\angle D = 360° - (110° + 70° + 110°) = 70°$

즉 $\angle A = \angle C$, $\angle B = \angle D$이므로 □ABCD는 두 쌍의 대각의 크기가 각각 같다. 따라서 □ABCD는 평행사변형이다.

④ $\angle DAC = \angle ACB$ (엇각)이므로 $\overline{AD} \,/\!/\, \overline{BC}$

이때 $\overline{AD} = \overline{BC}$이므로 □ABCD는 한 쌍의 대변이 평행하고 그 길이가 같다. 따라서 □ABCD는 평행사변형이다.

따라서 □ABCD가 평행사변형이 되는 조건은 ①, ④이다.

## 4-2 📖 ②, ⑤

② $\overline{AD} \,/\!/\, \overline{BC}$이므로 $\angle A + \angle B = 180°$, $\angle C + \angle D = 180°$

이때 $\angle B = \angle D$이므로 $\angle A = \angle C$

따라서 □ABCD는 두 쌍의 대각의 크기가 각각 같으므로 평행사변형이다.

⑤ $\angle A = \angle C$, $\angle ADB = \angle CBD$이므로

$\angle ABD = \angle CDB$ $\therefore \angle B = \angle D$

즉 $\angle A = \angle C$, $\angle B = \angle D$

따라서 □ABCD는 두 쌍의 대각의 크기가 각각 같으므로 평행사변형이다.

따라서 □ABCD가 평행사변형인 것은 ②, ⑤이다.

## 5-1 📖 ㈎ $\overline{DF}$ ㈏ $\overline{CD}$ ㈐ $\angle DCF$ ㈑ RHA ㈒ $\overline{DF}$

## 5-2 📖 ㈎ $\overline{BQ}$ ㈏ □SBQD ㈐ $\overline{EB}$ ㈑ □PBRD ㈒ $\overline{BF}$

## 6-1 📖 10 cm²

$\triangle PAB + \triangle PCD = \dfrac{1}{2}$□ABCD $= \dfrac{1}{2} \times 44 = 22$ (cm²)

즉 $12 + \triangle PCD = 22$이므로

$\triangle PCD = 22 - 12 = 10$ (cm²)

## 6-2 📖 65 cm²

$\triangle PAB + \triangle PCD = \dfrac{1}{2}$□ABCD

$\qquad\qquad\qquad\qquad = \dfrac{1}{2} \times 182$

$\qquad\qquad\qquad\qquad = 91$ (cm²)

이때 $\triangle PAB : \triangle PCD = 5 : 2$이므로

$\triangle PAB = \dfrac{5}{7} \times 91 = 65$ (cm²)

## 7-1 📖 13 cm²

□ABCD $= 8 \times 5 = 40$ (cm²)이므로

$\triangle PBC + \triangle PDA = \dfrac{1}{2}$□ABCD

$\qquad\qquad\qquad\qquad = \dfrac{1}{2} \times 40$

$\qquad\qquad\qquad\qquad = 20$ (cm²)

즉 $7 + \triangle PDA = 20$이므로

$\triangle PDA = 20 - 7 = 13$ (cm²)

## 7-2 <답> 24 cm²

$\square ABCD=12\times 9=108\,(\mathrm{cm}^2)$이므로

$\triangle PAB+\triangle PCD=\dfrac{1}{2}\square ABCD$

$\qquad\qquad\qquad\quad=\dfrac{1}{2}\times 108$

$\qquad\qquad\qquad\quad=54\,(\mathrm{cm}^2)$

이때 $\triangle PAB:\triangle PCD=5:4$이므로

$\triangle PCD=\dfrac{4}{9}\times 54=24\,(\mathrm{cm}^2)$

---

### STEP 2 | 반드시 등수 올리는 문제  pp. 037~040

| 01 15 cm | 02 112° | 03 59° | 04 130° |
|---|---|---|---|
| 05 90° | 06 90° | 07 2 cm | 08 110° |
| 09 10 cm | 10 17 cm | 11 20 cm | 12 3 |
| 13 79 cm² | 14 120 cm² | 15 20 cm² | 16 29 cm² |

---

## 01 <답> 15 cm

$\square EDCF$는 평행사변형이므로

$\overline{ED}=\overline{FC}=4\,\mathrm{cm}$

$\overline{ED}\,/\!/\,\overline{AC}$이므로 $\angle EDA=\angle DAC$ (엇각)

따라서 $\triangle EDA$는 $\overline{AE}=\overline{ED}$인 이등변삼각형이므로

$\overline{AE}=\overline{ED}=4\,\mathrm{cm}$

$\therefore$ ($\triangle AED$의 둘레의 길이)$=\overline{AE}+\overline{ED}+\overline{DA}$

$\qquad\qquad\qquad\qquad\qquad\quad=4+4+7$

$\qquad\qquad\qquad\qquad\qquad\quad=15\,(\mathrm{cm})$

전략

평행사변형에서 마주 보는 두 변의 길이는 서로 같고, 평행선에서 엇각의 크기는 같음을 이용한다.

---

## 02 <답> 112°

$\angle FDB=\angle BDC=34°$ (접은 각)

$\angle FBD=\angle BDC=34°$ (엇각)

따라서 $\triangle FBD$에서

$\angle x=180°-(34°+34°)=112°$

전략

평행사변형 모양의 종이를 접으면 접은 각과 엇각의 크기가 같다.

---

## 03 <답> 59°

$\square ABCD$가 평행사변형이므로 $\overline{OA}=\overline{OC}$

$\triangle AEC$에서 $\angle E$의 이등분선이 $\overline{AC}$를 이등분하므로

$\triangle AEC$는 $\overline{EA}=\overline{EC}$인 이등변삼각형이다. 즉

$\angle ECA=\dfrac{1}{2}\times(180°-2\times 31°)=59°$

$\therefore \angle DAC=\angle ECA=59°$ (엇각)

전략

평행사변형의 성질을 이용하여 $\triangle ECA$가 이등변삼각형임을 파악한다.

---

## 04 <답> 130°

$\overline{HB}\,/\!/\,\overline{CD}$이므로 $\angle FCD=\angle AHF=40°$ (엇각)

$\therefore \angle BCD=2\times 40°=80°$

$\angle ABC+\angle BCD=180°$이므로

$\angle ABC=180°-80°=100°$

$\therefore \angle EBC=\dfrac{1}{2}\angle ABC=\dfrac{1}{2}\times 100°=50°$

이때 $\angle AEB=\angle EBC=50°$ (엇각)이므로

$\angle GED=180°-50°=130°$

전략

평행선의 성질을 이용하여 크기가 같은 각을 찾는다.

---

## 05 <답> 90°

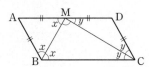

위 그림과 같이 $\angle AMB=\angle x$, $\angle DMC=\angle y$라 하면

$\overline{AB}=\overline{AM}$이므로 $\angle ABM=\angle AMB=\angle x$

$\overline{DM}=\overline{DC}$이므로 $\angle DCM=\angle DMC=\angle y$

$\overline{AD}\,/\!/\,\overline{BC}$이므로

$\angle MBC=\angle AMB=\angle x$ (엇각),

$\angle MCB=\angle DMC=\angle y$ (엇각)

$\angle B+\angle C=180°$이므로

$2\angle x+2\angle y=180°$   $\therefore \angle x+\angle y=90°$

$\therefore \angle BMC=180°-(\angle x+\angle y)=180°-90°=90°$

전략

평행사변형에서 이웃하는 두 내각의 크기의 합이 180°임을 이용한다.

---

## 06 <답> 90°

$\angle DAF=\angle x$라 하면 $\angle BAD=2\angle x$

$\angle FCB=\angle BAD=2\angle x$이므로 $\angle FCG=180°-2\angle x$

$\therefore \angle ECG=\dfrac{1}{2}\angle FCG=\dfrac{1}{2}\times(180°-2\angle x)=90°-\angle x$

---

한편 ∠CGF=∠DAF=∠$x$ (엇각)이므로
△ECG에서
∠CEF=$(90°-∠x)+∠x=90°$

**전략**
평행사변형에서 대각의 크기가 같음을 이용한다.

## 07   답 2 cm

$\overline{AD} \parallel \overline{BC}$이므로 ∠CED=∠ADE (엇각)
이때 ∠CDE=∠ADE이므로 ∠CED=∠CDE
따라서 △CDE는 $\overline{CD}=\overline{CE}$인 이등변삼각형이므로
$\overline{CE}=\overline{CD}=\overline{AB}=4\,cm$
오른쪽 그림과 같이 $\overline{AF}$의 연장선
과 $\overline{DC}$의 연장선의 교점을 G라 하
면 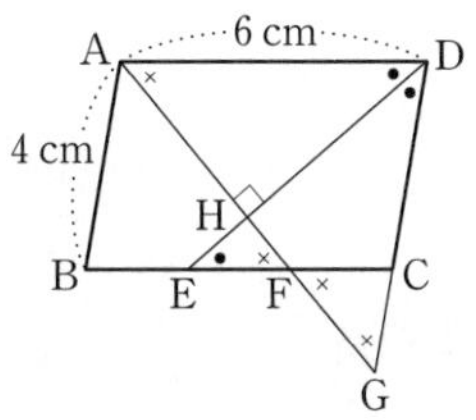
∠DGH=$90°-$∠GDH
       =$90°-$∠ADH
       =∠DAH
따라서 △DAG는 $\overline{DA}=\overline{DG}$인 이등변삼각형이므로
$\overline{DG}=\overline{DA}=6\,cm$
∴ $\overline{CG}=\overline{DG}-\overline{DC}=6-4=2\,(cm)$
한편 ∠DAF=∠AFB (엇각),
∠AFB=∠CFG (맞꼭지각)이므로
∠CFG=∠AFB=∠DAF=∠CGF
따라서 △CFG는 $\overline{CF}=\overline{CG}$인 이등변삼각형이므로
$\overline{CF}=\overline{CG}=2\,cm$
∴ $\overline{EF}=\overline{CE}-\overline{CF}=4-2=2\,(cm)$

**전략**
평행선의 성질을 이용해 크기가 같은 각을 찾아 △CDE, △DAG, △CFG가 이등변삼각형임을 이용한다.

## 08   답 110°

평행사변형 ABCD의 두 대각선은 서로 다른 것을 이등분하므로
$\overline{OB}=\overline{OD}, \overline{OA}=\overline{OC}$
이때 $\overline{BE}=\overline{DF}$이므로 $\overline{OE}=\overline{OF}$
즉 $\overline{OA}=\overline{OC}, \overline{OE}=\overline{OF}$이므로 □AECF는 평행사변형이다.
△ACF에서 ∠AFC=$180°-(40°+30°)=110°$
∴ ∠AEC=∠AFC=110°

**전략**
두 대각선이 서로 다른 것을 이등분하는 사각형은 평행사변형임을 이용한다.

## 09   답 10 cm

$\overline{AB} \parallel \overline{RQ}, \overline{AC} \parallel \overline{PQ}$이므로 □APQR는 평행사변형이다.
△ABC가 이등변삼각형이므로 ∠B=∠C
이때 $\overline{AC} \parallel \overline{PQ}$이므로 ∠PQB=∠C (동위각)
따라서 ∠B=∠PQB이므로 △PBQ는 $\overline{PB}=\overline{PQ}$인 이등변삼각형이다.
∴ (□APQR의 둘레의 길이)=$\overline{AP}+\overline{PQ}+\overline{QR}+\overline{RA}$
                           =$2(\overline{AP}+\overline{PQ})$
                           =$2(\overline{AP}+\overline{PB})$
                           =$2\overline{AB}$
                           =$2×5$
                           =$10\,(cm)$

**전략**
□APQR가 평행사변형임을 알고, 평행선의 성질을 이용하여 크기가 같은 각을 찾아 △PBQ가 이등변삼각형임을 이용한다.

## 10   답 17 cm

오른쪽 그림과 같이 $\overline{AE}, \overline{OD}$를 그
으면 $\overline{AO}=\overline{OC}=\overline{ED}, \overline{AO} \parallel \overline{ED}$
이므로 □AODE는 평행사변형이
다. 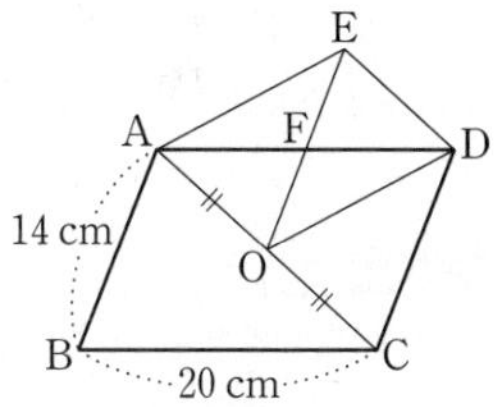
이때 $\overline{AD}=\overline{BC}=20\,cm$이므로
$\overline{FD}=\dfrac{1}{2}\overline{AD}=\dfrac{1}{2}×20=10\,(cm)$
또 $\overline{EO}=\overline{DC}=\overline{AB}=14\,cm$이므로
$\overline{FO}=\dfrac{1}{2}\overline{EO}=\dfrac{1}{2}×14=7\,(cm)$
∴ $\overline{FD}+\overline{FO}=10+7=17\,(cm)$

**전략**
한 쌍의 대변이 평행하고 그 길이가 같은 사각형은 평행사변형임을 이용한다.

## 11   답 20 cm

∠A=∠C이므로 ∠EAF=$\dfrac{1}{2}$∠A=$\dfrac{1}{2}$∠C=∠ECF
이때 ∠AEB=∠EAF (엇각)이므로
∠AEB=∠ECF    ∴ $\overline{AE} \parallel \overline{FC}$
□ABCD는 평행사변형이므로 $\overline{AF} \parallel \overline{EC}$
즉 두 쌍의 대변이 각각 평행하므로 □AECF는 평행사변형이다.
∠A+∠B=$180°$이므로 ∠A=$180°-60°=120°$
∴ ∠BAE=$\dfrac{1}{2}$∠A=$\dfrac{1}{2}×120°=60°$
즉 △ABE는 정삼각형이므로
$\overline{AB}=\overline{BE}=\overline{AE}=3\,cm$
$\overline{BC}=\overline{AD}=10\,cm$이므로
$\overline{EC}=\overline{BC}-\overline{BE}=10-3=7\,(cm)$

$\therefore$ ($\square$AECF의 둘레의 길이)$=\overline{AE}+\overline{EC}+\overline{CF}+\overline{FA}$
$$=2(\overline{AE}+\overline{EC})$$
$$=2\times(3+7)$$
$$=20\,(\text{cm})$$

## 12 답 3

$\square$ABCD가 평행사변형이 되려면
$\overline{DC}/\!/\overline{AB}$이어야 하므로

$\dfrac{7-b}{2-a}=\dfrac{2-0}{4-0}=\dfrac{1}{2}$

즉 $2-a=2(7-b)$이므로

$a-2b=-12$ $\qquad\cdots\cdots$ ㉠

또 $\overline{AD}/\!/\overline{BC}$이어야 하므로

$\dfrac{b-0}{a-0}=\dfrac{7-2}{2-4}=\dfrac{5}{-2}$

즉 $-2b=5a$ $\qquad\cdots\cdots$ ㉡

㉠, ㉡을 연립하여 풀면

$a=-2,\ b=5$

$\therefore a+b=-2+5=3$

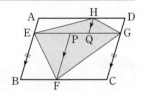

## 13 답 79 cm²

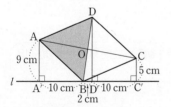

위 그림과 같이 $\square$ABCD의 대각선 AC를 긋고 두 대각선 AC,
DB의 교점을 O라 하면

$\square$AA′C′C$=\dfrac{1}{2}\times(5+9)\times(10+2+10)$
$$=154\,(\text{cm}^2)$$

한편 $\triangle$AA′B$=\dfrac{1}{2}\times10\times9=45\,(\text{cm}^2)$이고

$\triangle$BC′C$=\dfrac{1}{2}\times(2+10)\times5=30\,(\text{cm}^2)$이므로

$\triangle$ABC$=\square$AA′C′C$-(\triangle$AA′B$+\triangle$BC′C$)$
$$=154-(45+30)$$
$$=79\,(\text{cm}^2)$$

$\therefore\ \triangle$ABD$=\triangle$ABC$=79\,\text{cm}^2$

## 14 답 120 cm²

$\triangle$ABG와 $\triangle$DFG에서
$\overline{AB}=\overline{DF}$, $\angle$BAG$=\angle$FDG (엇각),
$\angle$ABG$=\angle$DFG (엇각)
따라서 $\triangle$ABG$\equiv\triangle$DFG (ASA 합동)이므로
$\triangle$DFG$=\triangle$ABG$=\triangle$ABH$=30\,\text{cm}^2$
$\triangle$ABH와 $\triangle$ECH에서
$\overline{AB}=\overline{EC}$, $\angle$BAH$=\angle$CEH (엇각),
$\angle$ABH$=\angle$ECH (엇각)
따라서 $\triangle$ABH$\equiv\triangle$ECH (ASA 합동)이므로
$\triangle$ECH$=\triangle$ABH$=30\,\text{cm}^2$
이때 $\square$GHCD$=\square$ABHG
$$=2\triangle\text{ABH}$$
$$=2\times30$$
$$=60\,(\text{cm}^2)$$
$\therefore\ \square$GHEF$=\triangle$DFG$+\square$GHCD$+\triangle$ECH
$$=30+60+30$$
$$=120\,(\text{cm}^2)$$

## 15 답 20 cm²

오른쪽 그림과 같이 $\overline{EG}$를 긋고
두 점 F, H를 각각 지나며 $\overline{AB}$에
평행한 두 직선이 $\overline{EG}$와 만나는
점을 각각 P, Q라 하자.
$\overline{EB}/\!/\overline{GC}$, $\overline{EB}=\overline{GC}$이므로
$\square$EBCG는 평행사변형이다.
$\therefore\ \overline{AD}/\!/\overline{EG}/\!/\overline{BC}$
따라서 $\square$AEQH, $\square$HQGD, $\square$EBFP, $\square$PFCG는 모두 평행
사변형이다.
$\therefore\ \square$EFGH
$=\triangle$EQH$+\triangle$EFP$+\triangle$PFG$+\triangle$HQG
$=\dfrac{1}{2}(\square$AEQH$+\square$EBFP$+\square$PFCG$+\square$HQGD$)$
$=\dfrac{1}{2}\square$ABCD
$=\dfrac{1}{2}\times40$
$=20\,(\text{cm}^2)$

## 16 📖 29 cm²

$\triangle ABD = \dfrac{1}{2}\square ABCD$이고

$\triangle APD + \triangle PBC = \dfrac{1}{2}\square ABCD$이므로

$\triangle ABD = \triangle APD + \triangle PBC = \triangle APD + 25$

$\therefore \triangle BPD = \triangle APD + \triangle ABP - \triangle ABD$

$\qquad\qquad = \triangle APD + 54 - (\triangle APD + 25)$

$\qquad\qquad = 54 - 25$

$\qquad\qquad = 29\,(\text{cm}^2)$

**전략**

$\triangle ABD = \dfrac{1}{2}\square ABCD = \triangle APD + \triangle PBC$임을 이용한다.

---

### STEP 3 | 전교 1등 확실하게 굳히는 문제  pp. 041~043

| **1** 73° | **2** ㉠, ㉣, ㉤, ㉥ | **3** 16 cm |
|---|---|---|
| **4** 70 cm | **5** 120° | **6** ㉢ |

---

## 1 📖 73°

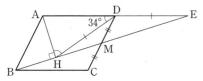

위 그림과 같이 $\overline{AD}$의 연장선과 $\overline{BM}$의 연장선의 교점을 E라 하면

$\triangle MBC$와 $\triangle MED$에서

$\overline{MC} = \overline{MD}$, $\angle MCB = \angle MDE$ (엇각),

$\angle BMC = \angle EMD$ (맞꼭지각)

따라서 $\triangle MBC \equiv \triangle MED$ (ASA 합동)이므로

$\overline{BC} = \overline{ED}$

이때 $\overline{AD} = \overline{BC} = \overline{DE}$이므로 점 D는 직각삼각형 AHE의 외심이다. 따라서 $\overline{DH} = \overline{DE}$이므로 $\triangle DHE$는 이등변삼각형이다.

이때 $\angle DHE = \angle DEH = \angle x$라 하면

$\triangle DHE$에서 $\angle DHE + \angle DEH = \angle ADH$이므로

$\angle x + \angle x = 34°$  $\therefore \angle x = 17°$

$\therefore \angle AHD = 90° - 17° = 73°$

**전략**

길이가 같은 선분과 평행선을 이용하여 보조선을 그어 합동인 삼각형을 그린다.

---

## 2 📖 ㉠, ㉣, ㉤, ㉥

㉠, ㉣ (i) $\triangle DBE$와 $\triangle ABC$에서

$\qquad \overline{DB} = \overline{AB}$, $\overline{BE} = \overline{BC}$,

$\qquad \angle DBE = 60° - \angle EBA = \angle ABC$

$\qquad \therefore \triangle DBE \equiv \triangle ABC$ (SAS 합동)

(ii) $\triangle ABC$와 $\triangle FEC$에서

$\qquad \overline{AC} = \overline{FC}$, $\overline{BC} = \overline{EC}$,

$\qquad \angle ACB = 60° - \angle ECA = \angle FCE$

$\qquad \therefore \triangle ABC \equiv \triangle FEC$ (SAS 합동)

(i), (ii)에서 $\triangle DBE \equiv \triangle ABC \equiv \triangle FEC$

$\therefore \overline{DB} = \overline{FE} = \overline{AB} = 6\,\text{cm}$

㉤ $\overline{DE} = \overline{AC} = \overline{AF}$, $\overline{EF} = \overline{BA} = \overline{DA}$이므로 $\square DAFE$는 두 쌍의 대변의 길이가 각각 같다. 따라서 $\square DAFE$는 평행사변형이므로

$\angle DAF + \angle EFA = 180°$

㉥ ($\square DAFE$의 둘레의 길이) $= \overline{DA} + \overline{AF} + \overline{FE} + \overline{ED}$

$\qquad\qquad\qquad\qquad\qquad = 2(\overline{DA} + \overline{AF})$

$\qquad\qquad\qquad\qquad\qquad = 2 \times (6 + 8)$

$\qquad\qquad\qquad\qquad\qquad = 28\,(\text{cm})$

따라서 옳은 것은 ㉠, ㉣, ㉤, ㉥이다.

**전략**

정삼각형의 성질을 이용하여 $\triangle DBE \equiv \triangle ABC \equiv \triangle FEC$임을 파악한다.

---

## 3 📖 16 cm

(i) 점 P가 꼭짓점 B에 있을 때

오른쪽 그림과 같이 $\angle PAD$, 즉 $\angle BAD$의 이등분선이 $\overline{BC}$와 만나는 점을 $Q_1$이라 하면

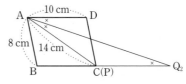

$\angle BAQ_1 = \angle DAQ_1$,

$\angle BQ_1 A = \angle DAQ_1$ (엇각)이므로

$\angle BAQ_1 = \angle BQ_1 A$

따라서 $\triangle ABQ_1$은 $\overline{BA} = \overline{BQ_1}$인 이등변삼각형이므로

$\overline{BQ_1} = \overline{BA} = 8\,\text{cm}$  ······ 40 %

(ii) 점 P가 꼭짓점 C에 있을 때

위 그림과 같이 $\angle PAD$, 즉 $\angle CAD$의 이등분선이 $\overline{BC}$의 연장선과 만나는 점을 $Q_2$라 하면

$\angle CAQ_2 = \angle DAQ_2$, $\angle CQ_2 A = \angle DAQ_2$ (엇각)이므로

$\angle CAQ_2 = \angle CQ_2 A$

따라서 $\triangle ACQ_2$는 $\overline{CA} = \overline{CQ_2}$인 이등변삼각형이므로

$\overline{CQ_2} = \overline{CA} = 14\,\text{cm}$

$\therefore \overline{BQ_2} = \overline{BC} + \overline{CQ_2} = 10 + 14 = 24\,(\text{cm})$  ······ 40 %

(i), (ii)에서 점 Q가 움직인 거리는 $\overline{Q_1Q_2}$이다.

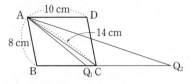

$$\therefore \overline{Q_1Q_2}=\overline{BQ_2}-\overline{BQ_1}=24-8=16 \text{ (cm)} \quad \cdots\cdots 20\%$$

**전략**

점 P가 꼭짓점 B에 있을 때와 점 P가 꼭짓점 C에 있을 때로 나누어 $\overline{PQ}$ 의 길이를 구한다.

## 4 📋 70 cm

두 점 P, Q가 출발한 지 $x$초 (단, $x>6$)후에 처음으로 $\square AQCP$ 가 평행사변형이 된다고 하면 점 P가 꼭짓점 A에서 출발하여 $x$초 동안 움직인 거리와 점 Q가 꼭짓점 C에서 출발하여 $x$초 동안 움직인 거리가 같아야 한다.

점 P가 꼭짓점 A에서 출발하여 $x$초 동안 움직인 거리는 $5x$ cm 이고 점 Q가 꼭짓점 C에서 출발하여 $x$초 동안 움직인 거리는 $8(x-6)$ cm이므로

$$5x=8(x-6), \quad -3x=-48 \quad \therefore x=16$$

즉 두 점 P, Q가 모두 16초 동안 $5\times16=80$ (cm)만큼 움직였을 때, 처음으로 $\square AQCP$가 평행사변형이 되므로

$$\overline{AQ}=\overline{AB}+\overline{BC}-(\text{점 Q가 16초 동안 움직인 거리})$$
$$=100+50-80=70 \text{ (cm)}$$

**전략**

$\square AQCP$가 평행사변형이 되려면 점 P가 꼭짓점 A에서 출발하여 움직인 거리와 점 P가 출발한 지 6초 후에 점 Q가 꼭짓점 C에서 출발하여 움직인 거리가 서로 같아야 한다.

## 5 📋 120°

오른쪽 그림과 같이 $\overline{AD}$의 중점을 N이라 하고 $\overline{NM}$을 그으면 $\overline{AN}/\!/\overline{BM}$, $\overline{AN}=\overline{BM}$이 므로 $\square ABMN$은 평행사변형이다.

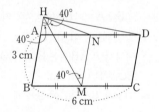

$$\therefore \angle NMH = \angle BHM$$
$$=40° \text{ (엇각)}$$

한편 점 N은 직각삼각형 ADH의 외심이므로

$$\overline{HN}=\overline{AN}=\frac{1}{2}\times6=3 \text{ (cm)}$$

이때 $\triangle NHM$은 $\overline{HN}=\overline{NM}$인 이등변삼각형이므로

$$\angle NHM = \angle NMH = 40°$$
$$\therefore \angle NHA = \angle NHM + \angle BHM = 40°+40°=80°$$

또 $\triangle NHA$는 $\overline{HN}=\overline{AN}$인 이등변삼각형이므로

$$\angle NAH = \angle NHA = 80°$$
$$\therefore \angle NMC = \angle B = \angle NAH = 80° \text{ (동위각)}$$
$$\therefore \angle HMC = \angle NMH + \angle NMC = 40°+80°=120°$$

**전략**

$\overline{AD}$의 중점을 N이라 할 때, $\overline{NM}$을 그으면 $\square ABMN$은 평행사변형임 을 이용한다.

## 6 📋 ㉢

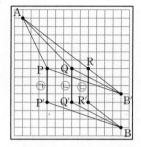

위 그림과 같이 3개의 평균대의 양 끝을 P, P', Q, Q', R, R'라 하면 3개의 평균대에 따른 이동 거리는 각각 다음과 같다.

평균대 ㉠ : $\overline{AP}+(\text{평균대의 길이})+\overline{P'B}$

평균대 ㉡ : $\overline{AQ}+(\text{평균대의 길이})+\overline{Q'B}$

평균대 ㉢ : $\overline{AR}+(\text{평균대의 길이})+\overline{R'B}$

이때 평균대의 길이는 모두 같으므로 평균대의 길이를 제외한 나머지 이동 거리가 가장 짧은 평균대를 고르면 된다.

평균대의 길이가 모눈 한 칸의 한 변의 길이의 4배와 같으므로 점 B를 위로 4칸 평행이동한 점을 B'이라 하면

$\overline{PP'}=\overline{QQ'}=\overline{RR'}=\overline{BB'}$이고 $\overline{PP'}/\!/\overline{QQ'}/\!/\overline{RR'}/\!/\overline{BB'}$이므로

$\square PP'BB'$, $\square QQ'BB'$, $\square RR'BB'$은 모두 평행사변형이다.

$$\therefore \overline{PB'}=\overline{P'B}, \quad \overline{QB'}=\overline{Q'B}, \quad \overline{RB'}=\overline{R'B}$$

즉 평균대의 길이를 제외한 이동 거리는 A 지점에서 P, Q, R를 각각 지나서 B' 지점까지 이동한 거리와 같다.

이때 $\overline{AP}+\overline{PB'} > \overline{AQ}+\overline{QB'} > \overline{AR}+\overline{RB'}=\overline{AB'}$이므로 이동 거리를 가장 짧게 하려면 평균대 ㉢을 지나야 한다.

**전략**

점 B를 위로 4칸 평행이동한 점을 B'이라 할 때, $\square PP'BB'$, $\square QQ'BB'$, $\square RR'BB'$은 모두 평행사변형임을 이용한다.

# 02 여러 가지 사각형

**[확인 ❶]** 답 110

$\overline{AC}=2\overline{AO}=2(2x+3)=4x+6$ (cm)이고

$\overline{AC}=\overline{BD}$이므로 $4x+6=10x-6$

$-6x=-12$　　$\therefore x=2$

$\triangle OBC$에서 $\overline{BO}=\overline{CO}$이므로

$\angle OBC=\angle OCB=35^\circ$

이때 $\angle ABC=90^\circ$이므로

$\angle ABO=90^\circ-35^\circ=55^\circ$　　$\therefore y=55$

$\therefore xy=2\times55=110$

**[확인 ❷]** 답 $40^\circ$

$\overline{AD}/\!/\overline{BC}$이므로

$\angle ACB=\angle DAC=50^\circ$ (엇각)

이때 $\triangle OBC$에서 $\angle BOC=90^\circ$이므로

$\angle x=180^\circ-(50^\circ+90^\circ)=40^\circ$

**[확인 ❸]** 답 (1) ㉢, ㉤ (2) ㉠, ㉣

(1) 직사각형이 정사각형이 되려면 이웃하는 두 변의 길이가 같거나 두 대각선이 서로 수직이어야 한다.

(2) 마름모가 정사각형이 되려면 한 내각이 직각이거나 두 대각선의 길이가 같아야 한다.

**[확인 ❹]** 답 $78^\circ$

$\angle DBC=\angle ADB=38^\circ$ (엇각)이므로

$\angle ABC=\angle ABD+\angle DBC$

$=40^\circ+38^\circ=78^\circ$

$\therefore \angle x=\angle ABC=78^\circ$

**[확인 ❺]** 답 ②

② 마름모는 직사각형이 아니고, 직사각형도 마름모가 아니다.

**[확인 ❻]** 답 $56\text{ cm}^2$

$\triangle ABP : \triangle APC=3:4$이므로

$24:\triangle APC=3:4$　　$\therefore \triangle APC=32\ (\text{cm}^2)$

$\therefore \triangle ABC=\triangle ABP+\triangle APC$

$=24+32=56\ (\text{cm}^2)$

**STEP 1** | 억울하게 울리는 문제　pp. 046~048

| | | | |
|---|---|---|---|
| **1** (1) ○ (2) × (3) ○ (4) ○ (5) ○ (6) × (7) ○ (8) × | | | |
| **2-1** ③ | **2-2** ④, ⑤ | **3-1** 24 cm | **3-2** 32 cm |
| **4-1** ②, ④ | **4-2** ①, ⑤ | **5-1** $30\text{ cm}^2$ | **5-2** $18\text{ cm}^2$ |
| **6-1** ④ | **6-2** $12\text{ cm}^2$ | | |

**1** 답 (1) ○ (2) × (3) ○ (4) ○ (5) ○ (6) × (7) ○ (8) ×

(2) 평행사변형에서 두 대각선이 서로 수직으로 만나면 마름모이다.

(6) 평행사변형에서 두 대각선의 길이가 같으면 직사각형이다.

(8) □ABCD에서 $\overline{AB}=\overline{CD}$, $\overline{AB}/\!/\overline{CD}$이면 평행사변형이다.

**2-1** 답 ③

①, ④ 한 내각의 크기가 $90^\circ$이다.

②, ⑤ 두 대각선의 길이가 같다.

따라서 직사각형이 되는 조건이 아닌 것은 ③이다.

**2-2** 답 ④, ⑤

④ 한 내각의 크기가 $90^\circ$이다.

⑤ 두 대각선의 길이가 같다.

따라서 직사각형이 되는 조건은 ④, ⑤이다.

**3-1** 답 24 cm

$\overline{AB}/\!/\overline{DC}$이므로 $\angle OBA=\angle ODC=32^\circ$ (엇각)

$\triangle ABO$에서

$\angle AOB=180^\circ-(58^\circ+32^\circ)=90^\circ$

즉 평행사변형 ABCD에서 두 대각선이 서로 수직으로 만나므로 □ABCD는 마름모이다.

따라서 $\overline{AB}=\overline{BC}=\overline{CD}=\overline{DA}=6$ cm이므로

(□ABCD의 둘레의 길이)$=4\times6=24$ (cm)

**3-2** 답 32 cm

$\triangle FOD$와 $\triangle EOB$에서

$\overline{OD}=\overline{OB}$, $\angle FOD=\angle EOB=90^\circ$,

$\angle FDO=\angle EBO$ (엇각)

따라서 $\triangle FOD\equiv\triangle EOB$ (ASA 합동)이므로

$\overline{FD}=\overline{EB}$

또 $\overline{FD}/\!/\overline{EB}$이므로 □FBED는 평행사변형이다.

이때 $\overline{FE}\perp\overline{BD}$이므로 □FBED는 마름모이다.

$\therefore \overline{FB}=\overline{BE}=\overline{ED}=\overline{DF}=8$ cm

$\therefore$ (□FBED의 둘레의 길이)$=4\times8=32$ (cm)

## 4-1 📦 ②, ④

② 이웃하는 두 변의 길이가 같다.

④ 두 대각선이 서로 수직으로 만난다.

따라서 정사각형이 되는 조건은 ②, ④이다.

## 4-2 📦 ①, ⑤

① $\overline{OA}=\overline{OB}$이면 $\overline{AC}=\overline{BD}$이므로 두 대각선의 길이가 같다.

⑤ ∠ABC=∠BAD이면 ∠ABC=∠BAD=90°

　즉 한 내각의 크기가 90°이다.

따라서 정사각형이 되는 조건은 ①, ⑤이다.

## 5-1 📦 30 cm²

$\overline{AC}\,/\!/\,\overline{DE}$이므로

$\triangle ACD=\triangle ACE=12\ cm^2$

$\therefore \square ABCD=\triangle ABC+\triangle ACD$

$=18+12=30\ (cm^2)$

## 5-2 📦 18 cm²

$\overline{AC}\,/\!/\,\overline{DE}$이므로 $\triangle ACD=\triangle ACE$

$\therefore \square ABCD=\triangle ABC+\triangle ACD$

$=\triangle ABC+\triangle ACE$

$=\triangle ABE$

$=\dfrac{1}{2}\times(6+3)\times4$

$=18\ (cm^2)$

## 6-1 📦 ④

$\overline{AD}\,/\!/\,\overline{BC}$이므로 $\triangle ABE=\triangle DBE$

$\overline{BD}\,/\!/\,\overline{EF}$이므로 $\triangle DBE=\triangle DBF$

$\overline{AB}\,/\!/\,\overline{DC}$이므로 $\triangle DBF=\triangle DAF$

$\therefore \triangle ABE=\triangle DBE=\triangle DBF=\triangle DAF$

## 6-2 📦 12 cm²

오른쪽 그림과 같이 $\overline{AF}$를 그으면

$\overline{AB}\,/\!/\,\overline{DC}$이므로 $\triangle BCF=\triangle ACF$

$\overline{AC}\,/\!/\,\overline{EF}$이므로 $\triangle ACF=\triangle ACE$

$\therefore \triangle ACE=\triangle BCF=13\ cm^2$

이때 $\triangle ACD=\dfrac{1}{2}\square ABCD=\dfrac{1}{2}\times50=25\ (cm^2)$이므로

$\triangle CDE=\triangle ACD-\triangle ACE$

$=25-13=12\ (cm^2)$

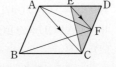

---

| | | | |
|---|---|---|---|
| **01** 45° | **02** ③ | **03** 130° | **04** 20° |
| **05** $\dfrac{48}{5}$ cm | **06** 97° | **07** 16 cm² | **08** 65° |
| **09** 66° | **10** 144° | **11** 120° | **12** 2 : 3 |
| **13** 22 cm | **14** 15 cm² | **15** 21 cm² | **16** 10 |
| **17** 24 cm² | **18** 10 cm² | **19** 63 cm² | **20** 35 cm² |

## 01 📦 45°

오른쪽 그림과 같이 $\overline{AE}$를 긋고

$\overline{AB}=3k$라 하면

$\overline{AB}:\overline{BC}=3:5$이므로 $\overline{BC}=5k$

$\overline{BE}:\overline{EC}=2:3$이므로

$\overline{BE}=2k,\ \overline{EC}=3k$

$\overline{DF}:\overline{CF}=1:2$이므로 $\overline{DF}=k,\ \overline{CF}=2k$

$\triangle ABE$와 $\triangle ECF$에서

$\overline{AB}=\overline{EC}=3k,\ \overline{BE}=\overline{CF}=2k,\ \angle B=\angle C=90°$

따라서 $\triangle ABE\equiv\triangle ECF$ (SAS 합동)이므로

$\overline{AE}=\overline{EF},\ \angle AEB=\angle EFC$

$\therefore \angle AEF=180°-(\angle AEB+\angle FEC)$

$=180°-(\angle EFC+\angle FEC)$

$=180°-90°=90°$

따라서 $\triangle AEF$는 ∠AEF=90°이고, $\overline{AE}=\overline{EF}$인 직각이등변

삼각형이므로

$\angle AFE=\dfrac{1}{2}\times(180°-90°)=45°$

> **전략**
>
> 보조선 AE를 그어 합동인 두 삼각형을 찾는다.

## 02 📦 ③

① ∠FCE=∠FAD=30° (엇각)이므로

　∠FEC=180°-(90°+30°)=60°

② $\triangle ABE$와 $\triangle AFE$에서

　$\overline{AE}$는 공통, ∠ABE=∠AFE=90°,

　$\angle BAE=\angle FAE=\dfrac{1}{2}\times(90°-30°)=30°$

　따라서 $\triangle ABE\equiv\triangle AFE$ (RHA 합동)이므로 $\overline{AB}=\overline{AF}$

　$\triangle AEF$와 $\triangle CEF$에서

　$\overline{EF}$는 공통, ∠AFE=∠CFE=90°, ∠AEF=∠CEF=60°

　따라서 $\triangle AEF\equiv\triangle CEF$ (ASA 합동)이므로 $\overline{AF}=\overline{CF}$

　이때 $\overline{AB}=\overline{AF}$이므로 $\overline{AB}=\overline{CF}$

④, ⑤ $\overline{DC}=\overline{AB}=\overline{AF}=\overline{CF}$, ∠FCD=60°이므로

　$\angle CDF=\angle CFD=\dfrac{1}{2}\times(180°-60°)=60°$

　즉 $\triangle DFC$는 정삼각형이므로 $\overline{DF}=\overline{FC}$

따라서 옳지 않은 것은 ③이다.

## 03 📕 130°

△BCD에서 $\overline{CB}=\overline{CD}$이므로

$\angle DBC=\angle BDC=25°$

이때 △OBC에서 $\angle BOC=90°$이므로

$\angle x=180°-(90°+25°)=65°$

또 △BEF에서 $\angle BFE=180°-(90°+25°)=65°$이므로

$\angle y=\angle BFE=65°$ (맞꼭지각)

$\therefore \angle x+\angle y=65°+65°=130°$

## 04 📕 20°

△ABP가 정삼각형이므로 $\angle ABP=60°$

$\therefore \angle PBC=80°-60°=20°$

또 $\overline{BP}=\overline{BA}=\overline{BC}$이므로 △BCP는 $\overline{BC}=\overline{BP}$인 이등변삼각형이다.

$\therefore \angle BCP=\dfrac{1}{2}\times(180°-20°)=80°$

한편 □ABCD에서

$80°+\angle BCD=180°$   $\therefore \angle BCD=100°$

$\therefore \angle PCD=\angle BCD-\angle BCP$

$\qquad\qquad =100°-80°=20°$

## 05 📕 $\dfrac{48}{5}$ cm

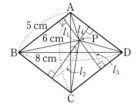

위 그림과 같이 $\overline{PA}, \overline{PB}, \overline{PC}, \overline{PD}$를 그으면

□ABCD$=$△ABP$+$△BCP$+$△CDP$+$△DAP

$\qquad =\dfrac{1}{2}\times5\times l_1+\dfrac{1}{2}\times5\times l_2+\dfrac{1}{2}\times5\times l_3+\dfrac{1}{2}\times5\times l_4$

$\qquad =\dfrac{5}{2}(l_1+l_2+l_3+l_4)$

이때 □ABCD$=\dfrac{1}{2}\times\overline{AC}\times\overline{BD}=\dfrac{1}{2}\times6\times8=24\,(\text{cm}^2)$이므로

$\dfrac{5}{2}(l_1+l_2+l_3+l_4)=24$

$\therefore l_1+l_2+l_3+l_4=\dfrac{2}{5}\times24=\dfrac{48}{5}\,(\text{cm})$

## 06 📕 97°

△AEB에서 $\overline{AE}=\overline{AB}$이므로

$\angle AEB=\angle ABE=52°$

$\therefore \angle EAB=180°-(52°+52°)=76°$

한편 $\overline{AE}=\overline{AB}=\overline{AD}$이므로 △AED는 $\overline{AE}=\overline{AD}$인 이등변삼각형이다. 즉

$\angle EAD=76°+90°=166°$이므로

$\angle ADE=\dfrac{1}{2}\times(180°-166°)=7°$

따라서 △DAF에서

$\angle DFB=7°+90°=97°$

## 07 📕 16 cm²

△AEO와 △DFO에서

$\overline{OA}=\overline{OD}, \angle OAE=\angle ODF=45°,$

$\angle AOE=90°-\angle AOF=\angle DOF$

따라서 △AEO$\equiv$△DFO (ASA 합동)이므로

$\overline{FD}=\overline{EA}=3$ cm

이때 $\overline{AD}=\overline{AF}+\overline{FD}=5+3=8\,(\text{cm})$이므로

□AEOF$=$△AEO$+$△AOF

$\qquad =$△DFO$+$△AOF

$\qquad =$△AOD

$\qquad =\dfrac{1}{4}$□ABCD

$\qquad =\dfrac{1}{4}\times8\times8=16\,(\text{cm}^2)$

## 08 📕 65°

△AED와 △CED에서

$\overline{AD}=\overline{CD}, \overline{DE}$는 공통, $\angle ADE=\angle CDE=45°$

따라서 △AED$\equiv$△CED (SAS 합동)이므로

$\angle DCE=\angle DAE=20°$

△CDE에서

$\angle BEC=20°+45°=65°$

**전략**

합동인 두 삼각형을 찾아 대응하는 각의 크기가 같음을 이용한다.

## 09 답 66°

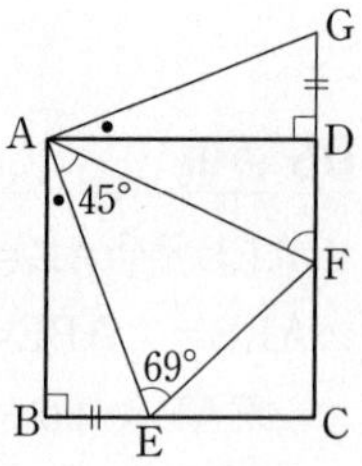


오른쪽 그림과 같이 $\overline{CD}$의 연장선 위에 $\overline{BE}=\overline{DG}$가 되도록 점 G를 잡으면

△ABE와 △ADG에서

$\overline{AB}=\overline{AD}$, $\overline{BE}=\overline{DG}$,

$\angle ABE=\angle ADG=90°$

따라서 △ABE≡△ADG (SAS 합동)이므로

$\overline{AE}=\overline{AG}$, $\angle BAE=\angle DAG$

한편 △AFG와 △AFE에서

$\overline{AG}=\overline{AE}$, $\overline{AF}$는 공통,

$\angle GAF=\angle GAD+\angle DAF$

$=\angle EAB+\angle DAF$

$=90°-45°=45°$

$=\angle EAF$

따라서 △AFG≡△AFE (SAS 합동)이므로

$\angle AFD=\angle AFE=180°-(69°+45°)=66°$

**전략**

$\overline{CD}$의 연장선 위에 $\overline{BE}=\overline{DG}$가 되도록 점 G를 잡은 후 합동인 두 삼각형을 찾는다.

## 10 답 144°

$\overline{AD}/\!/\overline{BC}$이므로 $\angle ACB=\angle DAC=36°$ (엇각)

△ABC와 △DCB에서

$\overline{BC}$는 공통, $\overline{AB}=\overline{DC}$, $\angle ABC=\angle DCB$

따라서 △ABC≡△DCB (SAS 합동)이므로

$\angle DBC=\angle ACB=36°$

$\therefore \angle EBD=180°-36°=144°$

**전략**

합동인 두 삼각형을 찾아 대응하는 각의 크기가 같음을 이용한다.

## 11 답 120°

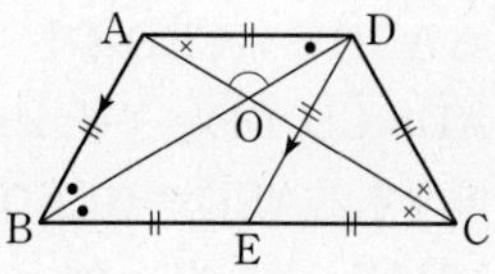


오른쪽 그림과 같이 점 D를 지나고 $\overline{AB}$와 평행한 직선을 그어 $\overline{BC}$와 만나는 점을 E라 하면

□ABED는 이웃하는 두 변의 길이가 같은 평행사변형이므로 마름모이다. 즉

$\overline{AB}=\overline{BE}=\overline{ED}=\overline{DA}$

이때 $\overline{BC}=2\overline{AD}=2\overline{BE}$이므로 $\overline{BE}=\overline{EC}$

즉 △DEC는 정삼각형이므로 $\angle DEC=60°$

$\therefore \angle ABE=\angle DEC=60°$ (동위각)

$\angle DBE=\angle ADB$ (엇각)이고

$\overline{AB}=\overline{AD}$이므로 $\angle ADB=\angle ABD$

$\therefore \angle DBE=\angle ADB=\angle ABD=\frac{1}{2}\angle ABE$

$=\frac{1}{2}\times 60°=30°$

또 $\angle BCA=\angle DAC$ (엇각)이고

$\overline{DA}=\overline{DC}$이므로 $\angle DAC=\angle DCA$

$\therefore \angle BCA=\angle DAC=\angle DCA=\frac{1}{2}\angle DCE$

$=\frac{1}{2}\times 60°=30°$

따라서 △AOD에서

$\angle AOD=180°-(30°+30°)=120°$

**전략**

점 D를 지나고 $\overline{AB}$와 평행한 직선을 그어 길이가 같은 선분을 찾는다.

## 12 답 2 : 3

$\angle DAC=\angle x$라 하면

△ACD는 $\overline{DA}=\overline{DC}$인 이등변삼각형이므로

$\angle DCA=\angle DAC=\angle x$

또 $\overline{AD}/\!/\overline{BC}$이므로

$\angle ACB=\angle DAC=\angle x$ (엇각)

$\therefore \angle DCB=\angle x+\angle x=2\angle x$

이때 등변사다리꼴 ABCD에서 $\angle B=\angle DCB=2\angle x$

한편 △ABC는 $\overline{CA}=\overline{CB}$인 이등변삼각형이므로

$\angle BAC=\angle B=2\angle x$

$2\angle x+2\angle x+\angle x=180°$이므로

$5\angle x=180°$ $\quad\therefore \angle x=36°$

$\therefore \angle BAC=2\times 36°=72°$

또 △DAC에서

$\angle ADC=180°-(36°+36°)=108°$

$\therefore \angle BAC : \angle ADC=72° : 108°=2 : 3$

**전략**

□ABCD가 등변사다리꼴이므로 $\angle B=\angle DCB$임을 이용한다.

## 13 답 22 cm

두 점 M, N이 각각 $\overline{AD}$, $\overline{BC}$의 중점이므로 □ABNM과 □DCNM은 합동인 사다리꼴이고 각 변의 중점을 연결하여 만든 □EFGH와 □KJIH는 합동인 평행사변형이다.

$\therefore \overline{HI}=\overline{HG}=\overline{EF}=6$ cm

$\overline{GI}=\overline{GN}+\overline{NI}=\frac{1}{2}\times 20=10$ (cm)

$\therefore$ (△HGI의 둘레의 길이)$=\overline{HG}+\overline{GI}+\overline{IH}$

$=6+10+6=22$ (cm)

## 14 답 15 cm²

△ABM과 △DCM에서
$\overline{AB}=\overline{DC}$, $\overline{BM}=\overline{CM}$, $\overline{AM}=\overline{DM}$
따라서 △ABM≡△DCM (SSS 합동)이므로
∠B=∠C
이때 ∠B+∠C=180°이므로
∠B=∠C=90°
따라서 □ABCD는 직사각형이므로
□ABCD=5×3=15 (cm²)

## 15 답 21 cm²

□ABCD는 마름모이고 마름모의 두 대각선은 서로 다른 것을 수직이등분하므로
$\overline{OC}=\frac{1}{2}\overline{AC}=\frac{1}{2}×12=6$ (cm),
$\overline{OD}=\frac{1}{2}\overline{BD}=\frac{1}{2}×10=5$ (cm)
이때 ∠DOC=90°이므로 마름모 EOCF는 한 변의 길이가 6 cm인 정사각형이다.
또 $\triangle DOC=\frac{1}{2}×5×6=15$ (cm²)이므로
□EDCF=□EOCF−△DOC
    =36−15=21 (cm²)

## 16 답 10

정사각형의 개수를 $x$라 하면 정사각형이 아닌 직사각형의 개수는 $50-x$, 정사각형이 아닌 마름모의 개수는 $20-x$이다.
이때 평행사변형이 총 70개이므로
$x+(50-x)+(20-x)+10=70$
$80-x=70$   ∴ $x=10$
따라서 정사각형의 개수는 10이다.

## 17 답 24 cm²

오른쪽 그림과 같이 $\overline{AC}$, $\overline{BE}$를 그으면
$\overline{AE}/\!/\overline{BD}$이므로
△EAD=△EAB
$\overline{AB}/\!/\overline{EC}$이므로
△ABE=△ABC
∴ △EAD=△ABC
    $=\frac{1}{2}×8×6=24$ (cm²)

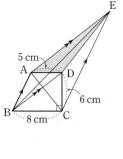

## 18 답 10 cm²

오른쪽 그림과 같이 $\overline{AM}$을 그으면
$\overline{AD}\perp\overline{BC}$, $\overline{EM}\perp\overline{BC}$이므로
$\overline{AD}/\!/\overline{EM}$이다.
∴ △EMD=△EMA
또 △EBD=△EBM+△EMD
    =△EBM+△EMA
    =△ABM
이때 $\overline{BM}:\overline{MC}=1:3$이므로 $\overline{BM}:\overline{BC}=1:4$이다.
즉 △ABM:△ABC=1:4이므로
$\triangle ABM=\frac{1}{4}\triangle ABC=\frac{1}{4}×40=10$ (cm²)
∴ △EBD=△ABM=10 cm²

## 19 답 63 cm²

오른쪽 그림과 같이 $\overline{EB}$, $\overline{EC}$를 그으면 $\overline{AB}/\!/\overline{EF}$이므로
△EIF=△EBF
또 $\overline{EG}/\!/\overline{DC}$이므로
△EJG=△ECG
즉 오각형 EIFGJ의 넓이는
△EBC의 넓이와 같다.
이때 $\overline{AB}/\!/\overline{EF}$, $\overline{AE}/\!/\overline{BF}$이므로 □ABFE는 평행사변형이다.
∴ $\overline{AE}=\overline{BF}$
또 $\overline{EG}/\!/\overline{DC}$, $\overline{ED}/\!/\overline{GC}$이므로 □EGCD는 평행사변형이다.
∴ $\overline{ED}=\overline{GC}$

이때 $\overline{AD}=6$ cm이므로
$$\overline{BC}=\overline{BF}+\overline{FG}+\overline{GC}=\overline{FG}+(\overline{BF}+\overline{GC})$$
$$=\overline{FG}+(\overline{AE}+\overline{ED})=\overline{FG}+\overline{AD}$$
$$=8+6=14 \text{ (cm)}$$
$$\therefore \triangle EBC=\frac{1}{2}\times\overline{BC}\times\overline{EH}$$
$$=\frac{1}{2}\times14\times9=63 \text{ (cm}^2)$$
따라서 오각형 EIFGJ의 넓이는 63 cm²이다.

전략
오각형 EIFGJ와 넓이가 같은 삼각형을 찾는다.

## 20 ⓐ 35 cm²

오른쪽 그림과 같이 $\overline{AE}$, $\overline{BF}$, $\overline{CD}$를
그으면

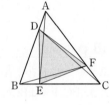

$$\overline{AD}:\overline{DB}=\overline{BE}:\overline{EC}=\overline{CF}:\overline{FA}$$
$$=1:3$$
이므로
$$\triangle ADF=\frac{3}{4}\triangle ADC$$
$$=\frac{3}{4}\times\frac{1}{4}\triangle ABC$$
$$=\frac{3}{16}\triangle ABC$$
$$=\frac{3}{16}\times80=15 \text{ (cm}^2)$$
$$\triangle BED=\frac{3}{4}\triangle ABE=\frac{3}{4}\times\frac{1}{4}\triangle ABC$$
$$=\frac{3}{16}\triangle ABC=\frac{3}{16}\times80=15 \text{ (cm}^2)$$
$$\triangle CFE=\frac{3}{4}\triangle BCF=\frac{3}{4}\times\frac{1}{4}\triangle ABC$$
$$=\frac{3}{16}\triangle ABC=\frac{3}{16}\times80=15 \text{ (cm}^2)$$
$$\therefore \triangle DEF=\triangle ABC-(\triangle ADF+\triangle BED+\triangle CFE)$$
$$=80-(15+15+15)=35 \text{ (cm}^2)$$

전략
$\overline{AE}$, $\overline{BF}$, $\overline{CD}$를 긋고 높이가 같은 두 삼각형의 넓이의 비는 밑변의 길이의 비와 같음을 이용하여 $\triangle ADF$, $\triangle BED$, $\triangle CFE$의 넓이를 구한다.

---

**STEP 3** | 전교 1등 확실하게 굳히는 문제          pp. 054~056

| 1 320 cm² | 2 40 cm | 3 ㉠, ㉡, ㉣ | 4 $\frac{49}{10}$ cm |
|---|---|---|---|
| 5 14 cm | 6 12 cm² | | |

## 1 ⓐ 320 cm²

$\overline{AB}/\!/\overline{CD}$이므로 $\angle DCF=\angle BEF$ (엇각)

$\overline{BE}=\overline{BF}$이므로 $\angle BEF=\angle BFE$

$\angle BFE=\angle DFC$ (맞꼭지각)

즉 $\angle DCF=\angle DFC$이므로 $\triangle DFC$는 $\overline{DF}=\overline{DC}$인 이등변삼각
형이다.          ······ 10 %

$$\therefore \overline{DF}=\overline{DC}=30 \text{ cm}$$
이때 $\overline{BD}=\overline{BF}+\overline{DF}=20+30=50 \text{ (cm)}$이므로
$$\overline{OB}=\frac{1}{2}\overline{BD}=\frac{1}{2}\times50=25 \text{ (cm)}$$
$$\therefore \overline{OF}=\overline{OB}-\overline{BF}=25-20=5 \text{ (cm)}          ······ 20 \%$$
$\triangle OFC:\triangle BCF=\overline{OF}:\overline{BF}=5:20=1:4$이므로
$$48:\triangle BCF=1:4 \quad \therefore \triangle BCF=192 \text{ (cm}^2)          ······ 20 \%$$
$\triangle OBC=\triangle BCF+\triangle OFC=192+48=240 \text{ (cm}^2)$이므로
$$\triangle ABC=2\triangle OBC=2\times480=480 \text{ (cm}^2)          ······ 20 \%$$
$\triangle CAE:\triangle BCE=\overline{AE}:\overline{BE}=10:20=1:2$이므로
$$\triangle BCE=\frac{2}{3}\triangle ABC=\frac{2}{3}\times480=320 \text{ (cm}^2)          ······ 30 \%$$

전략
$\triangle DFC$가 이등변삼각형임을 이용하여 $\triangle ABC$의 넓이를 구한다.

## 2 ⓐ 40 cm

오른쪽 그림과 같이 $\overline{DA}$의 연장선
위에 $\overline{CE}=\overline{AG}$가 되도록 점 G를
잡으면

$\triangle GBA$와 $\triangle EBC$에서
$$\overline{GA}=\overline{EC}, \overline{AB}=\overline{CB},$$
$$\angle GAB=\angle ECB=90°$$
따라서 $\triangle GBA\equiv\triangle EBC$ (SAS 합동)이므로
$$\overline{GB}=\overline{EB}, \angle GBA=\angle EBC$$
$\triangle GBF$와 $\triangle EBF$에서
$$\overline{GB}=\overline{EB}, \overline{BF}는 공통,$$
$$\angle GBF=\angle GBA+\angle ABF$$
$$=\angle EBC+\angle ABF$$
$$=90°-45°=45°=\angle EBF$$
$$\therefore \triangle GBF\equiv\triangle EBF \text{ (SAS 합동)}$$
따라서 $\overline{EF}=\overline{GF}=\overline{GA}+\overline{AF}=\overline{EC}+\overline{AF}$이므로
$$(\triangle DFE의 둘레의 길이)=\overline{DF}+\overline{FE}+\overline{ED}$$
$$=\overline{DF}+(\overline{EC}+\overline{AF})+\overline{ED}$$
$$=(\overline{DF}+\overline{AF})+(\overline{EC}+\overline{ED})$$
$$=\overline{AD}+\overline{CD}$$
$$=20+20=40 \text{ (cm)}$$

전략
$\overline{DA}$의 연장선 위에 $\overline{CE}=\overline{AG}$가 되도록 점 G를 잡아 $\triangle GBA\equiv\triangle EBC$임을 이용한다.

## 3 답 ㉠, ㉡, ㉣

㉠ 사다리꼴의 각 변의 중점을 연결하여 만든 사각형은 평행사변형이고, 평행사변형의 각 변의 중점을 연결하여 만든 사각형은 평행사변형이다.
따라서 $A_1$이 사다리꼴이면 $A_n(n=2, 3, 4, \cdots)$은 평행사변형이다.

㉡ $A_1$이 마름모이면 $A_2$는 직사각형, $A_3$은 마름모, $A_4$는 직사각형, $\cdots$이므로 $A_{2n}$은 직사각형이다.

㉢ 오른쪽 그림과 같은 등변사다리꼴 ABCD에 대하여 $A_2$는 정사각형이지만 $A_1$은 등변사다리꼴이다.

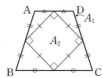

㉣ 정사각형의 각 변의 중점을 연결하여 만든 사각형은 정사각형이므로 $A_n$이 정사각형이면 $A_{n+1}$은 정사각형이다.

따라서 옳은 것은 ㉠, ㉡, ㉣이다.

> **전략**
> 사각형의 각 변의 중점을 연결하면 다음과 같은 사각형이 만들어진다.
> (1) 사각형 ➡ 평행사변형    (2) 사다리꼴 ➡ 평행사변형
> (3) 평행사변형 ➡ 평행사변형    (4) 직사각형 ➡ 마름모
> (5) 마름모 ➡ 직사각형    (6) 정사각형 ➡ 정사각형
> (7) 등변사다리꼴 ➡ 마름모

## 4 답 $\dfrac{49}{10}$ cm

$\triangle$ABC와 $\triangle$DCB에서
$\overline{AB}=\overline{DC}$, $\overline{BC}$는 공통, $\angle$ABC=$\angle$DCB
따라서 $\triangle$ABC≡$\triangle$DCB (SAS 합동)이므로
$\angle$BAC=$\angle$CDB
$\triangle$OAB와 $\triangle$ODC에서
$\angle$AOB=$\angle$DOC=90°, $\overline{AB}=\overline{DC}$, $\angle$BAO=$\angle$CDO
$\therefore$ $\triangle$OAB≡$\triangle$ODC (RHA 합동)
따라서 $\angle$OAB=$\angle$ODC=90°$-$$\angle$DCO=$\angle$COH=$\angle$EOA
이므로
$\overline{EA}=\overline{EO}$
또 $\angle$OBA=$\angle$OCD=90°$-$$\angle$ODH=$\angle$DOH=$\angle$EOB이므로
$\overline{EB}=\overline{EO}$
즉 직각삼각형 ABO에서 점 E는 빗변 AB의 중점이므로 외심이다.
$\therefore$ $\overline{EO}=\overline{EA}=\overline{EB}=\dfrac{1}{2}\times 5=\dfrac{5}{2}$ (cm)
한편 $\overline{DC}=\overline{AB}=5$ cm이므로
$\triangle$DOC=$\dfrac{1}{2}\times 5\times\overline{OH}=\dfrac{1}{2}\times 3\times 4$ $\quad\therefore$ $\overline{OH}=\dfrac{12}{5}$ (cm)
$\therefore$ $\overline{EH}=\overline{EO}+\overline{OH}=\dfrac{5}{2}+\dfrac{12}{5}=\dfrac{49}{10}$ (cm)

> **전략**
> 직각삼각형 ABO에서 점 E가 외심임을 이용하여 $\overline{EO}$의 길이를 구하고, 직각삼각형 DOC의 넓이를 이용하여 $\overline{OH}$의 길이를 구한다.

## 5 답 14 cm

오른쪽 그림과 같이 $\overline{DP}$의 연장선 위에 $\overline{DP}=\overline{PH}$인 점 H를 잡고 $\overline{HA}$, $\overline{HG}$를 그으면 □ADGH는 두 대각선이 서로 다른 것을 이등분하고 $\angle$ADG=90°이므로 직사각형이다.

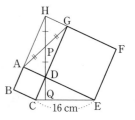

$\triangle$CED와 $\triangle$HDG에서
$\overline{CD}=\overline{AD}=\overline{HG}$, $\overline{DE}=\overline{GD}$, $\angle$CDE=$\angle$HGD=90°
따라서 $\triangle$CED≡$\triangle$HDG (SAS 합동)이므로
$\overline{PD}=\dfrac{1}{2}\overline{HD}=\dfrac{1}{2}\overline{CE}=\dfrac{1}{2}\times 16=8$ (cm)
이때 $\angle$DQE=$\angle$DCQ+$\angle$CDQ
$\qquad\qquad$=$\angle$GHD+$\angle$GDH=90°
이므로
$\triangle$DCE=$\dfrac{1}{2}\times 16\times\overline{DQ}=48$ $\quad\therefore$ $\overline{DQ}=6$ (cm)
$\therefore$ $\overline{PQ}=\overline{PD}+\overline{DQ}=8+6=14$ (cm)

> **전략**
> $\overline{DP}$의 연장선 위에 $\overline{DP}=\overline{PH}$인 점 H를 잡고 □ADGH가 직사각형임을 이용한다.

## 6 답 12 cm²

오른쪽 그림과 같이 점 G를 지나고 $\overline{AB}$에 평행한 직선이 $\overline{AD}$와 만나는 점을 H, $\overline{BC}$와 만나는 점을 I라 하고 $\overline{AI}$, $\overline{HB}$, $\overline{EI}$, $\overline{HC}$, $\overline{FI}$, $\overline{DI}$를 그으면

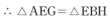

$\overline{AB}\,/\!/\,\overline{GH}$이므로 $\triangle$AHG=$\triangle$BHG
$\therefore$ $\triangle$AEG=$\triangle$EBH
$\overline{AD}\,/\!/\,\overline{BC}$이므로 $\triangle$EBH=$\triangle$EIH
$\therefore$ $\triangle$AEG=$\triangle$EIH
또 $\overline{GI}\,/\!/\,\overline{CD}$이므로 $\triangle$GHD=$\triangle$GHC
$\therefore$ $\triangle$GFD=$\triangle$HCF
$\overline{AD}\,/\!/\,\overline{BC}$이므로 $\triangle$HCF=$\triangle$HIF
$\therefore$ $\triangle$GFD=$\triangle$HIF
이때 $\overline{AE}:\overline{EF}:\overline{FD}=1:2:3$이므로
$\triangle$AEG+$\triangle$GFD=$\triangle$EIH+$\triangle$HIF=$\triangle$EIF
$\qquad\qquad=\dfrac{2}{6}\triangle$AID=$\dfrac{2}{6}\times\dfrac{1}{2}$□ABCD
$\qquad\qquad=\dfrac{1}{6}$□ABCD=$\dfrac{1}{6}\times 72=12$ (cm²)

> **전략**
> 점 G를 지나고 $\overline{AB}$와 평행한 직선을 그어 $\triangle$AEG, $\triangle$GFD와 각각 넓이가 같은 삼각형을 찾는다.

# III

## 도형의 닮음과 피타고라스 정리

## 01 도형의 닮음

**[ 확인 ❶ ]** 🅐 (1) $3:4$ (2) $8$ (3) $50°$

(1) $\overline{EF} : \overline{E'F'} = 9:12 = 3:4$이므로
두 삼각기둥의 닮음비는 $3:4$

(2) $6 : \overline{C'F'} = 3:4$ ∴ $\overline{C'F'} = 8$

(3) $\angle ACB = \angle DFE = 30°$이므로
△ABC에서
$\angle ABC = 180° - (100° + 30°) = 50°$
∴ $\angle A'B'C' = \angle ABC = 50°$

**[ 확인 ❷ ]** 🅐 ②

$\angle A = 180° - (45° + 55°) = 80°$

② △ABC와 △FDE에서
$\angle A = \angle F = 80°$, $\angle C = \angle E = 55°$
∴ $\triangle ABC \backsim \triangle FDE$ (AA 닮음)

**[ 확인 ❸ ]** 🅐 $21$

$\overline{AB}^2 = \overline{BD} \times \overline{BC}$이므로
$20^2 = 16(16+x)$, $16x = 144$ ∴ $x=9$
$\overline{AD}^2 = \overline{DB} \times \overline{DC}$이므로
$y^2 = 16 \times 9 = 144$ ∴ $y=12$ ($\because y>0$)
∴ $x+y = 9+12 = 21$

---

**STEP 1** | 억울하게 울리는 문제      pp. 059~060

| 1-1 32 | 1-2 15 | 2-1 12 cm | 2-2 $\frac{56}{3}$ |
|---|---|---|---|
| 3-1 $\frac{11}{3}$ cm | 3-2 $\frac{13}{7}$ | 4-1 $\frac{20}{3}$ cm | 4-2 16 cm |
| 5-1 $\frac{75}{4}$ | 5-2 $\frac{400}{3}$ cm² | | |

---

**1-1** 🅐 32

△ABC와 △CBD에서
$\angle A = \angle BCD$, $\angle B$는 공통
∴ $\triangle ABC \backsim \triangle CBD$ (AA 닮음)
$\overline{BC} : \overline{BD} = \overline{AB} : \overline{CB}$에서
$5:3 = (x+3):5$, $3x=16$ ∴ $x = \frac{16}{3}$
$\overline{BC} : \overline{BD} = \overline{AC} : \overline{CD}$에서
$5:3 = 10:y$ ∴ $y=6$
∴ $xy = \frac{16}{3} \times 6 = 32$

**1-2** 🅐 15

△ABC와 △DBA에서
$\angle BAC = \angle BDA$, $\angle B$는 공통
∴ $\triangle ABC \backsim \triangle DBA$ (AA 닮음)
즉 $\overline{AB} : \overline{DB} = \overline{BC} : \overline{BA}$에서
$10:5 = \overline{BC}:10$ ∴ $\overline{BC} = 20$
∴ $\overline{DC} = \overline{BC} - \overline{BD} = 20-5 = 15$

**2-1** 🅐 12 cm

△ABC와 △DBA에서
$\angle B$는 공통, $\overline{AB} : \overline{DB} = \overline{BC} : \overline{BA} = 4:3$
∴ $\triangle ABC \backsim \triangle DBA$ (SAS 닮음)
즉 $\overline{CA} : \overline{AD} = 4:3$에서
$16 : \overline{AD} = 4:3$ ∴ $\overline{AD} = 12$ (cm)

**2-2** 🅐 $\frac{56}{3}$

△ABC와 △ADB에서
$\angle A$는 공통, $\overline{AB} : \overline{AD} = \overline{AC} : \overline{AB} = 4:3$
∴ $\triangle ABC \backsim \triangle ADB$ (SAS 닮음)
즉 $\overline{BC} : \overline{DB} = 4:3$에서
$\overline{BC} : 14 = 4:3$ ∴ $\overline{BC} = \frac{56}{3}$

**3-1** 🅐 $\frac{11}{3}$ cm

△ADC와 △BDF에서
$\angle ADC = \angle BDF = 90°$,
$\angle DAC = 90° - \angle C = \angle DBF$
∴ $\triangle ADC \backsim \triangle BDF$ (AA 닮음)
즉 $\overline{AD} : \overline{BD} = \overline{CD} : \overline{FD}$에서
$\overline{AD} : 5 = 4:3$ ∴ $\overline{AD} = \frac{20}{3}$ (cm)
∴ $\overline{AF} = \overline{AD} - \overline{FD} = \frac{20}{3} - 3 = \frac{11}{3}$ (cm)

**3-2** 답 $\dfrac{13}{7}$

△ABD와 △ACE에서

∠A는 공통, ∠ADB=∠AEC=90°

∴ △ABD∽△ACE (AA 닮음)

즉 $\overline{AB}:\overline{AC}=\overline{AD}:\overline{AE}$에서

$9:7=\overline{AD}:4$　　∴ $\overline{AD}=\dfrac{36}{7}$

∴ $\overline{DC}=\overline{AC}-\overline{AD}=7-\dfrac{36}{7}=\dfrac{13}{7}$

---

**4-1** 답 $\dfrac{20}{3}$ cm

$\overline{AB}^2=\overline{BD}\times\overline{BC}$이므로

$5^2=3\times\overline{BC}$　　∴ $\overline{BC}=\dfrac{25}{3}$ (cm)

∴ $\overline{CD}=\overline{BC}-\overline{BD}=\dfrac{25}{3}-3=\dfrac{16}{3}$ (cm)

$\overline{AC}^2=\overline{CD}\times\overline{CB}$이므로

$\overline{AC}^2=\dfrac{16}{3}\times\dfrac{25}{3}=\dfrac{400}{9}$

∴ $\overline{AC}=\dfrac{20}{3}$ (cm) ($\because \overline{AC}>0$)

---

**4-2** 답 16 cm

$\overline{AC}\times\overline{BC}=\overline{AB}\times\overline{CD}$이므로

$15\times20=\overline{AB}\times12$　　∴ $\overline{AB}=25$ (cm)

$\overline{CB}^2=\overline{BD}\times\overline{BA}$이므로

$20^2=\overline{BD}\times25$　　∴ $\overline{BD}=16$ (cm)

---

**5-1** 답 $\dfrac{75}{4}$

△ABD에서 $\overline{AO}^2=\overline{OB}\times\overline{OD}$이므로

$\overline{AO}^2=9\times16=144$　　∴ $\overline{AO}=12$ ($\because \overline{AO}>0$)

△OAD와 △OEB에서

∠AOD=∠EOB=90°,

∠DAO=∠BEO (엇각)

∴ △OAD∽△OEB (AA 닮음)

즉 $\overline{OA}:\overline{OE}=\overline{OD}:\overline{OB}$에서

$12:\overline{OE}=16:9$　　∴ $\overline{OE}=\dfrac{27}{4}$

∴ $\overline{AE}=\overline{OA}+\overline{OE}=12+\dfrac{27}{4}=\dfrac{75}{4}$

---

**5-2** 답 $\dfrac{400}{3}$ cm²

△ABD에서 $\overline{AB}^2=\overline{BH}\times\overline{BD}$이므로

$10^2=6\times\overline{BD}$　　∴ $\overline{BD}=\dfrac{50}{3}$ (cm)

∴ $\overline{HD}=\overline{BD}-\overline{BH}=\dfrac{50}{3}-6=\dfrac{32}{3}$ (cm)

---

△ABD에서 $\overline{AH}^2=\overline{HB}\times\overline{HD}$이므로

$\overline{AH}^2=6\times\dfrac{32}{3}=64$　　∴ $\overline{AH}=8$ (cm) ($\because \overline{AH}>0$)

∴ $\square ABCD=2\triangle ABD=2\times\left(\dfrac{1}{2}\times\dfrac{50}{3}\times8\right)=\dfrac{400}{3}$ (cm²)

---

**STEP 2** 반드시 등수 올리는 문제　　pp. 061~064

| | | | |
|---|---|---|---|
| **01** 2개 | **02** 4 : 1 | **03** 25 : 15 : 9 | |
| **04** $\dfrac{9}{4}$ | **05** $\dfrac{140}{13}$ | **06** ⑤ | **07** 7 : 2 |
| **08** $\dfrac{61}{16}$ | **09** 18 | **10** 32 | **11** $\dfrac{75}{4}$ cm² |
| **12** $\dfrac{336}{125}$ cm | **13** $y=-\dfrac{12}{5}x+\dfrac{398}{5}$ | | **14** $\dfrac{5}{3}$ cm |
| **15** $\dfrac{60}{49}$ cm | **16** 2 cm | | |

---

**01** 답 2개

ㄴ. 중심각의 크기가 같은 두 부채꼴은 서로 닮음이다.

ㄷ. 한 내각의 크기가 30°인 두 직각삼각형은 다른 한 내각의 크기가 60°이므로 닮음이다.

ㄹ. 이웃하는 두 변의 길이의 비와 두 변이 이루는 각의 크기가 같은 두 평행사변형은 서로 닮음이다.

ㅁ. 아랫변의 양 끝 각의 크기와 이웃하는 두 변의 길이의 비가 같은 두 등변사다리꼴은 서로 닮음이다.

따라서 항상 닮은 도형인 것은 ㄴ, ㄷ의 2개이다.

**전략**

닮음의 뜻을 알고 여러 가지 도형에서 서로 닮음이 되는 조건을 확인한다.

---

**02** 답 4 : 1

오른쪽 그림과 같이 A3 용지의 긴 변의 길이를 $a$, 짧은 변의 길이를 $b$라 하면 A4 용지의 짧은 변의 길이는 $\dfrac{1}{2}a$, 긴 변의 길이는 $b$이다.

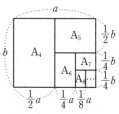

이때 A8 용지의 짧은 변의 길이는 $\dfrac{1}{8}a$, 긴 변의 길이는 $\dfrac{1}{4}b$이므로 구하는 닮음비를 가장 간단한 자연수의 비로 나타내면

$\dfrac{1}{2}a:\dfrac{1}{8}a=b:\dfrac{1}{4}b=4:1$

**전략**

A3 용지를 반으로 접을 때마다 그 길이가 절반이 되는 변을 차례로 찾는다.

**03** 답 $25 : 15 : 9$

다음 그림과 같이 직선 $y=-\dfrac{2}{3}x+6$과 정사각형 $A$, $B$, $C$가 만나는 점을 차례로 P, Q, R라 하고, 이 세 점의 $y$좌표를 차례로 $a$, $b$, $c$라 하면 $x$좌표는 차례로 $9-\dfrac{3}{2}a$, $9-\dfrac{3}{2}b$, $9-\dfrac{3}{2}c$이다.

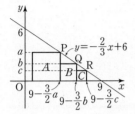

이때 정사각형 $B$의 한 변의 길이는 $b$이므로
$$9-\dfrac{3}{2}b-\left(9-\dfrac{3}{2}a\right)=b,\ 3a=5b \qquad \therefore a=\dfrac{5}{3}b$$
정사각형 $C$의 한 변의 길이는 $c$이므로
$$9-\dfrac{3}{2}c-\left(9-\dfrac{3}{2}b\right)=c,\ 5c=3b \qquad \therefore c=\dfrac{3}{5}b$$
따라서 세 정사각형 $A$, $B$, $C$의 닮음비를 가장 간단한 자연수의 비로 나타내면
$$a:b:c=\dfrac{5}{3}b:b:\dfrac{3}{5}b=25:15:9$$

전략
직선과 만나는 세 정사각형의 꼭짓점의 $y$좌표를 차례로 $a$, $b$, $c$로 정한 후 $x$좌표를 각각 구한다.

**04** 답 $\dfrac{9}{4}$

$$\begin{aligned}\angle BEA&=\angle C+\angle CAE\\&=\angle BAD+\angle DAE\\&=\angle BAE\end{aligned}$$
즉 $\triangle ABE$는 $\overline{BE}=\overline{BA}$인 이등변삼각형이다.
$\therefore \overline{BE}=\overline{AB}=9\ \text{cm}$
한편 $\triangle ABD$와 $\triangle CBA$에서
$\angle B$는 공통, $\angle BAD=\angle BCA$
$\therefore \triangle ABD\backsim\triangle CBA$ (AA 닮음)
즉 $\overline{AB}:\overline{CB}=\overline{BD}:\overline{BA}$에서
$$9:12=\overline{BD}:9 \qquad \therefore \overline{BD}=\dfrac{27}{4}$$
$$\therefore \overline{DE}=\overline{BE}-\overline{BD}=9-\dfrac{27}{4}=\dfrac{9}{4}$$

전략
$\triangle ABE$가 이등변삼각형임을 이용하여 $\overline{BE}$의 길이를 구하고 $\triangle ABD\backsim\triangle CBA$ (AA 닮음)임을 이용하여 $\overline{BD}$의 길이를 구한다.

**05** 답 $\dfrac{140}{13}$

오른쪽 그림과 같이 $\overline{BI}$, $\overline{IC}$를 각각 그으면 점 I는 $\triangle ABC$의 내심이므로

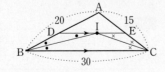

$\angle DBI=\angle IBC$, $\angle ECI=\angle ICB$
또 $\overline{DE}\,/\!/\,\overline{BC}$이므로
$\angle DIB=\angle IBC$ (엇각), $\angle EIC=\angle ICB$ (엇각)
즉 $\angle DIB=\angle DBI$, $\angle EIC=\angle ECI$이므로
$\overline{DI}=\overline{DB}$, $\overline{EI}=\overline{EC}$
$\therefore$ ($\triangle ADE$의 둘레의 길이)
$$\begin{aligned}&=\overline{AD}+\overline{DE}+\overline{AE}\\&=\overline{AD}+(\overline{DI}+\overline{EI})+\overline{AE}\\&=(\overline{AD}+\overline{DB})+(\overline{EC}+\overline{AE})\\&=\overline{AB}+\overline{AC}\\&=20+15\\&=35\end{aligned}$$
이때 $\triangle ABC$의 둘레의 길이는 $20+30+15=65$이고
$\triangle ADE\backsim\triangle ABC$ (AA 닮음)이므로 닮음비는
$35:65=7:13$
즉 $\overline{AD}:\overline{AB}=7:13$에서
$$\overline{AD}:20=7:13 \qquad \therefore \overline{AD}=\dfrac{140}{13}$$

전략
$\triangle ADE\backsim\triangle ABC$ (AA 닮음)이므로 닮음비는
($\triangle ADE$의 둘레의 길이) : ($\triangle ABC$의 둘레의 길이)임을 이용한다.

**06** 답 ⑤

① $\overline{AC}=\overline{DC}=\overline{CE}$이므로 점 C는 $\triangle ADE$의 외심이다.
　$\therefore \angle DAE=90°$
② $\begin{aligned}\angle BAD&=\angle BAC-\angle DAC\\&=90°-\angle DAC\\&=\angle DAE-\angle DAC\\&=\angle EAC\end{aligned}$
③ $\triangle ABD$와 $\triangle EBA$에서
　$\angle B$는 공통, $\angle BAD=\angle EAC=\angle BEA$
　$\therefore \triangle ABD\backsim\triangle EBA$ (AA 닮음)
④ $\triangle ABD\backsim\triangle EBA$ (AA 닮음)이므로
　$\overline{AB}:\overline{EB}=\overline{BD}:\overline{BA}$ $\qquad \therefore \overline{AB}^2=\overline{BD}\times\overline{BE}$
따라서 옳지 않은 것은 ⑤이다.

전략
직각삼각형의 외심은 빗변의 중점이다.

**07** 답 $7:2$

$\triangle EBD$와 $\triangle DCA$에서
$\angle EBD=\angle DCA=60°$,
$\angle BED=180°-(60°+\angle EDB)=\angle CDA$
$\therefore \triangle EBD\backsim\triangle DCA$ (AA 닮음)
이때 $\overline{BD}=2k$, $\overline{DC}=k\,(k>0)$라 하면
$\overline{AC}=\overline{AB}=\overline{BC}=\overline{BD}+\overline{DC}=2k+k=3k$

즉 $\overline{BD} : \overline{CA} = \overline{EB} : \overline{DC}$에서

$2k : 3k = \overline{EB} : k$ $\qquad \therefore \overline{EB} = \dfrac{2}{3}k$

따라서 $\overline{AE} = \overline{AB} - \overline{EB} = 3k - \dfrac{2}{3}k = \dfrac{7}{3}k$이므로

$\overline{AE} : \overline{EB} = \dfrac{7}{3}k : \dfrac{2}{3}k = 7 : 2$

**전략**

$\angle BED = 180° - (60° + \angle EDB) = \angle CDA$이므로
$\triangle EBD \backsim \triangle DCA$ (AA 닮음)임을 이용한다.

## 08 답 $\dfrac{61}{16}$

오른쪽 그림의 $\triangle ABC$와 $\triangle DCE$에서

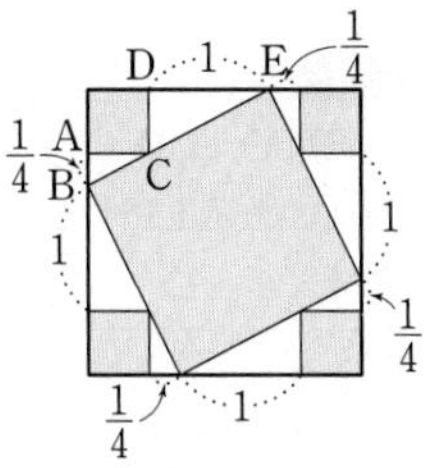

$\angle BAC = \angle CDE = 90°$,

$\angle ABC = 90° - \angle ACB = \angle DCE$

$\therefore \triangle ABC \backsim \triangle DCE$ (AA 닮음)

이때 $\overline{AC} = x \, (x > 0)$라 하면

$\overline{AB} : \overline{DC} = \overline{AC} : \overline{DE}$에서

$\dfrac{1}{4} : x = x : 1$이므로 $x^2 = \dfrac{1}{4}$ $\qquad \therefore x = \dfrac{1}{2}$ ($\because x > 0$)

따라서 처음 정사각형의 한 변의 길이는

$2x + 1 + \dfrac{1}{4} = 2 \times \dfrac{1}{2} + \dfrac{5}{4} = \dfrac{9}{4}$

이므로 색칠한 부분의 넓이는

$\left(\dfrac{9}{4}\right)^2 - 4 \times \left(\dfrac{1}{2} \times \dfrac{1}{4} \times \dfrac{1}{2} + \dfrac{1}{2} \times \dfrac{1}{2} \times 1\right) = \dfrac{81}{16} - \dfrac{5}{4} = \dfrac{61}{16}$

## 09 답 18

$\triangle ABE$와 $\triangle DBC$에서

$\overline{AB} : \overline{DB} = 6 : 12 = 1 : 2$,

$\overline{BE} : \overline{BC} = 3 : 6 = 1 : 2$,

$\angle ABE = \angle DBC$

$\therefore \triangle ABE \backsim \triangle DBC$ (SAS 닮음)

즉 $\overline{AE} : \overline{DC} = 1 : 2$이므로

$4 : \overline{DC} = 1 : 2$ $\qquad \therefore \overline{DC} = 8$

또 $\triangle ABD$와 $\triangle EBC$에서

$\overline{AB} : \overline{EB} = 6 : 3 = 2 : 1$,

$\overline{BD} : \overline{BC} = 12 : 6 = 2 : 1$,

$\angle ABD = \angle ABE + \angle EBD$

$\qquad = \angle DBC + \angle EBD$

$\qquad = \angle EBC$

$\therefore \triangle ABD \backsim \triangle EBC$ (SAS 닮음)

즉 $\overline{DA} : \overline{CE} = 2 : 1$이므로

$\overline{DA} : 5 = 2 : 1$ $\qquad \therefore \overline{DA} = 10$

$\therefore \overline{DA} + \overline{DC} = 10 + 8 = 18$

**전략**

$\triangle ABE \backsim \triangle DBC$ (SAS 닮음)임을 이용하여 $\overline{DC}$의 길이를 구하고,
$\triangle ABD \backsim \triangle EBC$ (SAS 닮음)임을 이용하여 $\overline{DA}$의 길이를 구한다.

## 10 답 32

$\triangle ABE$와 $\triangle ACD$에서

$\overline{AB} = \overline{AC} = 12$ cm, $\overline{AE} = \overline{AD} = 8$ cm,

$\angle BAE = \angle CAD = 60°$

이므로 $\triangle ABE \equiv \triangle ACD$ (SAS 합동)

$\therefore \angle ABE = \angle ACD$

또 $\triangle ABE$와 $\triangle FCE$에서

$\angle ABE = \angle FCE$, $\angle AEB = \angle FEC$ (맞꼭지각)

$\therefore \triangle ABE \backsim \triangle FCE$ (AA 닮음)

즉 $\overline{BE} : \overline{CE} = \overline{AE} : \overline{FE}$에서

$\overline{BE} \times \overline{FE} = \overline{CE} \times \overline{AE} = (12 - 8) \times 8 = 32$

**전략**

$\triangle ABE \equiv \triangle ACD$ (SAS 합동), $\triangle ABE \backsim \triangle FCE$ (AA 닮음)임을
이용한다.

## 11 답 $\dfrac{75}{4}$ cm²

$\angle PBD = \angle DBC$ (접은 각), $\angle DBC = \angle PDB$ (엇각)이므로

$\angle PBD = \angle PDB$

즉 $\triangle PBD$는 $\overline{PB} = \overline{PD}$인 이등변삼각형이다.

오른쪽 그림과 같이 점 P에서 $\overline{BD}$에

내린 수선의 발을 H라 하면

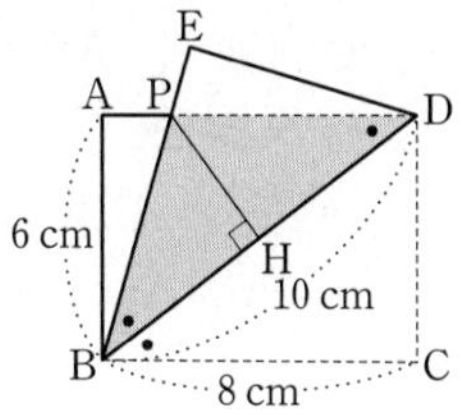

$\overline{BH} = \overline{DH} = \dfrac{1}{2}\overline{BD}$

$\qquad = \dfrac{1}{2} \times 10 = 5$ (cm)

$\triangle PBH$와 $\triangle DBC$에서

$\angle PBH = \angle DBC$, $\angle BHP = \angle BCD = 90°$

$\therefore \triangle PBH \backsim \triangle DBC$ (AA 닮음)

즉 $\overline{PH} : \overline{DC} = \overline{BH} : \overline{BC}$에서

$\overline{PH} : 6 = 5 : 8$ $\qquad \therefore \overline{PH} = \dfrac{15}{4}$ (cm)

$\therefore \triangle PBD = \dfrac{1}{2} \times \overline{BD} \times \overline{PH}$

$\qquad = \dfrac{1}{2} \times 10 \times \dfrac{15}{4} = \dfrac{75}{4}$ (cm²)

**전략**

$\triangle PBD$가 이등변삼각형임을 알고 $\triangle PBH \backsim \triangle DBC$ (AA 닮음)임을
이용한다.

## 12 답 $\dfrac{336}{125}$ cm

$\triangle ABC$에서 $\overline{AB}^2 = \overline{BH} \times \overline{BC}$이므로

$12^2 = \overline{BH} \times 20$ $\qquad \therefore \overline{BH} = \dfrac{36}{5}$ (cm)

이때 $\overline{BM} = \overline{CM} = \dfrac{1}{2}\overline{BC} = \dfrac{1}{2} \times 20 = 10$ (cm)이므로

$\overline{HM} = \overline{BM} - \overline{BH} = 10 - \dfrac{36}{5} = \dfrac{14}{5}$ (cm)

또 $\overline{AB}\times\overline{AC}=\overline{BC}\times\overline{AH}$이므로

$12\times16=20\times\overline{AH}$ $\quad\therefore\ \overline{AH}=\frac{48}{5}$ (cm)

한편 직각삼각형 ABC에서 점 M은 빗변의 중점이므로 △ABC의 외심이다.

$\therefore\ \overline{AM}=\overline{BM}=\overline{CM}=10$ cm

따라서 △HMA에서 $\overline{AH}\times\overline{HM}=\overline{AM}\times\overline{HD}$이므로

$\frac{48}{5}\times\frac{14}{5}=10\times\overline{HD}$ $\quad\therefore\ \overline{HD}=\frac{336}{125}$ (cm)

**전략**

직각삼각형에서의 닮음의 활용과 함께 삼각형의 넓이 공식을 다음과 같이 변형하여 자주 이용한다.

즉 오른쪽 그림에서

$\triangle ABC=\frac{1}{2}\times\overline{AB}\times\overline{AC}=\frac{1}{2}\times\overline{BC}\times\overline{AD}$

➡ $\overline{AB}\times\overline{AC}=\overline{BC}\times\overline{AD}$

## 13 답 $y=-\frac{12}{5}x+\frac{398}{5}$

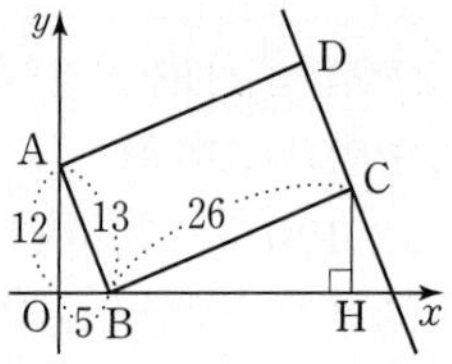

오른쪽 그림과 같이 꼭짓점 C에서 $x$축에 내린 수선의 발을 H라 하면

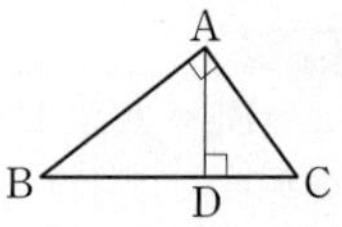

△AOB와 △BHC에서

$\angle AOB=\angle BHC=90°$,

$\angle OAB=90°-\angle ABO$

$=\angle HBC$

$\therefore$ △AOB∽△BHC (AA 닮음)

즉 $\overline{AB}:\overline{BC}=\overline{AO}:\overline{BH}$에서

$13:26=12:\overline{BH}$ $\quad\therefore\ \overline{BH}=24$

$\therefore\ \overline{OH}=\overline{OB}+\overline{BH}=5+24=29$

또 $\overline{AB}:\overline{BC}=\overline{OB}:\overline{HC}$에서

$13:26=5:\overline{HC}$ $\quad\therefore\ \overline{HC}=10$

따라서 점 C의 좌표는 (29, 10)

이때 직선 CD는 $\overline{AB}$와 평행하므로 기울기는 $-\frac{12}{5}$

$y=-\frac{12}{5}x+b$로 놓고 $x=29$, $y=10$을 대입하면

$10=-\frac{12}{5}\times29+b$ $\quad\therefore\ b=\frac{398}{5}$

$\therefore\ y=-\frac{12}{5}x+\frac{398}{5}$

**전략**

△AOB∽△BHC (AA 닮음)임을 이용하여 $\overline{BH}$, $\overline{HC}$의 길이를 각각 구한다.

## 14 답 $\frac{5}{3}$ cm

□ABCD는 한 변의 길이가 $5+3=8$ (cm)인 정사각형이므로

$\overline{A'C}=8-4=4$ (cm), $\overline{A'E}=\overline{AE}=5$ cm

△EBA′과 △A′CP에서

$\angle B=\angle C=90°$, $\angle BEA'=90°-\angle BA'E=\angle CA'P$

$\therefore$ △EBA′∽△A′CP (AA 닮음)

즉 $\overline{EB}:\overline{A'C}=\overline{EA'}:\overline{A'P}$에서

$3:4=5:\overline{A'P}$ $\quad\therefore\ \overline{A'P}=\frac{20}{3}$ (cm)

$\therefore\ \overline{PD'}=8-\frac{20}{3}=\frac{4}{3}$ (cm)

또 $\overline{EB}:\overline{A'C}=\overline{A'B}:\overline{PC}$에서

$3:4=4:\overline{PC}$ $\quad\therefore\ \overline{PC}=\frac{16}{3}$ (cm)

△A′CP와 △FD′P에서

$\angle C=\angle D'=90°$, $\angle A'PC=\angle FPD'$ (맞꼭지각)

$\therefore$ △A′CP∽△FD′P (AA 닮음)

즉 $\overline{PC}:\overline{PD'}=\overline{PA'}:\overline{PF}$에서

$\frac{16}{3}:\frac{4}{3}=\frac{20}{3}:\overline{PF}$ $\quad\therefore\ \overline{PF}=\frac{5}{3}$ (cm)

**전략**

△EBA′∽△A′CP (AA 닮음)임을 이용하여 $\overline{A'P}$, $\overline{PC}$의 길이를 각각 구하고, △A′CP∽△FD′P (AA 닮음)임을 이용하여 $\overline{PF}$의 길이를 구한다.

## 15 답 $\frac{60}{49}$ cm

$\overline{DE}:\overline{EF}=2:1$이므로 $\overline{DE}=2x$ cm, $\overline{EF}=x$ cm$(x>0)$라 하자.

△ABC와 △FBE에서

∠B는 공통, $\angle ACB=\angle FEB=90°$

$\therefore$ △ABC∽△FBE (AA 닮음)

즉 $\overline{AC}:\overline{FE}=\overline{BC}:\overline{BE}$에서

$3:x=4:\overline{BE}$ $\quad\therefore\ \overline{BE}=\frac{4}{3}x$ (cm)

또 △ABC와 △AGD에서

∠A는 공통, $\angle ACB=\angle ADG=90°$

$\therefore$ △ABC∽△AGD (AA 닮음)

즉 $\overline{AC}:\overline{AD}=\overline{BC}:\overline{GD}$에서

$3:\overline{AD}=4:x$ $\quad\therefore\ \overline{AD}=\frac{3}{4}x$ (cm)

이때 $\overline{AB}=\overline{AD}+\overline{DE}+\overline{BE}$이므로

$\frac{3}{4}x+2x+\frac{4}{3}x=5$, $\frac{49}{12}x=5$ $\quad\therefore\ x=\frac{60}{49}$

$\therefore\ \overline{EF}=\frac{60}{49}$ (cm)

**전략**

△ABC∽△FBE (AA 닮음)임을 이용하여 $\overline{BE}$의 길이를 구하고,

△ABC∽△AGD (AA 닮음)임을 이용하여 $\overline{AD}$의 길이를 구한다.

## 16 답 2 cm

△ABE와 △AQF에서

$\angle ABE=\angle AQF=90°$, $\angle BAE=45°-\angle EAP=\angle QAF$

이므로 △ABE∽△AQF (AA 닮음)

$\therefore\ \overline{AB}:\overline{AQ}=\overline{AE}:\overline{AF}$ ……㉠

△AEP와 △AFD에서

∠APE=∠ADF=90°, ∠EAP=45°−∠PAF=∠FAD

이므로 △AEP∽△AFD (AA 닮음)

∴ $\overline{AE}:\overline{AF}=\overline{AP}:\overline{AD}$ ······ ㉡

㉠, ㉡에서 $\overline{AB}:\overline{AQ}=\overline{AP}:\overline{AD}$이므로

$\overline{AB}:\overline{AQ}=6:\overline{AD}$, 즉 $6\overline{AQ}=\overline{AB}\times\overline{AD}$

이때 정사각형 ABCD의 넓이가 48 cm²이므로

$\overline{AB}\times\overline{AD}=48$

즉 $6\overline{AQ}=48$에서 $\overline{AQ}=8$ (cm)

∴ $\overline{PQ}=\overline{AQ}-\overline{AP}=8-6=2$ (cm)

**전략**

△ABE∽△AQF (AA 닮음), △AEP∽△AFD (AA 닮음)임을 이용한다.

---

| **1** 18 : 5 | **2** $\frac{5}{12}$ | **3** 3 cm | **4** $\frac{35}{6}$ cm |
|---|---|---|---|
| **5** $\frac{3}{2}$ cm | **6** 8 | | |

## 1 🔒 18 : 5

오른쪽 그림과 같이 $\overline{EM}$, $\overline{AM}$
의 연장선이 $\overline{BC}$의 연장선과 만
나는 점을 각각 F, G라 하면

△EDM≡△FCM

         (ASA 합동)

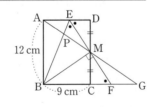

이므로 $\overline{EM}=\overline{FM}$

∠BEM=∠MED=∠MFB (엇각)

즉 △BFE는 $\overline{BF}=\overline{BE}$인 이등변삼각형이므로

$\overline{BM}\perp\overline{EF}$

한편 $\overline{MC}=\frac{1}{2}\times12=6$ (cm)이고,

△MBF에서 $\overline{MC}^2=\overline{CB}\times\overline{CF}$이므로

$6^2=9\times\overline{CF}$    ∴ $\overline{CF}=4$ (cm)

이때 $\overline{DE}=\overline{CF}=4$ cm이므로

$\overline{AE}=9-4=5$ (cm)

또 △MFG≡△MEA (ASA 합동)이므로

$\overline{GF}=\overline{AE}=5$ cm

△PBG와 △PEA에서

∠BPG=∠EPA (맞꼭지각), ∠PBG=∠PEA (엇각)

이므로 △PBG∽△PEA (AA 닮음)

∴ $\overline{BP}:\overline{EP}=\overline{GB}:\overline{AE}$

         $=(\overline{BC}+\overline{CF}+\overline{GF}):\overline{AE}$

         $=(9+4+5):5$

         $=18:5$

**전략**

△BFE가 이등변삼각형임을 알고 직각삼각형 MBG에서
$\overline{MC}^2=\overline{CB}\times\overline{CF}$임을 이용한다.

## 2 🔒 $\frac{5}{12}$

$\overline{AD}=\overline{AE}=\frac{1}{3}\overline{AB}=\frac{1}{3}\times6=2$이므로

△ADE와 △ABC에서

∠A는 공통, $\overline{AD}:\overline{AB}=\overline{AE}:\overline{AC}=2:6=1:3$

∴ △ADE∽△ABC (SAS 닮음)

즉 $\overline{DE}:\overline{BC}=1:3$이므로

$\overline{DE}:4=1:3$    ∴ $\overline{DE}=\frac{4}{3}$      ······ ㉠

한편 $\overline{DB}=\overline{EC}=\frac{2}{3}\overline{AB}=\frac{2}{3}\times6=4$이므로

$\overline{FD}=a-4$, $\overline{GE}=b-4$

△FDP와 △FBC에서

∠DFP는 공통, ∠FDP=∠FBC

∴ △FDP∽△FBC (AA 닮음)

즉 $\overline{FD}:\overline{FB}=\overline{DP}:\overline{BC}$이므로 $(a-4):a=\overline{DP}:4$

$a\overline{DP}=4(a-4)$    ∴ $\overline{DP}=4-\frac{16}{a}$

마찬가지로 △GPE∽△GBC (AA 닮음)

즉 $\overline{GE}:\overline{GC}=\overline{PE}:\overline{BC}$이므로 $(b-4):b=\overline{PE}:4$

$b\overline{PE}=4(b-4)$    ∴ $\overline{PE}=4-\frac{16}{b}$

∴ $\overline{DE}=\overline{DP}+\overline{PE}$

       $=\left(4-\frac{16}{a}\right)+\left(4-\frac{16}{b}\right)$

       $=8-16\left(\frac{1}{a}+\frac{1}{b}\right)$

㉠에서 $8-16\left(\frac{1}{a}+\frac{1}{b}\right)=\frac{4}{3}$

$16\left(\frac{1}{a}+\frac{1}{b}\right)=\frac{20}{3}$    ∴ $\frac{1}{a}+\frac{1}{b}=\frac{5}{12}$

**전략**

△FDP∽△FBC (AA 닮음), △GPE∽△GBC (AA 닮음)임을 이
용하여 $\overline{DE}$의 길이를 $a$, $b$로 나타낸다.

## 3 🔒 3 cm

오른쪽 그림과 같이 $\overline{BP}$와 $\overline{BQ}$의 연
장선이 $\overline{AC}$와 만나는 점을 각각 D, E
라 하면

△ABP≡△ADP (ASA 합동)이
므로 $\overline{BP}=\overline{DP}$, $\overline{AB}=\overline{AD}$

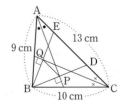

즉 $\overline{AD}=\overline{AB}=9$ cm이므로

$\overline{CD}=13-9=4$ (cm)

또 $\triangle CQB \equiv \triangle CQE$ (ASA 합동)이므로

$\overline{BQ}=\overline{EQ}, \overline{CB}=\overline{CE}$

즉 $\overline{CE}=\overline{CB}=10$ cm이므로

$\overline{DE}=10-4=6$ (cm)

한편 $\triangle BPQ$와 $\triangle BDE$에서

$\angle PBQ$는 공통,

$\overline{BP}:\overline{BD}=\overline{BQ}:\overline{BE}=1:2$

$\therefore \triangle BPQ \backsim \triangle BDE$ (SAS 닮음)

따라서 $\overline{PQ}:\overline{DE}=1:2$이므로

$\overline{PQ}:6=1:2$ $\quad \therefore \overline{PQ}=3$ (cm)

> **전략**
> $\overline{BP}$와 $\overline{BQ}$의 연장선이 $\overline{AC}$와 만나는 점을 각각 D, E라 한 후
> $\triangle BPQ \backsim \triangle BDE$ (SAS 닮음)임을 이용한다.

## 4 답 $\dfrac{35}{6}$ cm

$\triangle ABM$과 $\triangle ADN$에서

$\angle AMB=\angle AND=90°$, $\angle B=\angle D$

$\therefore \triangle ABM \backsim \triangle ADN$ (AA 닮음) ······ 30 %

즉 $\angle BAM=\angle DAN$이므로

$\angle BAN=\angle DAM$

이때 $\angle DAM=\angle BMA=90°$ (엇각)이므로

$\angle BAN=90°$

$\therefore \angle MAN=90°-\angle BAM=\angle ABM$ ······ ㉠

또 $\overline{AB}:\overline{AD}=\overline{AM}:\overline{AN}$에서

$\overline{AD}=\overline{BC}$이므로 $\overline{AB}:\overline{BC}=\overline{AM}:\overline{AN}$ ······ ㉡

$\triangle ABC$와 $\triangle MAN$에서

$\angle ABC=\angle MAN$ ($\because$ ㉠),

$\overline{AB}:\overline{MA}=\overline{BC}:\overline{AN}$ ($\because$ ㉡)

$\therefore \triangle ABC \backsim \triangle MAN$ (SAS 닮음) ······ 50 %

따라서 $\overline{AB}:\overline{MA}=\overline{AC}:\overline{MN}$이므로

$6:5=7:\overline{MN}$ $\quad \therefore \overline{MN}=\dfrac{35}{6}$ (cm) ······ 20 %

> **전략**
> $\triangle ABM \backsim \triangle ADN$ (AA 닮음)임을 이용하여 $\triangle ABC \backsim \triangle MAN$
> (SAS 닮음)임을 보인다.

## 5 답 $\dfrac{3}{2}$ cm

$\triangle ABD \backsim \triangle EDF$ (AA 닮음)이므로

$\overline{AB}:\overline{ED}=\overline{AD}:\overline{EF}$ ······ ㉠

$\triangle AED \backsim \triangle EGF$ (AA 닮음)이므로

$\overline{AD}:\overline{EF}=\overline{ED}:\overline{GF}$ ······ ㉡

㉠, ㉡에서 $\overline{AB}:\overline{ED}=\overline{ED}:\overline{GF}$

마찬가지로 $\overline{ED}:\overline{GF}=\overline{GF}:\overline{IH}=\overline{IH}:\overline{KJ}$

이때 $\overline{AB}:\overline{ED}=m:n$ ($m, n$은 서로소)이라 하면

$\overline{AB}=\dfrac{m}{n}\overline{ED}$

$\overline{ED}:\overline{GF}=m:n$이므로 $\overline{ED}=\dfrac{m}{n}\overline{GF}$

$\overline{GF}:\overline{IH}=m:n$이므로 $\overline{GF}=\dfrac{m}{n}\overline{IH}$

즉 $\overline{AB}=\dfrac{m}{n}\overline{ED}=\dfrac{m^2}{n^2}\overline{GF}=\dfrac{m^3}{n^3}\overline{IH}$이므로

$\overline{AB}:\overline{IH}=\dfrac{m^3}{n^3}\overline{IH}:\overline{IH}=m^3:n^3$

이때 $\overline{AB}=24$ cm, $\overline{IH}=3$ cm이므로

$m^3:n^3=24:3=8:1=2^3:1^3$

$\therefore m:n=2:1$

따라서 $\overline{IH}:\overline{KJ}=2:1$이므로

$3:\overline{KJ}=2:1$ $\quad \therefore \overline{KJ}=\dfrac{3}{2}$ (cm)

> **전략**
> $\overline{AB}:\overline{ED}=\overline{ED}:\overline{GF}=\overline{GF}:\overline{IH}$이므로 $\overline{AB}:\overline{ED}=m:n$ ($m, n$은
> 서로소)이라 하면 $\overline{AB}:\overline{IH}=m^3:n^3$임을 이용한다.

## 6 답 8

$\triangle ADH$와 $\triangle ABE$에서

$\angle DAH$는 공통, $\angle ADH=\angle ABE$ (동위각)

$\therefore \triangle ADH \backsim \triangle ABE$ (AA 닮음)

이 두 삼각형의 닮음비를 $1:k$라 하면

$\overline{DH}:\overline{BE}=1:k$이므로

$2:\overline{BE}=1:k$ $\quad \therefore \overline{BE}=2k$

마찬가지로 $\triangle AHI \backsim \triangle AEF$ (AA 닮음)이므로

$\overline{AH}:\overline{AE}=\overline{HI}:\overline{EF}$에서

$1:k=x:\overline{EF}$ $\quad \therefore \overline{EF}=xk$

마찬가지로 $\triangle AIG \backsim \triangle AFC$ (AA 닮음)이므로

$\overline{AI}:\overline{AF}=\overline{IG}:\overline{FC}$에서

$1:k=8:\overline{FC}$ $\quad \therefore \overline{FC}=8k$

이때 $\overline{DE}:\overline{EF}=1:2$이므로

$\overline{DE}:xk=1:2$ $\quad \therefore \overline{DE}=\dfrac{x}{2}k$

한편 $\triangle DBE$와 $\triangle CGF$에서

$\angle BED=\angle GFC=90°$,

$\angle DBE=90°-\angle C=\angle CGF$

$\therefore \triangle DBE \backsim \triangle CGF$ (AA 닮음)

따라서 $\overline{DE}:\overline{CF}=\overline{BE}:\overline{GF}$이므로

$\dfrac{x}{2}k:8k=2k:\dfrac{x}{2}k, x^2=64$

$\therefore x=8$ ($\because x>0$)

> **전략**
> $\triangle ADH \backsim \triangle ABE$ (AA 닮음)이므로 닮음비를 $1:k$라 하면
> $\triangle AHI \backsim \triangle AEF$ (AA 닮음), $\triangle AIG \backsim \triangle AFC$ (AA 닮음)이고,
> 닮음비도 $1:k$이다.

## 02 평행선과 선분의 길이의 비

**[ 확인 ❶ ]** 답 ①, ②

① $\overline{AB} : \overline{AD} = \overline{AC} : \overline{AE} = 4 : 3$이므로 $\overline{BC} /\!/ \overline{DE}$

② $\overline{AD} : \overline{DB} = \overline{AE} : \overline{EC} = 2 : 1$이므로 $\overline{BC} /\!/ \overline{DE}$

③ $\overline{AB} : \overline{BD} \neq \overline{AC} : \overline{CE}$

④ $\overline{AB} : \overline{AD} \neq \overline{AC} : \overline{AE}$

⑤ $\overline{AB} : \overline{BD} \neq \overline{AC} : \overline{CE}$

따라서 $\overline{BC} /\!/ \overline{DE}$인 것은 ①, ②이다.

**[ 확인 ❷ ]** 답 $x = 5, y = \dfrac{21}{2}$

$x : 10 = 4 : 8$이므로

$8x = 40$ ∴ $x = 5$

$(y-7) : 7 = 5 : 10$이므로 $10y - 70 = 35$

$10y = 105$ ∴ $y = \dfrac{21}{2}$

**[ 확인 ❸ ]** 답 11 cm

오른쪽 그림과 같이 점 A를 지나고 $\overline{DC}$
와 평행한 직선이 $\overline{EF}, \overline{BC}$와 만나는 점
을 각각 G, H라 하면

$\overline{HC} = \overline{GF} = \overline{AD} = 8$ cm이므로

$\overline{BH} = \overline{BC} - \overline{HC} = 13 - 8 = 5$ (cm)

이때 $\triangle ABH$에서

$\overline{AE} : \overline{AB} = \overline{EG} : \overline{BH}$이므로

$3 : (3+2) = \overline{EG} : 5$ ∴ $\overline{EG} = 3$ (cm)

∴ $\overline{EF} = \overline{EG} + \overline{GF} = 3 + 8 = 11$ (cm)

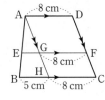

**[ 확인 ❹ ]** 답 2

$\triangle ABC$에서

$\overline{BC} = 2\overline{MN} = 2 \times 8 = 16$

$\triangle DBC$에서

$\overline{PQ} = \dfrac{1}{2}\overline{BC} = \dfrac{1}{2} \times 16 = 8$

∴ $\overline{PR} = \overline{PQ} - \overline{RQ} = 8 - 6 = 2$

---

**STEP 1** | 억울하게 울리는 문제      pp. 070 ~ 072

| | | | |
|---|---|---|---|
| **1-1** 18 cm | **1-2** 16 cm² | **2-1** 24 cm | **2-2** 45 cm² |
| **3-1** $x = \dfrac{40}{3}, y = \dfrac{48}{5}$ | | **3-2** 5 | **4-1** 20 |
| **4-2** $\dfrac{200}{3}$ cm² | **5-1** 9 cm | **5-2** 6 cm | **6-1** 3 cm |
| **6-2** 8 cm | | | |

---

**1-1** 답 18 cm

$\overline{AB} : \overline{AC} = \overline{BD} : \overline{CD}$에서

$\overline{BD} : \overline{CD} = 20 : 30 = 2 : 3$

$\triangle CAB$에서 $\overline{CE} : \overline{CA} = \overline{CD} : \overline{CB}$이므로

$\overline{CE} : 30 = 3 : (3+2)$ ∴ $\overline{CE} = 18$ (cm)

**1-2** 답 16 cm²

$\overline{AE} : \overline{EB} = 4 : 3$이므로

$\overline{AE} = \dfrac{4}{7}\overline{AB} = \dfrac{4}{7} \times 14 = 8$ (cm)

$\overline{AE} : \overline{AC} = \overline{EF} : \overline{CF}$에서

$\overline{EF} : \overline{CF} = 8 : 12 = 2 : 3$

∴ $\triangle AEF = \dfrac{2}{5}\triangle AEC$

$\qquad = \dfrac{2}{5} \times \dfrac{4}{7}\triangle ABC$

$\qquad = \dfrac{8}{35} \times 70 = 16$ (cm²)

**2-1** 답 24 cm

$\overline{AB} : \overline{AC} = \overline{BD} : \overline{CD}$에서

$\overline{BD} : \overline{CD} = 12 : 8 = 3 : 2$

∴ $\overline{CD} = \dfrac{2}{5}\overline{BC} = \dfrac{2}{5} \times 10 = 4$ (cm)

또 $\overline{AB} : \overline{AC} = \overline{BE} : \overline{CE}$에서

$12 : 8 = (10 + \overline{CE}) : \overline{CE}$ ∴ $\overline{CE} = 20$ (cm)

∴ $\overline{DE} = \overline{CD} + \overline{CE} = 4 + 20 = 24$ (cm)

**2-2** 답 45 cm²

$\overline{AB} : \overline{AC} = \overline{BD} : \overline{CD}$에서

$\overline{BD} : \overline{CD} = 8 : 6 = 4 : 3$

즉 $\overline{BC} : \overline{CD} = (4-3) : 3 = 1 : 3$이므로

$\triangle ABC : \triangle ACD = \overline{BC} : \overline{CD} = 1 : 3$

$15 : \triangle ACD = 1 : 3$ ∴ $\triangle ACD = 45$ (cm²)

**3-1** 답 $x = \dfrac{40}{3}, y = \dfrac{48}{5}$

오른쪽 그림과 같이 세 직선 $l$, $m$,
$n$과 평행한 직선 $p$를 그으면

$16 : 12 = x : 10$

$12x = 160$ ∴ $x = \dfrac{40}{3}$

$12 : y = 10 : 8$, $10y = 96$ ∴ $y = \dfrac{48}{5}$

## 3-2 ⓐ5

오른쪽 그림과 같이 보조선을 그으면

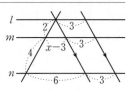

$2:(2+4)=(x-3):6$

$6x-18=12,\ 6x=30$

$\therefore x=5$

## 4-1 ⓐ20

$\triangle ABC$에서 $\overline{AB}:\overline{EF}=\overline{BC}:\overline{FC}$이므로

$6:4=(x+16):16,\ 4x+64=96$

$4x=32 \quad \therefore x=8$

$\triangle BCD$에서 $\overline{EF}:\overline{DC}=\overline{BF}:\overline{BC}$이므로

$4:y=8:(8+16),\ 8y=96 \quad \therefore y=12$

$\therefore x+y=8+12=20$

## 4-2 ⓐ$\dfrac{200}{3}$ cm²

$\overline{AB},\ \overline{EF},\ \overline{DC}$가 모두 $\overline{BC}$에 수직이므로 $\overline{AB}/\!/\overline{EF}/\!/\overline{DC}$

이때 $\triangle ABE \backsim \triangle CDE$ (AA 닮음)이므로

$\overline{AE}:\overline{CE}=\overline{AB}:\overline{CD}=12:15=4:5$

$\triangle ABC$에서 $\overline{CE}:\overline{CA}=\overline{EF}:\overline{AB}$이므로

$5:(5+4)=\overline{EF}:12 \quad \therefore \overline{EF}=\dfrac{20}{3}$ (cm)

$\therefore \triangle EBC=\dfrac{1}{2}\times\overline{BC}\times\overline{EF}$

$=\dfrac{1}{2}\times20\times\dfrac{20}{3}=\dfrac{200}{3}$ (cm²)

## 5-1 ⓐ9 cm

$\triangle AFD$에서 $\overline{AE}=\overline{EF},\ \overline{AG}=\overline{GD}$이므로

$\overline{EG}/\!/\overline{FD},\ \overline{FD}=2\times\overline{EG}=2\times3=6$ (cm)

$\triangle BCE$에서 $\overline{BF}=\overline{FE},\ \overline{FD}/\!/\overline{EC}$이므로

$\overline{EC}=2\overline{FD}=2\times6=12$ (cm)

$\therefore \overline{GC}=\overline{EC}-\overline{EG}=12-3=9$ (cm)

## 5-2 ⓐ6 cm

$\triangle ABD$에서 $\overline{AF}=\overline{FB},\ \overline{AE}=\overline{ED}$이므로 $\overline{FE}/\!/\overline{BD}$

$\overline{FE}=x$ cm라 하면 $\overline{BD}=2x$ cm

$\triangle CEF$에서 $\overline{CD}=\overline{DE},\ \overline{GD}/\!/\overline{FE}$이므로

$\overline{GD}=\dfrac{1}{2}x$ (cm)

이때 $\overline{BD}=\overline{BG}+\overline{GD}$이므로

$9+\dfrac{1}{2}x=2x,\ \dfrac{3}{2}x=9 \quad \therefore x=6$

$\therefore \overline{FE}=6$ cm

## 6-1 ⓐ3 cm

오른쪽 그림과 같이 점 A에서 $\overline{BC}$에 평행한 직선을 그어 $\overline{DF}$와 만나는 점을 G라 하면

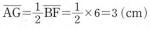

$\overline{AG}=\dfrac{1}{2}\overline{BF}=\dfrac{1}{2}\times6=3$ (cm)

$\triangle EGA$와 $\triangle EFC$에서

$\overline{EA}=\overline{EC},\ \angle EAG=\angle ECF$ (엇각),

$\angle GEA=\angle FEC$ (맞꼭지각)

따라서 $\triangle EGA\equiv\triangle EFC$ (ASA 합동)이므로

$\overline{CF}=\overline{AG}=3$ cm

## 6-2 ⓐ8 cm

오른쪽 그림과 같이 점 A에서 $\overline{BC}$에 평행한 직선을 그어 $\overline{DF}$와 만나는 점을 G라 하고 $\overline{FC}=x$ cm라 하면

$\overline{AG}=\dfrac{1}{2}x$ (cm)

$\triangle EAG$와 $\triangle EBF$에서

$\overline{EA}=\overline{EB},\ \angle EAG=\angle EBF$ (엇각),

$\angle GEA=\angle FEB$ (맞꼭지각)

따라서 $\triangle EAG\equiv\triangle EBF$ (ASA 합동)이므로

$\overline{BF}=\overline{AG}=\dfrac{1}{2}x$ cm

이때 $\overline{BC}=\overline{BF}+\overline{FC}$이므로

$\dfrac{1}{2}x+x=12,\ \dfrac{3}{2}x=12 \quad \therefore x=8$

$\therefore \overline{FC}=8$ cm

---

**STEP 2** | 반드시 등수 올리는 문제 | pp. 073~077

| 01 9 | 02 6 | 03 2 cm | 04 9 cm |
|---|---|---|---|
| 05 6 cm | 06 5 cm | 07 $\dfrac{24}{5}$ cm² | 08 $\dfrac{30}{7}$ cm |
| 09 12 cm | 10 $\dfrac{28}{5}$ cm | 11 $\dfrac{8}{3}$ cm | 12 144 cm² |
| 13 32 cm | 14 4 | 15 5:2 | 16 2 cm |
| 17 5 cm² | 18 44 cm² | 19 18° | 20 7:9:11 |

## 01 ⓐ9

$\triangle AGF$에서

$\overline{AD}:\overline{DF}=\overline{AE}:\overline{EG}=8:4=2:1$

$\triangle AHF$에서

$\overline{AG}:\overline{GH}=\overline{AD}:\overline{DF}=2:1$이므로

$12:\overline{GH}=2:1 \quad \therefore \overline{GH}=6$

$\triangle$AHC에서

$\overline{AF} : \overline{FC} = \overline{AG} : \overline{GH} = 12 : 6 = 2 : 1$

$\triangle$ABC에서

$\overline{AH} : \overline{HB} = \overline{AF} : \overline{FC} = 2 : 1$이므로

$18 : \overline{HB} = 2 : 1 \quad \therefore \overline{HB} = 9$

**전략**

$\overline{DE} /\!/ \overline{FG} /\!/ \overline{CH}$, $\overline{DG} /\!/ \overline{FH} /\!/ \overline{CB}$이므로
$\overline{AH} : \overline{HB} = \overline{AF} : \overline{FC} = \overline{AG} : \overline{GH} = \overline{AD} : \overline{DF} = \overline{AE} : \overline{EG}$

## 02 답 6

$\overline{DE} /\!/ \overline{BC}$이므로

$\overline{AD} : \overline{AB} = \overline{AE} : \overline{AC} = 2 : (2+5) = 2 : 7$에서

$\overline{AD} : 14 = 2 : 7 \quad \therefore \overline{AD} = 4$

$\overline{EF} /\!/ \overline{AB}$이므로

$\overline{BF} : \overline{BC} = \overline{AE} : \overline{AC} = 2 : 7$

$\overline{GF} /\!/ \overline{AC}$이므로

$\overline{BG} : \overline{BA} = \overline{BF} : \overline{BC} = 2 : 7$에서

$\overline{BG} : 14 = 2 : 7 \quad \therefore \overline{BG} = 4$

$\therefore \overline{DG} = \overline{AB} - \overline{AD} - \overline{BG}$

$= 14 - 4 - 4 = 6$

**전략**

다음을 이용한다.
① $\overline{DE} /\!/ \overline{BC}$이므로 $\overline{AD} : \overline{AB} = \overline{AE} : \overline{AC}$
② $\overline{EF} /\!/ \overline{AB}$이므로 $\overline{BF} : \overline{BC} = \overline{AE} : \overline{AC}$
③ $\overline{GF} /\!/ \overline{AC}$이므로 $\overline{BG} : \overline{BA} = \overline{BF} : \overline{BC}$

## 03 답 2 cm

오른쪽 그림과 같이 $\overline{BA}$의 연장선과 $\overline{CD}$의 연장선이 만나는 점을 F라 하면

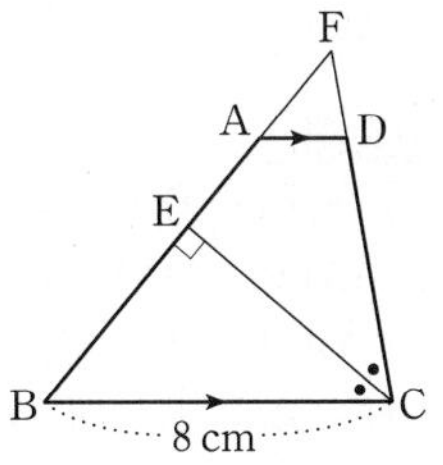


$\triangle$CBE와 $\triangle$CFE에서

$\overline{CE}$는 공통,

$\angle CEB = \angle CEF = 90^\circ$,

$\angle BCE = \angle FCE$

이므로 $\triangle CBE \equiv \triangle CFE$ (ASA 합동)

$\therefore \overline{BE} = \overline{FE}$

이때 $\overline{BE} = 2\overline{AE}$이므로 $\overline{FA} = \overline{AE}$

즉 $\overline{FA} : \overline{FB} = 1 : 4$이므로

$\triangle$FBC에서

$\overline{AD} : \overline{BC} = \overline{FA} : \overline{FB} = 1 : 4$

$\overline{AD} : 8 = 1 : 4 \quad \therefore \overline{AD} = 2$ (cm)

**전략**

$\overline{BA}$의 연장선과 $\overline{CD}$의 연장선을 그은 후 $\overline{AD} /\!/ \overline{BC}$이므로 삼각형에서 평행선과 선분의 길이의 비를 이용한다.

## 04 답 9 cm

$\angle A = \angle FBC = \angle GCD = 60^\circ$이므로

$\overline{EA} /\!/ \overline{FB} /\!/ \overline{GC}$

$\triangle$ABE가 정삼각형이므로

$\overline{AB} = \overline{EA} = 16$ cm

$\therefore \overline{OB} = \overline{OA} - \overline{AB} = 64 - 16 = 48$ (cm)

$\triangle$AOE에서 $\overline{OB} : \overline{OA} = \overline{FB} : \overline{EA}$이므로

$48 : 64 = \overline{FB} : 16 \quad \therefore \overline{FB} = 12$ (cm)

또 $\triangle$BCF가 정삼각형이므로

$\overline{BC} = \overline{FB} = 12$ cm

$\therefore \overline{OC} = \overline{OB} - \overline{BC} = 48 - 12 = 36$ (cm)

$\triangle$BOF에서 $\overline{OC} : \overline{OB} = \overline{GC} : \overline{FB}$이므로

$36 : 48 = \overline{GC} : 12 \quad \therefore \overline{GC} = 9$ (cm)

따라서 $\triangle$CDG가 정삼각형이므로

$\overline{GD} = \overline{GC} = 9$ cm

**전략**

$\triangle$AOE에서 $\overline{OB} : \overline{OA} = \overline{FB} : \overline{EA}$,
$\triangle$BOF에서 $\overline{OC} : \overline{OB} = \overline{GC} : \overline{FB}$임을 이용한다.

## 05 답 6 cm

점 I는 $\triangle$ABC의 내심이므로 $\overline{AD}$는 $\angle A$의 이등분선이다.

즉 $\overline{AB} : \overline{AC} = \overline{BD} : \overline{CD}$에서

$15 : \overline{AC} = 6 : 4 \quad \therefore \overline{AC} = 10$ (cm)

또 $\overline{BE}$는 $\angle B$의 이등분선이므로

$\overline{CE} : \overline{AE} = \overline{BC} : \overline{BA} = 10 : 15 = 2 : 3$

$\therefore \overline{AE} = \frac{3}{5}\overline{AC} = \frac{3}{5} \times 10 = 6$ (cm)

**전략**

점 I가 $\triangle$ABC의 내심일 때, 점 I는 $\triangle$ABC의 세 내각의 이등분선의 교점이다.

## 06 답 5 cm

$\triangle$ABC와 $\triangle$BDC에서

$\angle A = \angle DBC$, $\angle C$는 공통

$\therefore \triangle ABC \backsim \triangle BDC$ (AA 닮음)

즉 $\overline{BC} : \overline{DC} = \overline{AC} : \overline{BC} = 15 : 10 = 3 : 2$이므로

$10 : \overline{DC} = 3 : 2 \quad \therefore \overline{DC} = \frac{20}{3}$ (cm)

$\therefore \overline{AD} = \overline{AC} - \overline{DC} = 15 - \frac{20}{3} = \frac{25}{3}$ (cm)

또 $\triangle$ABD에서

$\overline{AE} : \overline{DE} = \overline{AB} : \overline{BD} = \overline{AC} : \overline{BC} = 3 : 2$이므로

$\overline{AE} = \frac{3}{5}\overline{AD} = \frac{3}{5} \times \frac{25}{3} = 5$ (cm)

**전략**

$\triangle ABC \backsim \triangle BDC$ (AA 닮음)이고, $\triangle$ABD에서 $\overline{BE}$가 $\angle ABD$의 이등분선임을 이용한다.

## 07 답 $\dfrac{24}{5}$ cm²

$\overline{AC}^2=\overline{CD}\times\overline{CB}$이므로

$12^2=\overline{CD}\times15$ $\quad\therefore\overline{CD}=\dfrac{48}{5}$ (cm)

$\triangle$AEC와 $\triangle$DFC에서

$\angle$EAC$=\angle$FDC$=90°$, $\angle$ACE$=\angle$DCF

$\therefore\triangle$AEC$\backsim\triangle$DFC (AA 닮음)

즉 $\overline{EC}:\overline{FC}=\overline{AC}:\overline{DC}=12:\dfrac{48}{5}=5:4$이므로

$\overline{EF}:\overline{FC}=(5-4):4=1:4$

또 $\triangle$ABC에서 $\overline{CE}$가 $\angle$C의 이등분선이므로

$\overline{AE}:\overline{BE}=\overline{CA}:\overline{CB}=12:15=4:5$에서

$\overline{AE}=\dfrac{4}{9}\overline{AB}=\dfrac{4}{9}\times9=4$ (cm)

따라서 $\triangle$AEC$=\dfrac{1}{2}\times4\times12=24$ (cm²)이므로

$\triangle$AEF$=\dfrac{1}{5}\triangle$AEC$=\dfrac{1}{5}\times24=\dfrac{24}{5}$ (cm²)

### 다른 풀이

$\overline{AC}^2=\overline{CD}\times\overline{CB}$이므로

$12^2=\overline{CD}\times15$ $\quad\therefore\overline{CD}=\dfrac{48}{5}$ (cm)

이때 $\overline{BD}=\overline{BC}-\overline{CD}=15-\dfrac{48}{5}=\dfrac{27}{5}$ (cm)이므로

$\overline{BD}:\overline{CD}=\dfrac{27}{5}:\dfrac{48}{5}=9:16$

$\triangle$ADC에서 $\overline{CF}$는 $\angle$C의 이등분선이므로

$\overline{AF}:\overline{DF}=\overline{CA}:\overline{CD}=12:\dfrac{48}{5}=5:4$

또 $\triangle$ABC에서 $\overline{CE}$는 $\angle$C의 이등분선이므로

$\overline{AE}:\overline{BE}=\overline{CA}:\overline{CB}=12:15=4:5$

오른쪽 그림과 같이 $\overline{ED}$를 그으면

$\triangle$AEF$=\dfrac{5}{9}\triangle$AED

$\qquad=\dfrac{5}{9}\times\dfrac{4}{9}\triangle$ABD

$\qquad=\dfrac{5}{9}\times\dfrac{4}{9}\times\dfrac{9}{25}\triangle$ABC

$\qquad=\dfrac{5}{9}\times\dfrac{4}{9}\times\dfrac{9}{25}\times\left(\dfrac{1}{2}\times9\times12\right)$

$\qquad=\dfrac{24}{5}$ (cm²)

### 전략

$\triangle$AEC$\backsim\triangle$DFC (AA 닮음)임을 이용하여 $\overline{EF}:\overline{FC}$를 구하고, $\overline{CE}$가 $\angle$C의 이등분선임을 이용하여 $\overline{AE}$의 길이를 구한다.

## 08 답 $\dfrac{30}{7}$ cm

$\triangle$ODA와 $\triangle$OBC에서

$\angle$ODA$=\angle$OBC (엇각), $\angle$AOD$=\angle$COB (맞꼭지각)

따라서 $\triangle$ODA$\backsim\triangle$OBC (AA 닮음)이므로

$\overline{OA}:\overline{OC}=\overline{DA}:\overline{BC}=10:15=2:3$

---

$\triangle$ABC에서 $\overline{EO}/\!/\overline{BC}$이므로

$\overline{EO}:\overline{BC}=\overline{AO}:\overline{AC}=2:(2+3)=2:5$

$\overline{EO}:15=2:5$ $\quad\therefore\overline{EO}=6$ (cm)

$\triangle$GOE와 $\triangle$GBC에서

$\angle$GOE$=\angle$GBC (엇각), $\angle$EGO$=\angle$CGB (맞꼭지각)

따라서 $\triangle$GOE$\backsim\triangle$GBC (AA 닮음)이므로

$\overline{GO}:\overline{GB}=\overline{OE}:\overline{BC}=6:15=2:5$

$\triangle$OBC에서 $\overline{GH}/\!/\overline{BC}$이므로

$\overline{GH}:\overline{BC}=\overline{OG}:\overline{OB}=2:(2+5)=2:7$

$\overline{GH}:15=2:7$ $\quad\therefore\overline{GH}=\dfrac{30}{7}$ (cm)

### 전략

$\triangle$ODA$\backsim\triangle$OBC (AA 닮음)와 $\overline{EO}:\overline{BC}=\overline{AO}:\overline{AC}$임을 이용하여 $\overline{EO}$의 길이를 구한 후, $\triangle$GOE$\backsim\triangle$GBC (AA 닮음)임을 이용하여 $\overline{GH}$의 길이를 구한다.

## 09 답 12 cm

$\overline{BC}=x$ cm라 하자.

$\triangle$AOD와 $\triangle$COB에서

$\angle$OAD$=\angle$OCB (엇각), $\angle$AOD$=\angle$COB (맞꼭지각)

이므로 $\triangle$AOD$\backsim\triangle$COB (AA 닮음)

$\therefore\overline{AO}:\overline{CO}=\overline{DO}:\overline{BO}=\overline{AD}:\overline{CB}=6:x$

$\triangle$ABC에서 $\overline{EO}/\!/\overline{BC}$이므로

$\overline{EO}:\overline{BC}=\overline{AO}:\overline{AC}=6:(6+x)$ ······ ㉠

$\triangle$DBC에서 $\overline{OF}/\!/\overline{BC}$이므로

$\overline{OF}:\overline{BC}=\overline{DO}:\overline{DB}=6:(6+x)$ ······ ㉡

㉠, ㉡에서 $\overline{EO}:\overline{BC}=\overline{OF}:\overline{BC}$이므로

$\overline{EO}=\overline{OF}=\dfrac{1}{2}\overline{EF}=\dfrac{1}{2}\times8=4$ (cm)

㉠에서 $\overline{EO}:\overline{BC}=6:(6+x)$이므로 $4:x=6:(6+x)$

$6x=24+4x$, $2x=24$ $\quad\therefore x=12$

$\therefore\overline{BC}=12$ cm

### 전략

$\overline{AO}:\overline{CO}=\overline{DO}:\overline{BO}=\overline{AD}:\overline{CB}$이고,

$\triangle$ABC에서 $\overline{EO}:\overline{BC}=\overline{AO}:\overline{AC}$,

$\triangle$DBC에서 $\overline{OF}:\overline{BC}=\overline{DO}:\overline{DB}$이므로

$\overline{EO}:\overline{BC}=\overline{OF}:\overline{BC}$, 즉 $\overline{EO}=\overline{OF}$임을 안다.

## 10 답 $\dfrac{28}{5}$ cm

$\overline{AF}:\overline{FD}=\overline{BE}:\overline{EC}$이므로 $\overline{AB}/\!/\overline{EF}/\!/\overline{CD}$

오른쪽 그림과 같이 $\overline{AC}$를 긋고 $\overline{FE}$의 연장선이 $\overline{AC}$와 만나는 점을 G라 하면

$\triangle$ACD에서

$\overline{GF}:\overline{CD}=\overline{AF}:\overline{AD}=3:5$이므로

$\overline{GF}:16=3:5$ $\quad\therefore\overline{GF}=\dfrac{48}{5}$ (cm)

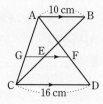

---

△CBA에서

$\overline{GE}:\overline{AB}=\overline{CE}:\overline{CB}=2:5$이므로

$\overline{GE}:10=2:5$ ∴ $\overline{GE}=4$ (cm)

∴ $\overline{EF}=\overline{GF}-\overline{GE}=\dfrac{48}{5}-4=\dfrac{28}{5}$ (cm)

**전략**

$\overline{AC}$를 긋고 $\overline{FE}$의 연장선이 $\overline{AC}$와 만나는 점을 G라 한 후 △ACD와 △CBA에서 평행선과 선분의 길이의 비를 이용한다.

## 11 답 $\dfrac{8}{3}$ cm

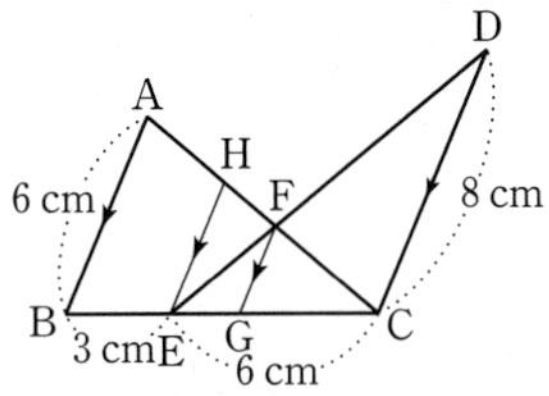

오른쪽 그림과 같이 점 E에서 $\overline{AB}$에 평행한 직선을 그어 $\overline{AC}$와 만나는 점을 H라 하면 △CAB에서

$\overline{CE}:\overline{CB}=\overline{HE}:\overline{AB}$이므로

$6:9=\overline{HE}:6$ ∴ $\overline{HE}=4$ (cm)

이때 △FHE∽△FCD (AA 닮음)이므로

$\overline{FE}:\overline{FD}=\overline{HE}:\overline{CD}=4:8=1:2$

∴ $\overline{EF}:\overline{ED}=1:(1+2)=1:3$

따라서 △ECD에서 $\overline{FG}:\overline{DC}=\overline{EF}:\overline{ED}=1:3$이므로

$\overline{FG}:8=1:3$ ∴ $\overline{FG}=\dfrac{8}{3}$ (cm)

**전략**

점 E에서 $\overline{AB}$에 평행한 직선을 그어 $\overline{AC}$와 만나는 점을 H라 한 후 △CAB와 △ECD에서 평행선과 선분의 길이의 비를 이용한다.

## 12 답 144 cm²

$\overline{AB}$, $\overline{EF}$, $\overline{DC}$가 모두 $\overline{BC}$에 수직이므로 $\overline{AB}$∥$\overline{EF}$∥$\overline{DC}$

△ABE∽△CDE (AA 닮음)이므로

$\overline{BE}:\overline{DE}=\overline{AB}:\overline{CD}=16:48=1:3$

△BCD에서 $\overline{EF}$∥$\overline{DC}$이므로

$\overline{EF}:\overline{DC}=\overline{BE}:\overline{BD}=1:(1+3)=1:4$

$\overline{EF}:48=1:4$ ∴ $\overline{EF}=12$ (cm)

또 $\overline{BF}:\overline{BC}=\overline{BE}:\overline{BD}=1:4$에서

$\overline{BF}:32=1:4$ ∴ $\overline{BF}=8$ (cm)

∴ △BFE$=\dfrac{1}{2}\times8\times12=48$ (cm²)

△AED$=$△ABD$-$△ABE

$\qquad=\dfrac{1}{2}\times16\times32-\dfrac{1}{2}\times16\times8$

$\qquad=192$ (cm²)

∴ △AED$-$△BFE$=192-48=144$ (cm²)

**전략**

△ABE∽△CDE (AA 닮음)와 △BCD에서 평행선과 선분의 길이의 비를 이용하여 $\overline{EF}$, $\overline{BF}$의 길이를 각각 구한다.

## 13 답 32 cm

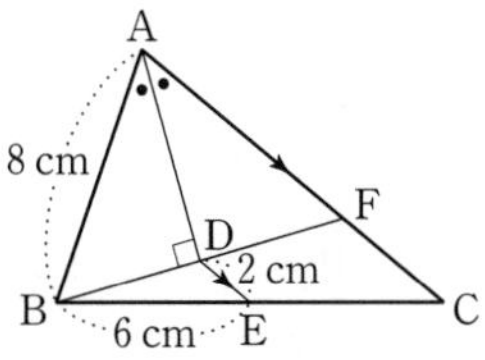

오른쪽 그림과 같이 $\overline{BD}$의 연장선과 $\overline{AC}$의 교점을 F라 하면

△ABD≡△AFD (ASA 합동)이므로

$\overline{BD}=\overline{FD}$, $\overline{AF}=\overline{AB}=8$ cm

△BCF에서 $\overline{BD}=\overline{FD}$, $\overline{DE}$∥$\overline{FC}$이므로

$\overline{EC}=\overline{BE}=6$ cm, $\overline{FC}=2\overline{DE}=2\times2=4$ (cm)

∴ (△ABC의 둘레의 길이)$=8+(6+6)+(4+8)$

$\qquad\qquad\qquad\qquad\qquad=32$ (cm)

**전략**

$\overline{BD}$의 연장선과 $\overline{AC}$의 교점을 F라 하면 △ABD≡△AFD (ASA 합동)이므로 $\overline{BD}=\overline{FD}$이다.

## 14 답 4

$\overline{DF}=a$라 하자.

△CAE에서 $\overline{CD}=\overline{DA}$, $\overline{CF}=\overline{FE}$이므로

$\overline{DF}$∥$\overline{AE}$, $\overline{AE}=2\overline{DF}=2a$

△BFD에서 $\overline{BE}=\overline{EF}$, $\overline{PE}$∥$\overline{DF}$이므로

$\overline{PE}=\dfrac{1}{2}\overline{DF}=\dfrac{1}{2}a$

∴ $\overline{AP}=\overline{AE}-\overline{PE}=2a-\dfrac{1}{2}a=\dfrac{3}{2}a$

이때 △APQ∽△FDQ (AA 닮음)이므로

$\overline{AQ}:\overline{FQ}=\overline{AP}:\overline{FD}$에서

$6:\overline{FQ}=\dfrac{3}{2}a:a$ ∴ $\overline{FQ}=4$

**전략**

△APQ∽△FDQ (AA 닮음)임을 이용하여 $\overline{FQ}$의 길이를 구한다.

## 15 답 5 : 2

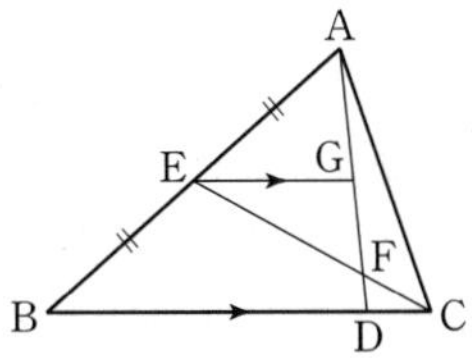

$\overline{CD}=a$라 하면 $\overline{BD}=5a$

오른쪽 그림과 같이 점 E에서 $\overline{BC}$에 평행한 직선을 그어 $\overline{AD}$와 만나는 점을 G라 하면 △ABD에서

$\overline{AE}=\overline{EB}$, $\overline{EG}$∥$\overline{BD}$이므로

$\overline{EG}=\dfrac{1}{2}\overline{BD}=\dfrac{5}{2}a$

이때 △EFG∽△CFD (AA 닮음)이므로

$\overline{EF}:\overline{CF}=\overline{EG}:\overline{CD}=\dfrac{5}{2}a:a=5:2$

**전략**

점 E에서 $\overline{BC}$에 평행한 직선을 긋는다.

## 16  답 2 cm

$\overline{PC}=a$라 하면 $\overline{AP}$는 $\angle A$의 이등분선이므로

$\overline{BP}:\overline{CP}=\overline{AB}:\overline{AC}$

$\overline{BP}:a=2:1$   ∴ $\overline{BP}=2a$

$\overline{BC}=\overline{BP}+\overline{PC}=2a+a=3a$이므로

$\overline{BN}=\dfrac{1}{2}\overline{BC}=\dfrac{3}{2}a$

∴ $\overline{NP}=\overline{BP}-\overline{BN}=2a-\dfrac{3}{2}a=\dfrac{1}{2}a$

이때 $\triangle BCA$에서 $\overline{BM}=\overline{MA}$, $\overline{BN}=\overline{NC}$이므로

$\overline{MN}\,/\!/\,\overline{AC}$

따라서 $\triangle PNQ\varpropto\triangle PCA$ (AA 닮음)이므로

$\overline{PQ}:\overline{PA}=\overline{PN}:\overline{PC}=\dfrac{1}{2}a:a=1:2$

$\overline{PQ}:4=1:2$   ∴ $\overline{PQ}=2$ (cm)

전략
$\overline{PC}=a$로 놓고, $\overline{NP}$를 $a$를 사용하여 나타낸다. 또 $\triangle PNQ\varpropto\triangle PCA$ (AA 닮음)임을 이용하여 $\overline{PQ}$의 길이를 구한다.

## 17  답 5 cm²

오른쪽 그림과 같이 점 E에서 $\overline{BC}$에 평행한 직선을 그어 $\overline{AD}$와 만나는 점을 G라 하고 $\overline{GE}=a$라 하면

$\triangle ADC$에서

$\overline{AE}=\overline{EC}$, $\overline{GE}\,/\!/\,\overline{DC}$이므로

$\overline{AG}=\overline{GD}$, $\overline{DC}=2\overline{GE}=2a$

또 $\overline{BC}=3\overline{BD}$이므로 $\overline{BD}:\overline{DC}=1:2$

∴ $\overline{BD}=\dfrac{1}{2}\overline{DC}=\dfrac{1}{2}\times2a=a$

$\triangle FEG$와 $\triangle FBD$에서

$\overline{EG}=\overline{BD}$, $\angle FGE=\angle FDB$ (엇각), $\angle FEG=\angle FBD$ (엇각)

이므로 $\triangle FEG\equiv\triangle FBD$ (ASA 합동)

∴ $\overline{FD}=\overline{FG}$

이때 $\overline{AG}=\overline{GD}$이므로 $\overline{AG}:\overline{GF}:\overline{FD}=2:1:1$

따라서 $\triangle FEG=\dfrac{1}{3}\triangle AFE=\dfrac{1}{3}\times15=5$ (cm²)이므로

$\triangle FBD=\triangle FEG=5$ cm²

전략
점 E에서 $\overline{BC}$에 평행한 직선을 그어 $\overline{AD}$와 만나는 점을 G라 한 후 $\triangle FEG\equiv\triangle FBD$ (ASA 합동)임을 이용한다.

## 18  답 44 cm²

두 점 M, N은 각각 $\overline{AB}$, $\overline{CD}$의 중점이므로

$\overline{AD}\,/\!/\,\overline{MN}\,/\!/\,\overline{BC}$,

$\overline{MN}=\dfrac{1}{2}(\overline{AD}+\overline{BC})=\dfrac{1}{2}\times(8+12)=10$ (cm)

오른쪽 그림과 같이 점 A에서 $\overline{BC}$에 내린 수선의 발을 E라 하고, $\overline{AE}$와 $\overline{MN}$의 교점을 F라 하면

$\triangle ABE$에서

$\overline{AM}=\overline{MB}$, $\overline{MF}\,/\!/\,\overline{BE}$이므로

$\overline{AF}=\overline{FE}$

이때 □AMND의 넓이가 36 cm²이므로

$\dfrac{1}{2}\times(8+10)\times\overline{AF}=36$   ∴ $\overline{AF}=4$ (cm)

따라서 $\overline{FE}=\overline{AF}=4$ cm이므로

$\square MBCN=\dfrac{1}{2}\times(10+12)\times4=44$ (cm²)

전략
점 A에서 $\overline{BC}$에 내린 수선의 발을 E라 하고, $\overline{AE}$와 $\overline{MN}$의 교점을 F라 하면 $\overline{AF}=\overline{FE}$이다.

## 19  답 18°

$\triangle ABD$에서 $\overline{AB}\,/\!/\,\overline{MP}$이므로

$\angle MPD=\angle ABD=36°$ (동위각)

$\triangle BCD$에서 $\overline{PN}\,/\!/\,\overline{DC}$이므로

$\angle BPN=\angle BDC=72°$ (동위각)

따라서 $\angle DPN=180°-72°=108°$이므로

$\angle MPN=\angle MPD+\angle DPN=36°+108°=144°$

이때 $\overline{MP}=\dfrac{1}{2}\overline{AB}$, $\overline{PN}=\dfrac{1}{2}\overline{DC}$이고 $\overline{AB}=\overline{DC}$이므로

$\overline{MP}=\overline{PN}$

즉 $\triangle PNM$은 $\overline{MP}=\overline{PN}$인 이등변삼각형이므로

$\angle PNM=\dfrac{1}{2}\times(180°-144°)=18°$

전략
$\triangle PNM$은 $\overline{MP}=\overline{PN}$인 이등변삼각형이다.

## 20  답 7 : 9 : 11

$\overline{AP_1}=\overline{P_1P_2}=\overline{P_2B}$, $\overline{DQ_1}=\overline{Q_1Q_2}=\overline{Q_2C}$이므로

$\overline{AD}\,/\!/\,\overline{P_1Q_1}\,/\!/\,\overline{P_2Q_2}\,/\!/\,\overline{BC}$

오른쪽 그림과 같이 점 A에서 $\overline{DC}$에 평행한 직선을 그어 $\overline{P_1Q_1}$, $\overline{P_2Q_2}$, $\overline{BC}$와 만나는 점을 각각 E, F, G라 하면

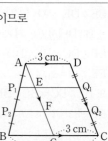

$\overline{EQ_1}=\overline{FQ_2}=\overline{GC}=\overline{AD}=3$ cm

∴ $\overline{BG}=\overline{BC}-\overline{GC}=6-3=3$ (cm)

$\triangle ABG$에서

$\overline{P_1E}\,/\!/\,\overline{P_2F}\,/\!/\,\overline{BG}$이므로

$\overline{AP_1}:\overline{AP_2}:\overline{AB}=\overline{P_1E}:\overline{P_2F}:\overline{BG}$

즉 $1:2:3=\overline{P_1E}:\overline{P_2F}:3$이므로

$\overline{P_1E}=1$ (cm), $\overline{P_2F}=2$ (cm)

∴ $\overline{P_1Q_1}=\overline{P_1E}+\overline{EQ_1}=1+3=4$ (cm)

$\overline{P_2Q_2}=\overline{P_2F}+\overline{FQ_2}=2+3=5$ (cm)

이때 세 사다리꼴 $AP_1Q_1D$, $P_1P_2Q_2Q_1$, $P_2BCQ_2$의 높이는 모두 같으므로 그 높이를 $h$ cm라 하면

$\square AP_1Q_1D : \square P_1P_2Q_2Q_1 : \square P_2BCQ_2$

$=\dfrac{1}{2}\times(3+4)\times h : \dfrac{1}{2}\times(4+5)\times h : \dfrac{1}{2}\times(5+6)\times h$

$=7:9:11$

**전략**

점 A에서 $\overline{DC}$에 평행한 직선을 그어 $\overline{P_1Q_1}$, $\overline{P_2Q_2}$의 길이를 구한다. 이때 세 사다리꼴 $AP_1Q_1D$, $P_1P_2Q_2Q_1$, $P_2BCQ_2$의 높이는 모두 같음을 이용한다.

---

**STEP 3** 전교 1등 확실하게 굳히는 문제     pp. 078~080

| | | | |
|---|---|---|---|
| **1** $48$ cm$^2$ | **2** $30$ cm$^2$ | **3** $132$ cm$^2$ | **4** $16$ cm |
| **5** $3$ cm | **6** $6:1$ | **7** $40$ | |

## 1   🔲 $48$ cm$^2$

$\overline{DC}=2\overline{AD}$이므로 $\overline{AD}:\overline{DC}=1:2$

$\overline{AE}=3\overline{EB}$이므로 $\overline{AE}:\overline{EB}=3:1$

오른쪽 그림과 같이 점 D를 지나고 $\overline{EC}$에 평행한 직선이 $\overline{AB}$와 만나는 점을 G라 하고 $\overline{GD}=x$ cm라 하면

△AEC에서 $\overline{GD}\,/\!/\,\overline{EC}$이므로

$\overline{AD}:\overline{AC}=\overline{GD}:\overline{EC}$

$1:3=x:\overline{EC}$

$\therefore \overline{EC}=3x$ (cm)

한편 $\overline{AE}:\overline{EB}=3:1$이고,

$\overline{AG}:\overline{AE}=\overline{AD}:\overline{AC}=1:3$이므로 $\overline{BE}:\overline{EG}=1:2$

△BDG에서 $\overline{EF}\,/\!/\,\overline{GD}$이므로

$\overline{BE}:\overline{BG}=\overline{EF}:\overline{GD}$

$1:3=\overline{EF}:x$    $\therefore \overline{EF}=\dfrac{1}{3}x$ (cm)

즉 $\overline{FC}=\overline{EC}-\overline{EF}=3x-\dfrac{1}{3}x=\dfrac{8}{3}x$ (cm)이므로

$\overline{EF}:\overline{FC}=\dfrac{1}{3}x:\dfrac{8}{3}x=1:8$

따라서 △EBF : △FBC=$\overline{EF}:\overline{FC}$이므로

$6:\triangle FBC=1:8$    $\therefore \triangle FBC=48$ (cm$^2$)

**전략**

점 D를 지나고 $\overline{EC}$에 평행한 직선을 그어 $\overline{EF}:\overline{FC}$를 구한 후 △EBF : △FBC=$\overline{EF}:\overline{FC}$임을 이용한다.

## 2   🔲 $30$ cm$^2$

오른쪽 그림과 같이 $\overline{AC}$의 연장선과 $\overline{BE}$의 연장선의 교점을 F라 하고, 점 C에서 $\overline{AD}$에 내린 수선의 발을 G라 하면

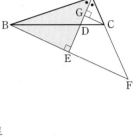

△ABE≡△AFE (ASA 합동)

이므로 $\overline{AB}=\overline{AF}$

$\therefore \overline{AC}:\overline{AF}=\overline{AC}:\overline{AB}=1:3$

이때 △AEF에서 $\overline{GC}\,/\!/\,\overline{EF}$이므로

$\overline{AG}:\overline{AE}=\overline{AC}:\overline{AF}=1:3$

$\therefore \overline{AG}:\overline{GE}=1:2$       ······ ㉠

또 $\overline{AD}$는 ∠A의 이등분선이므로

$\overline{BD}:\overline{CD}=\overline{AB}:\overline{AC}=3:1$

△GDC∽△EDB (AA 닮음)이므로

$\overline{GD}:\overline{ED}=\overline{CD}:\overline{BD}=1:3$      ······ ㉡

㉠, ㉡에서

$\overline{AG}:\overline{GD}:\overline{DE}=2:1:3$

즉 $\overline{AD}=\overline{DE}$이므로 △ABD=△DBE

따라서 $\triangle ABD=\dfrac{3}{4}\triangle ABC=\dfrac{3}{4}\times20=15$ (cm$^2$)이므로

$\triangle ABE=\triangle ABD+\triangle DBE=15+15=30$ (cm$^2$)

**전략**

$\overline{AC}$의 연장선과 $\overline{BE}$의 연장선을 그은 후 각의 이등분선의 성질을 이용하여 $\overline{AD}=\overline{DE}$임을 구한다.

## 3   🔲 $132$ cm$^2$

오른쪽 그림과 같이 $\overline{EG}$와 $\overline{FH}$의 교점을 O라 하고, $\overline{AC}$와 $\overline{FH}$의 교점을 P라 하면

$\overline{AF}:\overline{FB}=\overline{DH}:\overline{HC}=2:3$이므로

$\overline{AD}\,/\!/\,\overline{FH}\,/\!/\,\overline{BC}$    $\therefore \overline{EG}\perp\overline{FH}$

△ABC에서

$\overline{AF}:\overline{AB}=\overline{FP}:\overline{BC}$이므로

$2:5=\overline{FP}:26$    $\therefore \overline{FP}=\dfrac{52}{5}$ (cm)

△ACD에서 $\overline{CH}:\overline{CD}=\overline{PH}:\overline{AD}$이므로

$3:5=\overline{PH}:12$    $\therefore \overline{PH}=\dfrac{36}{5}$ (cm)

$\therefore \overline{FH}=\overline{FP}+\overline{PH}=\dfrac{52}{5}+\dfrac{36}{5}=\dfrac{88}{5}$ (cm)

$\therefore \square EFGH=\triangle EFH+\triangle GHF$

$=\dfrac{1}{2}\times\overline{FH}\times\overline{EO}+\dfrac{1}{2}\times\overline{FH}\times\overline{GO}$

$=\dfrac{1}{2}\times\overline{FH}\times(\overline{EO}+\overline{GO})$

$=\dfrac{1}{2}\times\overline{FH}\times\overline{EG}$

$=\dfrac{1}{2}\times\dfrac{88}{5}\times15$

$=132$ (cm$^2$)

## 4  답 16 cm

정사면체의 전개도에서 4개의 삼각형은 한 변의 길이가 15 cm인 정삼각형이고, $\overline{AE}:\overline{EC}=4:1$이므로

$\overline{AE}=\dfrac{4}{5}\overline{AC}=\dfrac{4}{5}\times15=12\,(\text{cm})$,

$\overline{EC}=\dfrac{1}{5}\overline{AC}=\dfrac{1}{5}\times15=3\,(\text{cm})$ ······ 10 %

$\triangle$A′AE에서 $\overline{A'D}=\overline{DA}$,

$\overline{DG}\,/\!/\,\overline{AE}\,(\because\angle A'DG=\angle A'AE=60°)$이므로

$\overline{DG}=\dfrac{1}{2}\overline{AE}=\dfrac{1}{2}\times12=6\,(\text{cm})$ ······ 40 %

이때 $\triangle$DFG$\backsim$$\triangle$CFE (AA 닮음)이므로

$\overline{DF}:\overline{CF}=\overline{DG}:\overline{CE}=6:3=2:1$

$\therefore\overline{DF}=\dfrac{2}{3}\overline{DC}=\dfrac{2}{3}\times15=10\,(\text{cm})$ ······ 40 %

$\therefore\overline{DF}+\overline{DG}=10+6=16\,(\text{cm})$ ······ 10 %

## 5  답 3 cm

오른쪽 그림과 같이 점 M을 지나고 $\overline{BC}$에 평행한 직선이 $\overline{AC}$와 만나는 점을 E라 하면 $\overline{AM}=\overline{MB}$, $\overline{ME}\,/\!/\,\overline{BC}$이므로

$\overline{AE}=\overline{EC}$,

$\overline{ME}=\dfrac{1}{2}\overline{BC}=\dfrac{1}{2}\times6=3\,(\text{cm})$

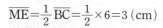

이때 $\overline{DE}$를 그으면 점 E는 직각삼각형 ADC의 외심이므로

$\overline{AE}=\overline{CE}=\overline{DE}$

$\therefore\angle ADE=\angle A$

한편 $\overline{ME}\,/\!/\,\overline{BC}$이므로

$\angle AME=\angle B$ (동위각)$=2\angle A$

$\triangle$MDE에서

$\angle AME=\angle MDE+\angle MED$이므로

$2\angle A=\angle A+\angle MED$

$\therefore\angle A=\angle MED$

따라서 $\angle MDE=\angle MED$이므로 $\triangle$MDE는 $\overline{MD}=\overline{ME}$인 이등변삼각형이다.

$\therefore\overline{MD}=\overline{ME}=3\,\text{cm}$

## 6  답 6 : 1

$\overline{QR}=x$라 하자.

$\triangle$BCP에서 $\overline{BQ}=\overline{QP}$, $\overline{BR}=\overline{RC}$이므로

$\overline{QR}\,/\!/\,\overline{PC}$, $\overline{PC}=2\overline{QR}=2x$

또 점 P는 $\overline{AB}$의 중점이고 점 Q는 $\overline{BP}$의 중점이므로

$\overline{AP}:\overline{PQ}=2:1$

$\triangle$AQR에서 $\overline{PD}\,/\!/\,\overline{QR}$이므로

$\overline{AD}:\overline{DR}=\overline{AP}:\overline{PQ}=2:1$ ······ ㉠

또 $\overline{PD}:\overline{QR}=\overline{AP}:\overline{AQ}$이므로

$\overline{PD}:x=2:3$ $\therefore\overline{PD}=\dfrac{2}{3}x$

$\therefore\overline{DC}=\overline{PC}-\overline{PD}=2x-\dfrac{2}{3}x=\dfrac{4}{3}x$

한편 $\triangle$DEC$\backsim$$\triangle$REQ (AA 닮음)이므로

$\overline{DE}:\overline{RE}=\overline{DC}:\overline{RQ}=\dfrac{4}{3}x:x=4:3$ ······ ㉡

㉠, ㉡에서

$\overline{AD}:\overline{DE}:\overline{ER}=14:4:3$

$\therefore\overline{AE}:\overline{ER}=(14+4):3=18:3=6:1$

## 7  답 40

다음 그림과 같이 $\overline{AB}$의 사등분점을 $P_1$, $P_2$, $P_3$이라 하고 $\overline{DC}$의 사등분점을 $Q_1$, $Q_2$, $Q_3$이라 하자.

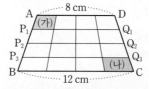

$\overline{AP_1}=\overline{P_1P_2}=\overline{P_2P_3}=\overline{P_3B}$, $\overline{DQ_1}=\overline{Q_1Q_2}=\overline{Q_2Q_3}=\overline{Q_3C}$이므로

$\overline{AD}\,/\!/\,\overline{P_1Q_1}\,/\!/\,\overline{P_2Q_2}\,/\!/\,\overline{P_3Q_3}\,/\!/\,\overline{BC}$

$\overline{P_2Q_2}=\dfrac{1}{2}(\overline{AD}+\overline{BC})=\dfrac{1}{2}\times(8+12)=10\,(\text{cm})$

$\overline{P_1Q_1}=\dfrac{1}{2}(\overline{AD}+\overline{P_2Q_2})=\dfrac{1}{2}\times(8+10)=9\,(\text{cm})$

$\overline{P_3Q_3}=\dfrac{1}{2}(\overline{P_2Q_2}+\overline{BC})=\dfrac{1}{2}\times(10+12)=11\,(\text{cm})$

이때 16개의 사각형은 모두 높이가 같은 사다리꼴이므로 그 높이를 $h$ cm라 하면

(㈎의 넓이) : (㈏의 넓이)

$=\dfrac{1}{2}\times\left(2+\dfrac{9}{4}\right)\times h:\dfrac{1}{2}\times\left(\dfrac{11}{4}+3\right)\times h$

$=17:23$

따라서 $p=17$, $q=23$이므로

$p+q=17+23=40$

# 03 닮음의 활용

**[ 확인 ❶ ]** ❸ 3

$\overline{GD} = \dfrac{1}{2}\overline{AG} = \dfrac{9}{2}$

$\therefore \overline{GG'} = \dfrac{2}{3}\overline{GD} = \dfrac{2}{3} \times \dfrac{9}{2} = 3$

**[ 확인 ❷ ]** ❸ $200\pi \text{ cm}^2$

두 구 A, B의 부피의 비가

$32\pi : 500\pi = 8 : 125 = 2^3 : 5^3$

이므로 닮음비는 $2 : 5$이다.

따라서 겉넓이의 비는 $2^2 : 5^2 = 4 : 25$이므로

$32\pi :$ (구 B의 겉넓이) $= 4 : 25$

$\therefore$ (구 B의 겉넓이) $= 200\pi \ (\text{cm}^2)$

**[ 확인 ❸ ]** ❸ $30000 \text{ m}^2$

과수원의 실제 가로의 길이는

$4 \ (\text{cm}) \times 5000 = 20000 \ (\text{cm}) = 200 \ (m)$

과수원의 실제 세로의 길이는

$3 \ (\text{cm}) \times 5000 = 15000 \ (\text{cm}) = 150 \ (m)$

따라서 과수원의 실제 넓이는

$200 \times 150 = 30000 \ (m^2)$

---

**STEP 1** 억울하게 울리는 문제      pp. 082 ~ 084

| | | | |
|---|---|---|---|
| **1-1** $4 \text{ cm}$ | **1-2** $18 \text{ cm}$ | **2-1** $12 \text{ cm}$ | **2-2** $3 \text{ cm}$ |
| **3-1** $6 \text{ cm}^2$ | **3-2** $48 \text{ cm}^2$ | **4-1** $6 \text{ cm}$ | **4-2** $15 \text{ cm}$ |
| **5-1** $4 \text{ cm}^2$ | **5-2** $20 \text{ cm}^2$ | **6-1** $13.6 \text{ m}$ | **6-2** $20 \text{ m}$ |
| **7-1** $2 \text{ km}$ | **7-2** $40 \text{ km}^2$ | | |

## 1-1   ❸ $4 \text{ cm}$

$\overline{BE} = \overline{DE} = \dfrac{1}{2}\overline{BD}$, $\overline{DF} = \overline{CF} = \dfrac{1}{2}\overline{CD}$이므로

$\begin{aligned} \overline{EF} &= \overline{DE} + \overline{DF} \\ &= \dfrac{1}{2}\overline{BD} + \dfrac{1}{2}\overline{CD} \\ &= \dfrac{1}{2}(\overline{BD} + \overline{CD}) = \dfrac{1}{2}\overline{BC} \\ &= \dfrac{1}{2} \times 12 = 6 \ (\text{cm}) \end{aligned}$

이때 두 점 G, G'은 각각 △ABD, △ADC의 무게중심이므로

$\overline{AG} : \overline{GE} = \overline{AG'} : \overline{G'F} = 2 : 1$

따라서 △AEF에서 $\overline{GG'} /\!/ \overline{EF}$이므로

$\overline{AG} : \overline{AE} = \overline{GG'} : \overline{EF}$

즉 $2 : 3 = \overline{GG'} : 6$이므로 $\overline{GG'} = 4 \ (\text{cm})$

## 1-2   ❸ $18 \text{ cm}$

△GMG'과 △AMD에서

점 G가 △ABC의 무게중심이므로

$\overline{MG} : \overline{MA} = 1 : 3$

또 점 G'이 △DBC의 무게중심이므로

$\overline{MG'} : \overline{MD} = 1 : 3$

∠GMG'은 공통

$\therefore$ △GMG' $\backsim$ △AMD (SAS 닮음)

즉 $\overline{MG} : \overline{MA} = \overline{GG'} : \overline{AD}$이므로

$1 : 3 = 6 : \overline{AD}$    $\therefore \overline{AD} = 18 \ (\text{cm})$

## 2-1   ❸ $12 \text{ cm}$

△ABC에서 $\overline{AF} = \overline{BF}$, $\overline{AE} = \overline{CE}$이므로 $\overline{FE} /\!/ \overline{BC}$

따라서 △GBD $\backsim$ △GEH (AA 닮음)이므로

$\overline{GB} : \overline{GE} = \overline{GD} : \overline{GH}$

즉 $2 : 1 = \overline{GD} : 2$이므로 $\overline{GD} = 4 \ (\text{cm})$

이때 점 G가 △ABC의 무게중심이므로

$\overline{AD} = 3\overline{GD} = 3 \times 4 = 12 \ (\text{cm})$

## 2-2   ❸ $3 \text{ cm}$

점 G가 △ABC의 무게중심이므로

$\overline{GD} = \dfrac{1}{2}\overline{AG} = \dfrac{1}{2} \times 12 = 6 \ (\text{cm})$

△ABC에서 $\overline{AF} = \overline{BF}$, $\overline{AE} = \overline{CE}$이므로 $\overline{FE} /\!/ \overline{BC}$

따라서 △GBD $\backsim$ △GEH (AA 닮음)이므로

$\overline{GB} : \overline{GE} = \overline{GD} : \overline{GH}$

즉 $2 : 1 = 6 : \overline{GH}$이므로 $\overline{GH} = 3 \ (\text{cm})$

## 3-1   ❸ $6 \text{ cm}^2$

△ABD : △ADC $= \overline{BD} : \overline{DC} = 1 : 2$이므로

△ADC $= \dfrac{2}{3}$△ABC $= \dfrac{2}{3} \times 54 = 36 \ (\text{cm}^2)$

이때 점 G는 △ADC의 무게중심이므로

△AFG $= \dfrac{1}{6}$△ADC $= \dfrac{1}{6} \times 36 = 6 \ (\text{cm}^2)$

## 3-2   ❸ $48 \text{ cm}^2$

점 H는 △ADF의 무게중심이므로

△ADF $= 6$△HEF $= 6 \times 4 = 24 \ (\text{cm}^2)$

이때 $\overline{BC} = 2\overline{DF}$이므로

△ABC $= 2$△ADF $= 2 \times 24 = 48 \ (\text{cm}^2)$

## 4-1 ❸ 6 cm

$\triangle AMN$에서 $\overline{PQ}/\!/\overline{MN}$이므로

$\overline{AP}:\overline{AM}=\overline{PQ}:\overline{MN}$

이때 오른쪽 그림과 같이 $\overline{AC}$를 그으
면 점 P는 $\triangle ABC$의 무게중심이므로

$\overline{AP}:\overline{PM}=2:1$

즉 $\overline{AP}:\overline{AM}=2:3$이므로

$2:3=4:\overline{MN}$  ∴ $\overline{MN}=6\,(cm)$

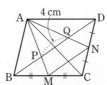

**다른 풀이**

$\overline{BP}=\overline{PQ}=\overline{QD}=4$ cm이므로

$\overline{BD}=3\overline{PQ}=3\times4=12\,(cm)$

∴ $\overline{MN}=\dfrac{1}{2}\overline{BD}=\dfrac{1}{2}\times12=6\,(cm)$

## 4-2 ❸ 15 cm

오른쪽 그림과 같이 $\overline{AC}$를 그어 대각선
$\overline{BD}$와 만나는 점을 O라 하면

$\overline{BO}=\overline{OD}=\dfrac{1}{2}\overline{BD}$

$=\dfrac{1}{2}\times36=18\,(cm)$

이때 점 P는 $\triangle ABC$의 무게중심이므로

$\overline{BP}:\overline{PO}=2:1$에서

$\overline{PO}=\dfrac{1}{3}\overline{BO}=\dfrac{1}{3}\times18=6\,(cm)$

또 $\triangle AOD$에서 $\overline{AN}=\overline{ND}$, $\overline{AO}/\!/\overline{NQ}$이므로

$\overline{OQ}=\overline{QD}=\dfrac{1}{2}\overline{OD}=\dfrac{1}{2}\times18=9\,(cm)$

∴ $\overline{PQ}=\overline{PO}+\overline{OQ}=6+9=15\,(cm)$

## 5-1 ❸ 4 cm²

점 P는 $\triangle ABC$의 무게중심이므로

$\triangle APO=\dfrac{1}{6}\triangle ABC=\dfrac{1}{6}\times\dfrac{1}{2}\square ABCD$

$=\dfrac{1}{12}\square ABCD$

$=\dfrac{1}{12}\times24=2\,(cm^2)$

점 Q는 $\triangle ACD$의 무게중심이므로

$\triangle AOQ=\dfrac{1}{6}\triangle ACD=\dfrac{1}{6}\times\dfrac{1}{2}\square ABCD$

$=\dfrac{1}{12}\square ABCD$

$=\dfrac{1}{12}\times24=2\,(cm^2)$

∴ $\triangle APQ=\triangle APO+\triangle AOQ$

$=2+2=4\,(cm^2)$

---

**다른 풀이**

$\triangle APQ=\dfrac{1}{3}\triangle ABD=\dfrac{1}{3}\times\dfrac{1}{2}\square ABCD$

$=\dfrac{1}{6}\square ABCD$

$=\dfrac{1}{6}\times24=4\,(cm^2)$

## 5-2 ❸ 20 cm²

점 P는 $\triangle ABC$의 무게중심이므로

$\square PMCO=\dfrac{1}{3}\triangle ABC=\dfrac{1}{3}\times\dfrac{1}{2}\square ABCD$

$=\dfrac{1}{6}\square ABCD$

$=\dfrac{1}{6}\times60=10\,(cm^2)$

점 Q는 $\triangle ACD$의 무게중심이므로

$\square OCNQ=\dfrac{1}{3}\triangle ACD=\dfrac{1}{3}\times\dfrac{1}{2}\square ABCD$

$=\dfrac{1}{6}\square ABCD$

$=\dfrac{1}{6}\times60=10\,(cm^2)$

∴ (오각형 PMCNQ의 넓이)$=\square PMCO+\square OCNQ$

$=10+10=20\,(cm^2)$

## 6-1 ❸ 13.6 m

$\triangle ABC\backsim\triangle DEF$이므로

$\overline{AC}:\overline{DF}=\overline{BC}:\overline{EF}$에서

$\overline{AC}:4=2400:8$  ∴ $\overline{AC}=1200\,(cm)=12\,(m)$

따라서 탑의 실제 높이는

$12+1.6=13.6\,(m)$

## 6-2 ❸ 20 m

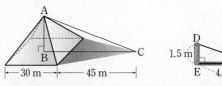

$\triangle ABC\backsim\triangle DEF$이므로

$\overline{AB}:\overline{DE}=\overline{BC}:\overline{EF}$

이때 $\overline{BC}=\dfrac{1}{2}\times30+45=60\,(m)$이므로

$\overline{AB}:1.5=60:4.5$  ∴ $\overline{AB}=20\,(m)$

따라서 건축물의 높이는 20 m이다.

## 7-1 🔑 2 km

땅의 실제 가로의 길이는
$7 \, (\text{cm}) \times 10000 = 70000 \, (\text{cm}) = 0.7 \, (\text{km})$
땅의 실제 세로의 길이는
$3 \, (\text{cm}) \times 10000 = 30000 \, (\text{cm}) = 0.3 \, (\text{km})$
따라서 땅의 실제 둘레의 길이는
$2 \times (0.7 + 0.3) = 2 \, (\text{km})$

## 7-2 🔑 40 km²

$1 \, (\text{km}) = 100000 \, (\text{cm})$이므로
$(\text{축척}) = \dfrac{5}{100000} = \dfrac{1}{20000}$
땅의 실제 가로의 길이는
$50 \, (\text{cm}) \times 20000 = 1000000 \, (\text{cm}) = 10 \, (\text{km})$
땅의 실제 세로의 길이는
$20 \, (\text{cm}) \times 20000 = 400000 \, (\text{cm}) = 4 \, (\text{km})$
따라서 땅의 실제 넓이는
$10 \times 4 = 40 \, (\text{km}^2)$

---

| **STEP 2** 반드시 등수 올리는 문제 | | | pp. 085~088 |
|---|---|---|---|
| **01** $\dfrac{12}{7}$ cm² | **02** 8 cm | **03** 15 cm | **04** 30 cm² |
| **05** 20 cm² | **06** $8\pi$ cm² | **07** 16 : 36 : 81 | |
| **08** 54 cm² | **09** 992 | **10** 3분 | **11** $122\pi$ cm³ |
| **12** 2 : 3 | **13** 200 m² | **14** 4.9 | **15** 2 m |
| **16** 40 cm | | | |

## 01 🔑 $\dfrac{12}{7}$ cm²

점 I는 △ABC의 내심이므로
$\angle BAE = \angle CAE$
즉 $\overline{BE} : \overline{CE} = \overline{AB} : \overline{AC} = 8 : 6 = 4 : 3$
이때 $\overline{BE} = 4k$, $\overline{CE} = 3k \, (k > 0)$라 하면
$\overline{BC} = \overline{BE} + \overline{CE} = 4k + 3k = 7k$
한편 $\overline{AD}$는 △ABC의 중선이므로
$\overline{DC} = \dfrac{1}{2}\overline{BC} = \dfrac{7}{2}k$
$\therefore \overline{DE} = \overline{DC} - \overline{EC} = \dfrac{7}{2}k - 3k = \dfrac{1}{2}k$
따라서 $\overline{BC} : \overline{DE} = 7k : \dfrac{1}{2}k = 14 : 1$이므로
$\triangle ADE = \dfrac{1}{14} \triangle ABC$
$\qquad = \dfrac{1}{14} \times \left( \dfrac{1}{2} \times 8 \times 6 \right) = \dfrac{12}{7} \, (\text{cm}^2)$

---

전략

$\overline{AE}$는 ∠A의 이등분선이므로 $\overline{AB} : \overline{AC} = \overline{BE} : \overline{CE}$이고, $\overline{AD}$는 △ABC의 중선임을 이용한다.

## 02 🔑 8 cm

오른쪽 그림과 같이 $\overline{BD}$를 그으면
□ABCD는 등변사다리꼴이므로
$\overline{BD} = \overline{AC} = 24 \, \text{cm}$
$\overline{CG}$, $\overline{CG'}$의 연장선이 $\overline{AB}$, $\overline{AD}$와
만나는 점을 각각 E, F라 하고, $\overline{EF}$
를 그으면
$\overline{CE}$는 △ABC의 중선이므로 $\overline{AE} = \overline{BE}$
$\overline{CF}$는 △ACD의 중선이므로 $\overline{AF} = \overline{DF}$
$\therefore \overline{EF} = \dfrac{1}{2}\overline{BD} = \dfrac{1}{2} \times 24 = 12 \, (\text{cm})$
한편 △CGG′ ∽ △CEF (SAS 닮음)이므로
$\overline{GG'} : \overline{EF} = \overline{CG} : \overline{CE} = 2 : 3$에서
$\overline{GG'} : 12 = 2 : 3$ $\quad \therefore \overline{GG'} = 8 \, (\text{cm})$

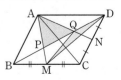

전략

등변사다리꼴의 두 대각선의 길이는 같음을 이용한다.

## 03 🔑 15 cm

△BCD에서 $\overline{BO} = \overline{DO}$이므로 점 G는 △BCD의 무게중심이다.
이때 $\overline{CO} = \overline{AO} = 6 \, \text{cm}$이므로
$\overline{CG} = \dfrac{2}{3}\overline{CO} = \dfrac{2}{3} \times 6 = 4 \, (\text{cm})$
한편 $\overline{EB} /\!/ \overline{DF}$, $\overline{EB} = \overline{DF}$이므로 □EBFD는 평행사변형이다.
즉 $\overline{BF} = \overline{ED} = 15 \, \text{cm}$이므로
$\overline{GF} = \dfrac{1}{3}\overline{BF} = \dfrac{1}{3} \times 15 = 5 \, (\text{cm})$
또 $\overline{CF} = \dfrac{1}{2}\overline{CD} = \dfrac{1}{2} \times 12 = 6 \, (\text{cm})$
따라서 △GCF의 둘레의 길이는
$\overline{GC} + \overline{CF} + \overline{FG} = 4 + 6 + 5 = 15 \, (\text{cm})$

전략

점 G가 △BCD의 무게중심임을 이용한다.

## 04 🔑 30 cm²

오른쪽 그림과 같이 $\overline{AC}$를 그으면 두
점 P, Q는 각각 △ABC, △ACD
의 무게중심이므로
$\overline{BP} = \overline{PQ} = \overline{QD}$
이때 □ABCD의 넓이가 120 cm²이므로

$$\triangle APQ = \frac{1}{3}\triangle ABD = \frac{1}{3} \times \frac{1}{2}\square ABCD$$
$$= \frac{1}{6}\square ABCD$$
$$= \frac{1}{6} \times 120 = 20 \,(\text{cm}^2)$$
$$\triangle QMD = \frac{1}{3}\triangle DBM = \frac{1}{3} \times \frac{1}{2}\triangle BCD$$
$$= \frac{1}{6} \times \frac{1}{2}\square ABCD$$
$$= \frac{1}{12}\square ABCD$$
$$= \frac{1}{12} \times 120 = 10 \,(\text{cm}^2)$$
$$\therefore \triangle APQ + \triangle QMD = 20 + 10 = 30 \,(\text{cm}^2)$$

전략

$\overline{BP} = \overline{PQ} = \overline{QD}$이므로 $\triangle APQ = \frac{1}{3}\triangle ABD$,

$\triangle QMD = \frac{1}{3}\triangle DBM$임을 이용한다.

## 05 📋 20 cm²

오른쪽 그림과 같이 $\overline{AC}$를 그어 대각선 BD와 만나는 점을 O라 하면 점 P는 $\triangle ABC$의 무게중심이므로

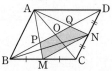

$$\square PMCO = \frac{1}{3}\triangle ABC$$
$$= \frac{1}{3} \times \frac{1}{2}\square ABCD = \frac{1}{6}\square ABCD$$
$$= \frac{1}{6} \times 96 = 16 \,(\text{cm}^2)$$

또 점 Q는 $\triangle ACD$의 무게중심이므로

$$\square OCNQ = \frac{1}{3}\triangle ACD = \frac{1}{3} \times \frac{1}{2}\square ABCD$$
$$= \frac{1}{6}\square ABCD$$
$$= \frac{1}{6} \times 96 = 16 \,(\text{cm}^2)$$

$\therefore$ (오각형 PMCNQ의 넓이) $= \square PMCO + \square OCNQ$
$$= 16 + 16 = 32 \,(\text{cm}^2)$$

한편 $\overline{BN}$을 그으면

$$\triangle MCN = \frac{1}{2}\triangle BCN = \frac{1}{2} \times \frac{1}{2}\triangle BCD$$
$$= \frac{1}{4} \times \frac{1}{2}\square ABCD$$
$$= \frac{1}{8}\square ABCD$$
$$= \frac{1}{8} \times 96 = 12 \,(\text{cm}^2)$$

$\therefore \square PMNQ = $ (오각형 PMCNQ의 넓이) $- \triangle MCN$
$$= 32 - 12 = 20 \,(\text{cm}^2)$$

전략

$\square PMNQ = $ (오각형 PMCNQ의 넓이) $- \triangle MCN$임을 이용한다.

## 06 📋 8π cm²

가장 작은 원과 가장 큰 원의 닮음비가 1 : 9이므로 넓이의 비는

$1^2 : 9^2 = 1 : 81$

이때 가장 큰 원의 넓이가 $72\pi \,\text{cm}^2$이므로

$1 : 81 = $ (가장 작은 원의 넓이) $: 72\pi$

$\therefore$ (가장 작은 원의 넓이) $= \frac{8}{9}\pi \,(\text{cm}^2)$

따라서 가장 작은 원 9개의 넓이의 합은

$$\frac{8}{9}\pi \times 9 = 8\pi \,(\text{cm}^2)$$

전략

가장 작은 원의 지름의 길이를 $a$라 하면 가장 큰 원의 지름의 길이는 $9a$이다.

## 07 📋 16 : 36 : 81

다음 그림과 같이 세 점 P, Q, R의 $y$좌표를 각각 $a$, $b$, $c$라 하면 $x$좌표는 각각 $2a-6$, $2b-6$, $2c-6$이다.

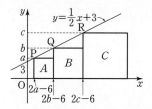

정사각형 $A$의 한 변의 길이는 $a$이므로

$$(2b-6) - (2a-6) = a$$
$$3a = 2b \quad \therefore a = \frac{2}{3}b$$

정사각형 $B$의 한 변의 길이는 $b$이므로

$$(2c-6) - (2b-6) = b$$
$$2c = 3b \quad \therefore c = \frac{3}{2}b$$

따라서 세 정사각형 $A$, $B$, $C$의 닮음비는

$a : b : c = \frac{2}{3}b : b : \frac{3}{2}b = 4 : 6 : 9$이므로 넓이의 비는

$$4^2 : 6^2 : 9^2 = 16 : 36 : 81$$

전략

세 점 P, Q, R의 $y$좌표를 각각 $a$, $b$, $c$라 하면 $x$좌표는 각각 $2a-6$, $2b-6$, $2c-6$이다.

## 08 📋 54 cm²

오른쪽 그림과 같이 $\overline{OP}$, $\overline{OQ}$, $\overline{OR}$, $\overline{OS}$의 연장선이 $\overline{AB}$, $\overline{BC}$, $\overline{CD}$, $\overline{AD}$와 만나는 점을 각각 P', Q', R', S'이라 하면 $\triangle OAB$에서 점 P가 무게중심이므로

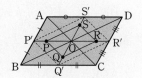

$$\overline{OP} : \overline{OP'} = 2 : 3$$

마찬가지로

$\overline{OQ}:\overline{OQ'}=2:3$, $\overline{OR}:\overline{OR'}=2:3$, $\overline{OS}:\overline{OS'}=2:3$

이때 □PQRS와 □P′Q′R′S′은 평행사변형이므로

두 평행사변형 PQRS와 P′Q′R′S′의 닮음비는 2 : 3

즉 □PQRS : □P′Q′R′S′=$2^2:3^2=4:9$이므로

□P′Q′R′S′=$\frac{9}{4}$□PQRS=$\frac{9}{4}\times 12=27$ (cm²)

∴ □ABCD=2□P′Q′R′S′=$2\times 27=54$ (cm²)

**전략**

네 점 P, Q, R, S가 각각 △OAB, △OBC, △OCD, △ODA의 무게중심이므로

$\overline{OP}:\overline{OP'}=\overline{OQ}:\overline{OQ'}=\overline{OR}:\overline{OR'}=\overline{OS}:\overline{OS'}=2:3$이다.

## 09 답 992

[그림 1]에서 물의 부피와 원뿔 모양의 그릇의 부피의 비는

$h^3:10^3=h^3:1000$ ······ ㉠

[그림 2]에서 물이 없는 부분과 원뿔 모양의 그릇의 닮음비는

$(10-8):10=1:5$이므로 부피의 비는

$1^3:5^3=1:125$

따라서 물의 부피와 원뿔 모양의 그릇의 부피의 비는

$(125-1):125=124:125$ ······ ㉡

이때 ㉠과 ㉡은 같으므로

$h^3:1000=124:125$ ∴ $h^3=992$

**전략**

그릇을 뒤집어도 물의 부피는 변함이 없음을 이용한다.

## 10 답 3분

위쪽 원뿔의 높이는 $\frac{1}{2}\times 30=15$ (cm)이고, 위쪽 원뿔에서 모래가 남아 있는 작은 원뿔의 높이는 $15-10=5$ (cm)이므로 위쪽 원뿔에서 모래가 남아 있는 작은 원뿔의 높이와 위쪽 원뿔의 높이의 비는 $5:15=1:3$, 즉 부피의 비는

$1^3:3^3=1:27$

현재 위쪽 원뿔에 남아 있는 모래가 아래쪽 원뿔로 모두 떨어지는 데 걸리는 시간을 $t$분이라 하면 위쪽 원뿔에 가득 차 있던 모래의 높이가 10 cm 줄어드는 데 1시간 18분, 즉 78분이 걸렸으므로

$1:(27-1)=t:78$ ∴ $t=3$

따라서 위쪽 원뿔에 남아 있는 모래가 아래쪽 원뿔로 모두 떨어지는 데 걸리는 시간은 3분이다.

**전략**

위쪽 원뿔에서 모래가 남아 있는 작은 원뿔의 높이와 위쪽 원뿔의 높이의 비를 구한다.

## 11 답 $122\pi$ cm³

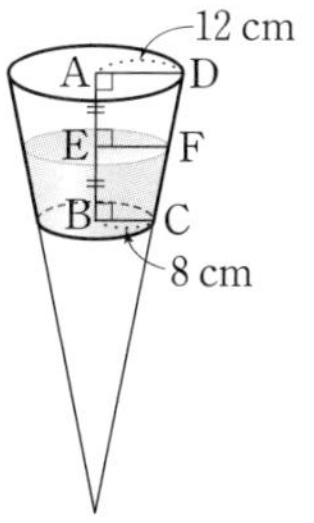

오른쪽 그림과 같은 □ABCD에서

$\overline{AD}/\!/\overline{EF}/\!/\overline{BC}$이므로 $\overline{DF}=\overline{FC}$

∴ $\overline{EF}=\frac{1}{2}\times(12+8)=10$ (cm)

이때 원뿔대의 모선을 연장하여 원뿔을 만들면 큰 원뿔, 중간 원뿔, 작은 원뿔은 서로 닮음이고 닮음비는

$\overline{AD}:\overline{EF}:\overline{BC}=12:10:8=6:5:4$

이므로 부피의 비는

$6^3:5^3:4^3=216:125:64$

즉 원뿔대 모양의 컵과 물의 부피의 비는

$(216-64):(125-64)=152:61$이므로

물의 부피를 $V$ cm³라 하면

$304\pi:V=152:61$ ∴ $V=122\pi$

따라서 컵에 들어 있는 물의 부피는 $122\pi$ cm³이다.

**전략**

원뿔을 그린 후 밑면인 원의 반지름의 길이의 비를 이용하여 부피의 비를 구한다.

## 12 답 2 : 3

정육면체 모양의 상자의 한 모서리의 길이를 $a$라 하면 상자 ㈎에 들어 있는 구슬 1개의 지름의 길이는 $\frac{1}{2}a$, 상자 ㈏에 들어 있는 구슬 1개의 지름의 길이는 $\frac{1}{3}a$이다.

이때 두 상자 ㈎, ㈏에 들어 있는 구슬 1개의 지름의 길이의 비는

$\frac{1}{2}a:\frac{1}{3}a=3:2$이므로 겉넓이의 비는 $3^2:2^2=9:4$

따라서 두 상자 ㈎, ㈏에 들어 있는 구슬의 개수는 각각 8개, 27개이므로 두 상자 ㈎, ㈏에 들어 있는 구슬 전체의 겉넓이의 비는

$(9\times 8):(4\times 27)=72:108=2:3$

**전략**

두 상자 ㈎, ㈏에 들어 있는 구슬의 지름의 길이를 각각 구하여 두 구슬의 닮음비를 구한다.

## 13 답 200 m²

$10$ (m)=$1000$ (cm)이므로

(지도에서의 거리) : (실제 거리)=2 : 1000

$=1:500$

∴ (지도에서의 넓이) : (실제 넓이)=$1^2:500^2$

$=1:250000$

이때 지도에서의 넓이가 8 cm²이므로

8 : (실제 넓이)=1 : 250000

∴ (실제 넓이)=$2000000$ (cm²)=$200$ (m²)

**전략**

(지도에서의 거리) : (실제 거리)를 이용하여

(지도에서의 넓이) : (실제 넓이)를 구한다.

## 14 ❶ 4.9

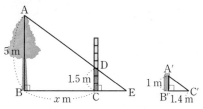

위의 그림과 같이 벽면이 그림자를 가리지 않았다고 할 때, $\overline{AD}$의 연장선과 $\overline{BC}$의 연장선의 교점을 E라 하면

$\triangle DCE \backsim \triangle A'B'C'$이므로

$\overline{CE} : \overline{B'C'} = \overline{DC} : \overline{A'B'}$에서

$\overline{CE} : 1.4 = 1.5 : 1$  ∴ $\overline{CE} = 2.1 \,(m)$

또 $\triangle ABE \backsim \triangle A'B'C'$이므로

$\overline{AB} : \overline{A'B'} = \overline{BE} : \overline{B'C'}$에서

$5 : 1 = (x+2.1) : 1.4$  ∴ $x = 4.9$

**전략**

벽면이 그림자를 가리지 않았을 때를 그림으로 그려서 가려진 그림자의 길이를 구한다.

## 15 ❶ 2 m

오른쪽 그림에서

$\triangle CAD \backsim \triangle CHG$ (AA 닮음)

이므로 $\overline{CA} : \overline{CH} = \overline{AD} : \overline{HG}$

이때 $\overline{AH} = 5-2 = 3 \,(m)$이므로

$\overline{CA} : (\overline{CA}+3) = 1 : 6$

∴ $\overline{CA} = \dfrac{3}{5} \,(m)$

또 $\triangle EBF \backsim \triangle EHG$ (AA 닮음)이므로

$\overline{EB} : \overline{EH} = \overline{BF} : \overline{HG}$

이때 $\overline{BH} = 5+2 = 7 \,(m)$이므로

$\overline{EB} : (\overline{EB}+7) = 1 : 6$  ∴ $\overline{EB} = \dfrac{7}{5} \,(m)$

따라서 구하는 길이의 합은

$\overline{EB}+\overline{CA} = \dfrac{7}{5}+\dfrac{3}{5} = 2 \,(m)$

**전략**

전등으로 생긴 담장의 그림자를 이용하여 닮음인 삼각형을 찾아 그림자의 길이를 구한다.

## 16 ❶ 40 cm

오른쪽 그림과 같이 바닥에 닿은 원기둥의 밑면인 원의 중심을 O′, 원기둥의 밑면인 원의 반지름의 길이를 $r$ cm, 원기둥의 밑면인 원의 중심 O′에서 그림자의 끝부분까지의 길이를 $r'$ cm라 하자.

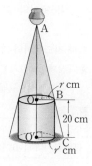

원기둥의 밑면과 원기둥의 그림자로 만들어지는 원은 서로 닮음이고 닮음비가 $r : r'$이므로 넓이의 비는 $r^2 : r'^2$

---

즉 원기둥의 밑넓이와 원기둥의 그림자의 넓이의 비는 $r^2 : (r'^2 - r^2)$이므로

$r^2 : (r'^2 - r^2) = 4 : 5$, $4r'^2 = 9r^2$

$r'^2 = \dfrac{9}{4}r^2 = \left(\dfrac{3}{2}r\right)^2$  ∴ $r' = \dfrac{3}{2}r$ ($\because r>0, \, r'>0$)

이때 $\triangle AOB \backsim \triangle AO'C$ (AA 닮음)이므로

$\overline{AO} : \overline{AO'} = \overline{OB} : \overline{O'C} = r : r' = r : \dfrac{3}{2}r = 2 : 3$에서

$\overline{AO} : (\overline{AO}+20) = 2 : 3$  ∴ $\overline{AO} = 40 \,(cm)$

따라서 원의 중심 O에서 전등까지의 거리는 40 cm이다.

**전략**

원기둥의 밑넓이와 원기둥의 그림자의 넓이의 비를 이용하여 원기둥의 밑면과 원기둥의 그림자로 만들어진 원의 닮음비를 구한다.

---

**STEP 3** 전교 1등 확실하게 굳히는 문제  pp. 089~091

**1** 4 cm  **2** 6 cm  **3** 3:1:12  **4** 2  **5** 7
**6** 180 cm

## 1 ❶ 4 cm

점 G는 $\triangle ABC$의 무게중심이므로

$\overline{BD} = \overline{DC}$, $\overline{AG} : \overline{GD} = 2 : 1$

이때 $\triangle ABC$에서 $\overline{EF} /\!/ \overline{BC}$이므로

$\overline{AE} : \overline{EB} = \overline{AG} : \overline{GD} = 2 : 1$에서

$\overline{EB} = \dfrac{1}{2}\overline{AE} = \dfrac{1}{2} \times 4 = 2 \,(cm)$

$\triangle BQC$에서 $\overline{DP} /\!/ \overline{CQ}$, $\overline{BD} = \overline{DC}$이므로

$\overline{BP} = \overline{PQ}$, $\overline{CQ} = 2\overline{DP} = 2 \times 8 = 16 \,(cm)$

$\triangle AQC$에서 $\overline{FP} /\!/ \overline{CQ}$이므로

$\overline{AP} : \overline{PQ} = \overline{AF} : \overline{FC} = \overline{AG} : \overline{GD} = 2 : 1$  ∴ $\overline{AP} = 2\overline{PQ}$

이때 $\overline{AP} = \overline{AE}+\overline{EB}+\overline{BP} = 6+\overline{BP}$이고, $\overline{PQ} = \overline{BP}$이므로

$6+\overline{BP} = 2\overline{BP}$  ∴ $\overline{BP} = 6 \,(cm)$

따라서 $\overline{BQ} = 2\overline{BP} = 2 \times 6 = 12 \,(cm)$이므로

$\overline{CQ} - \overline{BQ} = 16-12 = 4 \,(cm)$

**전략**

$\triangle ABC$, $\triangle BQC$, $\triangle AQC$에서 무게중심의 성질과 삼각형에서 평행선과 선분의 길이의 비를 이용한다.

## 2 ❶ 6 cm

점 G가 $\triangle ABC$의 무게중심이므로

$\overline{GM} = \dfrac{1}{3}\overline{AM} = \dfrac{1}{3} \times 4 = \dfrac{4}{3} \,(cm)$

---

오른쪽 그림과 같이 $\overline{AG'}$, $\overline{MG'}$의 연장선이 $\overline{BC}$, $\overline{AB}$와 만나는 점을 각각 D, E라 하면

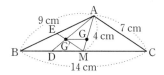

$\overline{BM}=\dfrac{1}{2}\overline{BC}=\dfrac{1}{2}\times14=7\,(\text{cm})$이므로

$\overline{DM}=\dfrac{1}{2}\overline{BM}=\dfrac{1}{2}\times7=\dfrac{7}{2}\,(\text{cm})$

이때 $\triangle AG'G\backsim\triangle ADM$ (SAS 닮음)이므로

$\overline{G'G}:\overline{DM}=\overline{AG'}:\overline{AD}=2:3$에서

$\overline{G'G}:\dfrac{7}{2}=2:3$ $\quad\therefore \overline{G'G}=\dfrac{7}{3}\,(\text{cm})$

한편 $\triangle ABC$에서

$\overline{EM}=\dfrac{1}{2}\overline{AC}=\dfrac{1}{2}\times7=\dfrac{7}{2}\,(\text{cm})$이고,

점 $G'$은 $\triangle ABM$의 무게중심이므로

$\overline{G'M}=\dfrac{2}{3}\overline{EM}=\dfrac{2}{3}\times\dfrac{7}{2}=\dfrac{7}{3}\,(\text{cm})$

$\therefore\ (\triangle G'MG\text{의 둘레의 길이})=\overline{G'M}+\overline{MG}+\overline{GG'}$
$=\dfrac{7}{3}+\dfrac{4}{3}+\dfrac{7}{3}$
$=6\,(\text{cm})$

**3** 🔴 $3:1:12$

$\triangle ABC$에서 $\overline{AP}$는 $\angle A$의 이등분선이므로

$\overline{BP}:\overline{CP}=\overline{AB}:\overline{AC}=2:1$

$\overline{BP}=2k$, $\overline{CP}=k\,(k>0)$라 하면

$\overline{BC}=\overline{BP}+\overline{CP}=2k+k=3k$이므로

$\overline{NC}=\dfrac{1}{2}\overline{BC}=\dfrac{3}{2}k$

$\therefore \overline{NP}=\overline{NC}-\overline{CP}=\dfrac{3}{2}k-k=\dfrac{1}{2}k$

이때 $\overline{NQ}\,/\!/\,\overline{AC}$이므로

$\triangle PNQ\backsim\triangle PCA$ (AA 닮음)이고 닮음비는

$\overline{NP}:\overline{CP}=\dfrac{1}{2}k:k=1:2$

따라서 넓이의 비는 $1^2:2^2=1:4$이므로

$\triangle PNQ=S$라 하면 $\triangle PCA=4S$ ······ 30%

또 $\triangle ABP:\triangle APC=\overline{BP}:\overline{PC}=2:1$이므로

$\triangle ABP=2\triangle APC=2\times4S=8S$

$\therefore \triangle ABC=\triangle ABP+\triangle APC=8S+4S=12S$ ······ 20%

한편 $\triangle MBN\backsim\triangle ABC$ (AA 닮음)이고 닮음비는 $1:2$이므로

넓이의 비는 $1^2:2^2=1:4$

즉 $\triangle MBN=\dfrac{1}{4}\triangle ABC=\dfrac{1}{4}\times12S=3S$ ······ 30%

$\therefore \triangle MBN:\triangle PNQ:\triangle ABC=3S:S:12S$
$=3:1:12$ ······ 20%

**4** 🔴 2

오른쪽 그림과 같이

$\overline{AL_1}=a$, $\overline{L_1L_2}=b$, $\overline{L_2B}=c$라 하고,

$\overline{L_1M_1}$과 $\overline{N_2M_2}$의 교점을 D라 하면

$\triangle ABC\backsim\triangle N_1M_1C\backsim\triangle DM_2M_1$

$\backsim\triangle L_2BM_2$(AA 닮음)이고 닮음비는

$\overline{AB}:\overline{AL_1}:\overline{L_1L_2}:\overline{L_2B}=8:a:b:c$

이므로 넓이의 비는

$64:a^2:b^2:c^2$

이때 $\triangle ABC=S_0$, $\triangle N_1M_1C=S_1$, $\triangle DM_2M_1=S_2$,

$\triangle L_2BM_2=S_3$라 하면

$S_0=64k,\ S_1=a^2k,\ S_2=b^2k,\ S_3=c^2k\ (k>0)$

그런데 $S_1+S_2+S_3=\dfrac{1}{2}S_0$이므로

$a^2k+b^2k+c^2k=\dfrac{1}{2}\times64k$

$k(a^2+b^2+c^2)=32k$ $\quad\therefore a^2+b^2+c^2=32$ ······ ㉠

이때 $\overline{AL_1}^2+\overline{L_2B}^2=28$이므로 $a^2+c^2=28$ ······ ㉡

㉠, ㉡에서 $b^2=4$이므로 $b=2\ (\because b>0)$

$\therefore \overline{L_1L_2}=2$

**5** 🔴 7

오른쪽 그림과 같이 $\overline{AF}$, $\overline{AG}$의 연장선이 $\overline{BC}$, $\overline{CD}$와 만나는 점을 각각 M, N이라 하고 $\overline{MN}$을 그으면

두 점 F, G는 각각 $\triangle ABC$, $\triangle ACD$의 무게중심이므로

$\triangle AFG\backsim\triangle AMN$ (SAS 닮음)

이때 $\overline{BD}=a$라 하면 $\overline{MN}=\dfrac{1}{2}\overline{BD}=\dfrac{1}{2}a$이므로

$\overline{FG}:\overline{MN}=\overline{AF}:\overline{AM}=2:3$에서

$\overline{FG}:\dfrac{1}{2}a=2:3$ $\quad\therefore \overline{FG}=\dfrac{1}{3}a$

즉 정사면체 $A-BCD$와 정사면체 $E-FGH$의 닮음비는

$\overline{BD}:\overline{FG}=a:\dfrac{1}{3}a=3:1$이므로

부피의 비는 $3^3:1^3=27:1$

따라서 $189:(\text{정사면체 }E-FGH\text{의 부피})=27:1$이므로

$(\text{정사면체 }E-FGH\text{의 부피})=7$

**6** 답 180 cm

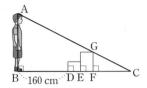 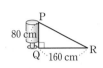

위의 그림과 같이 첫 번째 계단과 두 번째 계단의 끝 지점에서 $\overline{BC}$
에 내린 수선의 발을 각각 E, F라 하면
한 계단의 폭은 40 cm이므로
$\overline{DF}=2\times40=80\,(cm)$
한 계단의 높이는 30 cm이므로
$\overline{GF}=2\times30=60\,(cm)$
이때 $\triangle GFC\backsim\triangle PQR$이므로
$\overline{GF}:\overline{PQ}=\overline{FC}:\overline{QR}$에서
$60:80=\overline{FC}:160$ $\quad\therefore \overline{FC}=120\,(cm)$
$\therefore \overline{BC}=\overline{BD}+\overline{DF}+\overline{FC}=160+80+120=360\,(cm)$
또 $\triangle ABC\backsim\triangle PQR$이므로
$\overline{AB}:\overline{PQ}=\overline{BC}:\overline{QR}$에서
$\overline{AB}:80=360:160$ $\quad\therefore \overline{AB}=180\,(cm)$
따라서 동준이의 키는 180 cm이다.

**전략**

문제의 조건에 맞게 그림을 그린다.

# 04 피타고라스 정리

**［확인 ❶］** 답 6 cm²

$\overline{AB}^2=5^2-3^2=16$ $\quad\therefore \overline{AB}=4\,(cm)\,(\because \overline{AB}>0)$

$\therefore \triangle ABC=\dfrac{1}{2}\times4\times3=6\,(cm^2)$

**［확인 ❷］** 답 ②

$\overline{EB}\,/\!/\,\overline{DC}$이므로 $\triangle EBA=\triangle EBC$
$\triangle EBC$와 $\triangle ABF$에서
$\overline{EB}=\overline{AB},\ \overline{BC}=\overline{BF},$
$\angle EBC=90°+\angle ABC=\angle ABF$
이므로 $\triangle EBC\equiv\triangle ABF$ (SAS 합동)
$\therefore \triangle EBC=\triangle ABF$
$\overline{BF}\,/\!/\,\overline{AK}$이므로 $\triangle ABF=\triangle BFJ$
따라서 넓이가 나머지 넷과 다른 하나는 ②이다.

**［확인 ❸］** 답 ④

④ $c^2<a^2+b^2$이면 $\angle C<90°$이지만 $\angle A$, $\angle B$의 크기를 알 수 없
으므로 $\triangle ABC$는 예각삼각형이라 할 수 없다.

**［확인 ❹］** 답 139

$\triangle DBE$에서
$\overline{DE}^2=3^2+4^2=25$ $\quad\therefore \overline{DE}=5\,(\because \overline{DE}>0)$
이때 $\overline{DE}^2+\overline{AC}^2=\overline{AE}^2+\overline{CD}^2$이므로
$5^2+\overline{AC}^2=8^2+10^2$ $\quad\therefore \overline{AC}^2=139$

**［확인 ❺］** 답 13 cm

색칠한 부분의 넓이는 $\triangle ABC$의 넓이와 같으므로
$30=\dfrac{1}{2}\times5\times\overline{AC}$ $\quad\therefore \overline{AC}=12\,(cm)$

따라서 $\triangle ABC$에서
$\overline{BC}^2=5^2+12^2=169$ $\quad\therefore \overline{BC}=13\,(cm)\,(\because \overline{BC}>0)$

| STEP 1 | 억울하게 올리는 문제 | | pp. 094~095 |
|---|---|---|---|
| **1-1** 12 cm² | **1-2** 40 cm² | **2-1** 14 cm | **2-2** 41 cm² |
| **3-1** 125 | **3-2** 5 | **4-1** 40 | **4-2** $\dfrac{3}{2}$ |

## 1-1  답 12 cm²

□ACHI = □BFGC − □ADEB
　　　= 42 − 18 = 24 (cm²)

오른쪽 그림과 같이 꼭짓점 A에서
$\overline{BC}$, $\overline{FG}$에 내린 수선의 발을 각각
J, K라 하면

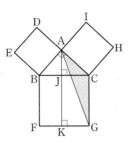

$\triangle AGC = \dfrac{1}{2} \square JKGC$

　　　$= \dfrac{1}{2} \square ACHI$

　　　$= \dfrac{1}{2} \times 24$

　　　$= 12 \ (\text{cm}^2)$

## 1-2  답 40 cm²

□ADEB = 4 × 4 = 16 (cm²)

□ADEB : □ACHI = 1 : 4이므로

16 : □ACHI = 1 : 4　∴ □ACHI = 64 (cm²)

오른쪽 그림과 같이 점 J에서 $\overline{FG}$에
내린 수선의 발을 K라 하면

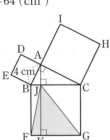

$\triangle JFG$

$= \triangle JFK + \triangle JKG$

$= \dfrac{1}{2} \square BFKJ + \dfrac{1}{2} \square JKGC$

$= \dfrac{1}{2} (\square ADEB + \square ACHI)$

$= \dfrac{1}{2} \times (16 + 64)$

$= 40 \ (\text{cm}^2)$

## 2-1  답 14 cm

$\triangle AEH \equiv \triangle BFE \equiv \triangle CGF \equiv \triangle DHG$ (SAS 합동)이므로
□EFGH는 정사각형이다.

즉 $\square EFGH = \overline{EH}^2 = 100$이므로

$\overline{EH} = 10 \ (\text{cm}) \ (\because \overline{EH} > 0)$

$\triangle AEH$에서

$\overline{AH}^2 = 10^2 - 6^2 = 64$　∴ $\overline{AH} = 8 \ (\text{cm}) \ (\because \overline{AH} > 0)$

∴ $\overline{AD} = \overline{AH} + \overline{DH} = 8 + 6 = 14 \ (\text{cm})$

## 2-2  답 41 cm²

$\triangle AEH \equiv \triangle BFE \equiv \triangle CGF \equiv \triangle DHG$ (SAS 합동)이므로
□EFGH는 정사각형이다.

$\overline{AH} = 9 - 5 = 4 \ (\text{cm})$이므로

$\triangle AEH$에서

$\overline{EH}^2 = 5^2 + 4^2 = 41$

∴ $\square EFGH = \overline{EH}^2 = 41 \ (\text{cm}^2)$

## 3-1  답 125

$\overline{AD} = \overline{DB}$, $\overline{BE} = \overline{EC}$이므로

$\overline{DE} = \dfrac{1}{2} \overline{AC} = \dfrac{1}{2} \times 10 = 5$

∴ $\overline{AE}^2 + \overline{CD}^2 = \overline{DE}^2 + \overline{AC}^2$

　　　　　　　　$= 5^2 + 10^2$

　　　　　　　　$= 125$

## 3-2  답 5

$\overline{DE}$를 그으면 $\triangle ADE$에서

$\overline{DE}^2 = 4^2 + 2^2 = 20$

$\triangle ADC$에서

$\overline{CD}^2 = 4^2 + (2+1)^2 = 25$

이때 $\overline{DE}^2 + \overline{BC}^2 = \overline{BE}^2 + \overline{CD}^2$이므로

$20 + \overline{BC}^2 = \overline{BE}^2 + 25$

∴ $\overline{BC}^2 - \overline{BE}^2 = 25 - 20 = 5$

## 4-1  답 40

$\triangle AOD$에서

$\overline{AD}^2 = 3^2 + 3^2 = 18$

$\triangle DOC$에서

$\overline{CD}^2 = 3^2 + 7^2 = 58$

이때 $\overline{AB}^2 + \overline{CD}^2 = \overline{AD}^2 + \overline{BC}^2$이므로

$\overline{AB}^2 + 58 = 18 + \overline{BC}^2$

∴ $\overline{BC}^2 - \overline{AB}^2 = 58 - 18 = 40$

## 4-2  답 $\dfrac{3}{2}$

$\overline{AB}^2 + \overline{CD}^2 = \overline{AD}^2 + \overline{BC}^2$이므로

$7^2 + 5^2 = \overline{AD}^2 + 8^2$　∴ $\overline{AD}^2 = 10$

$\triangle AOD$에서

$\overline{OD}^2 = \overline{AD}^2 - \overline{AO}^2 = 10 - 3^2 = 1$　∴ $\overline{OD} = 1 \ (\because \overline{OD} > 0)$

∴ $\triangle AOD = \dfrac{1}{2} \times 3 \times 1 = \dfrac{3}{2}$

---

**STEP 2** | 반드시 등수 올리는 문제　　　　　pp. 096~098

| | | | |
|---|---|---|---|
| **01** 12 cm | **02** 205 | **03** $\dfrac{9}{2}$ cm | **04** 6 cm |
| **05** 6 cm² | **06** 15 | **07** $\dfrac{168}{25}$ cm | **08** 1317 |
| **09** ②, ④ | **10** 193 | **11** 57 | **12** $\dfrac{53}{2}\pi$ cm² |
| **13** 120 cm² | | | |

## 01 🖋 12 cm

오른쪽 그림과 같이 $\overline{AF}$를 그으면
△AFD와 △AFE에서
∠ADF=∠AEF=90°,
$\overline{AF}$는 공통, $\overline{DF}=\overline{EF}$
이므로 △AFD≡△AFE (RHS 합동)
∴ $\overline{AE}=\overline{AD}=4$ cm
같은 방법으로 $\overline{BF}$를 그으면
△BFE≡△BFC (RHS 합동)
∴ $\overline{BE}=\overline{BC}=9$ cm
∴ $\overline{AB}=\overline{AE}+\overline{BE}=4+9=13$ (cm)
이때 꼭짓점 A에서 $\overline{BC}$에 내린 수선의 발을 H라 하면
$\overline{HC}=\overline{AD}=4$ cm이므로 $\overline{BH}=9-4=5$ (cm)
△ABH에서
$\overline{AH}^2=13^2-5^2=144$   ∴ $\overline{AH}=12$ (cm) $(\because \overline{AH}>0)$
∴ $\overline{CD}=\overline{AH}=12$ cm

**전략**

$\overline{AF}$와 $\overline{BF}$를 각각 그은 후 합동인 삼각형을 찾는다.

## 02 🖋 205

오른쪽 그림과 같이 두 점 P, Q에서 $\overline{BC}$에 내린 수선의 발을 각각 M, N이라 하고, $\overline{AB}$에 내린 수선의 발을 각각 R, S라 하면
$\overline{AP}=\overline{PQ}=\overline{QC}$이므로
$\overline{BM}=\overline{MN}=\overline{NC}=\dfrac{1}{3}\times15=5$
$\overline{AR}=\overline{RS}=\overline{SB}=\dfrac{1}{3}\times12=4$
△PBM에서 $\overline{PB}^2=5^2+8^2=89$
△QBN에서 $\overline{QB}^2=10^2+4^2=116$
∴ $\overline{PB}^2+\overline{QB}^2=89+116=205$

**전략**

직각삼각형이 주어지지 않을 때에는 한 점에서 대변에 수선을 내려 직각삼각형을 만들고 피타고라스 정리를 이용한다.

## 03 🖋 $\dfrac{9}{2}$ cm

△ABC에서
$\overline{AC}^2=9^2+12^2=225$   ∴ $\overline{AC}=15$ (cm) $(\because \overline{AC}>0)$
오른쪽 그림과 같이 $\overline{AO}$를 긋고, 점 O에서 $\overline{AC}$에 내린 수선의 발을 D, 반원 O의 반지름의 길이를 $r$ cm라 하면
△ABC=△ABO+△AOC
이므로

$\dfrac{1}{2}\times12\times9=\dfrac{1}{2}\times9\times r+\dfrac{1}{2}\times15\times r$
$12r=54$   ∴ $r=\dfrac{9}{2}$
따라서 반원 O의 반지름의 길이는 $\dfrac{9}{2}$ cm이다.

**전략**

△ABC=△ABO+△AOC임을 이용한다.

**다른 풀이** △ABC에서
$\overline{AC}^2=9^2+12^2=255$   ∴ $\overline{AC}=15$ (cm) $(\because \overline{AC}>0)$
오른쪽 그림과 같이 $\overline{AO}$를 긋고, 점 O에서 $\overline{AC}$에 내린 수선의 발을 D라 하면
△ABO≡△ADO (SSS 합동)
이므로
∠BAO=∠DAO
즉 $\overline{AO}$는 ∠A의 이등분선이므로
$\overline{BO}:\overline{CO}=\overline{AB}:\overline{AC}=9:15=3:5$
∴ $\overline{BO}=\dfrac{3}{8}\overline{BC}=\dfrac{3}{8}\times12=\dfrac{9}{2}$ (cm)
따라서 반원 O의 반지름의 길이는 $\dfrac{9}{2}$ cm이다.

## 04 🖋 6 cm

$\overline{AD}$는 ∠A의 이등분선이므로
$\overline{AB}:\overline{AC}=\overline{BD}:\overline{CD}=6:3=2:1$
즉 $\overline{AB}:\overline{AC}=2:1$이므로 $\overline{AC}=k$ cm, $\overline{AB}=2k$ cm라 하면
△ABC에서
$(2k)^2=9^2+k^2, 3k^2=81$   ∴ $k^2=27$
△ADC에서
$\overline{AD}^2=3^2+k^2=9+27=36$
∴ $\overline{AD}=6$ (cm) $(\because \overline{AD}>0)$

**전략**

점 I가 직각삼각형 ABC의 내심이므로 $\overline{AD}$는 ∠A의 이등분선임을 이용한다.

## 05 🖋 6 cm²

$\overline{D'F}=\overline{DF}=18-8=10$ (cm)이므로
△FD'C에서
$\overline{CD'}^2=10^2-8^2=36$   ∴ $\overline{CD'}=6$ (cm) $(\because \overline{CD'}>0)$
△FD'C∽△D'GB (AA 닮음)이므로
$\overline{FD'}:\overline{D'G}=\overline{CF}:\overline{BD'}$에서
$10:\overline{D'G}=8:(18-6)$   ∴ $\overline{D'G}=15$ (cm)
∴ $\overline{A'G}=18-15=3$ (cm)
△D'GB에서
$\overline{BG}^2=15^2-12^2=81$   ∴ $\overline{BG}=9$ (cm) $(\because \overline{BG}>0)$
또 △D'GB∽△EGA' (AA 닮음)이므로

$\overline{BG} : \overline{A'G} = \overline{D'B} : \overline{EA'}$ 에서

$9 : 3 = 12 : \overline{EA'}$   $\therefore \overline{EA'} = 4$ (cm)

$\therefore \triangle EA'G = \dfrac{1}{2} \times 4 \times 3 = 6$ (cm²)

**전략**

△FD′C∽△D′GB (AA 닮음), △D′GB∽△EGA′ (AA 닮음)임을 이용하여 $\overline{A'G}$와 $\overline{EA'}$의 길이를 각각 구한다.

## 06  15

오른쪽 그림의 전개도에서 구하는 실의 최소 길이는 $\overline{AM}$의 길이와 같다.

원뿔대의 두 밑면인 원의 반지름의 길이의 비가 $1 : 2$이므로

$\overline{OB} : (\overline{OB} + 6) = 1 : 2$

$\therefore \overline{OB} = 6$

부채꼴의 중심각의 크기를 $x°$라 하면

$2\pi \times 12 \times \dfrac{x}{360} = 2\pi \times 3$   $\therefore x = 90$

$\overline{B'M} = \dfrac{1}{2}\overline{B'A'} = \dfrac{1}{2} \times 6 = 3$이므로

$\overline{OM} = 6 + 3 = 9$

$\triangle OAM$에서

$\overline{AM}^2 = 12^2 + 9^2 = 225$   $\therefore \overline{AM} = 15 \ (\because \overline{AM} > 0)$

따라서 필요한 실의 최소 길이는 15이다.

**전략**

주어진 원뿔대의 전개도를 이용한다.

## 07 <u>168</u>/25 cm

$\triangle ABC$에서

$\overline{AB}^2 = 40^2 + 30^2 = 2500$   $\therefore \overline{AB} = 50$ (cm) $(\because \overline{AB} > 0)$

이때 점 M은 $\overline{AB}$의 중점이므로 직각삼각형 ABC의 외심이다.

$\therefore \overline{CM} = \overline{AM} = \overline{BM} = \dfrac{1}{2}\overline{AB} = \dfrac{1}{2} \times 50 = 25$ (cm)

한편 $\overline{CA} \times \overline{CB} = \overline{AB} \times \overline{CD}$이므로

$30 \times 40 = 50 \times \overline{CD}$   $\therefore \overline{CD} = 24$ (cm)

또 $\overline{CA}^2 = \overline{AD} \times \overline{AB}$이므로

$30^2 = \overline{AD} \times 50$   $\therefore \overline{AD} = 18$ (cm)

$\therefore \overline{DM} = \overline{AM} - \overline{AD} = 25 - 18 = 7$ (cm)

$\triangle DMC$에서

$\overline{DM} \times \overline{DC} = \overline{CM} \times \overline{DH}$이므로

$7 \times 24 = 25 \times \overline{DH}$   $\therefore \overline{DH} = \dfrac{168}{25}$ (cm)

**전략**

점 M은 $\overline{AB}$의 중점이므로 직각삼각형 ABC의 외심임을 이용한다. 또 △DMC에서 $\overline{DM} \times \overline{DC} = \overline{CM} \times \overline{DH}$임을 이용하여 $\overline{DH}$의 길이를 구한다.

## 08  1317

$\triangle ABC$에서

$\overline{AC}^2 = 17^2 - 8^2 = 225$   $\therefore \overline{AC} = 15 \ (\because \overline{AC} > 0)$

다음 그림과 같이 색칠한 정사각형의 넓이를 각각 $S_1, S_2, \cdots, S_{19}$라 하자.

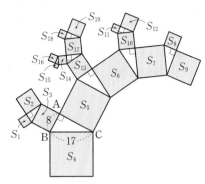

이때 색칠한 부분의 넓이는

$S_1 + S_2 + S_3 + S_4 + S_5 + S_6 + S_7 + S_8 + S_9 + S_{10} + S_{11} + S_{12}$
$+ S_{13} + S_{14} + S_{15} + S_{16} + S_{17} + S_{18} + S_{19}$

$= (S_1 + S_2) + (S_3 + S_5) + (S_6 + S_{13}) + (S_7 + S_{10})$
$\quad + (S_8 + S_9) + (S_{11} + S_{12}) + (S_{14} + S_{17}) + (S_{15} + S_{16})$
$\quad + (S_{18} + S_{19}) + S_4$

$= S_3 + S_4 + S_5 + S_6 + S_7 + S_{10} + S_{13} + S_{14} + S_{17} + S_4$

$= (S_3 + S_5) + 2S_4 + (S_6 + S_{13}) + (S_7 + S_{10}) + (S_{14} + S_{17})$

$= S_4 + 2S_4 + S_5 + (S_6 + S_{13})$

$= 3S_4 + S_5 + S_5$

$= 3S_4 + 2S_5$

$= 3 \times 17^2 + 2 \times 15^2$

$= 867 + 450$

$= 1317$

**전략**

직각삼각형에서 빗변을 한 변으로 하는 정사각형의 넓이는 나머지 두 변을 각각 한 변으로 하는 두 정사각형의 넓이의 합과 같음을 이용한다.

## 09  ②, ④

① 서로 다른 길이의 선분 3개를 골라 삼각형을 만들 수 있는 경우는 (4 cm, 6 cm, 8 cm), (4 cm, 8 cm, 10 cm), (6 cm, 8 cm, 10 cm)의 3가지이다.

② $10^2 = 6^2 + 8^2$이므로 빗변의 길이가 10 cm인 직각삼각형을 만들 수 있다.

④ $8^2 > 4^2 + 6^2$, $10^2 > 4^2 + 8^2$이므로 둔각삼각형을 만들 수 있다.

⑤ (4 cm, 6 cm, 8 cm), (4 cm, 8 cm, 10 cm), (6 cm, 8 cm, 10 cm) 중에서 서로 닮음인 삼각형은 없다.

따라서 옳은 것은 ②, ④이다.

**전략**

서로 다른 길이의 선분 3개를 골라 삼각형을 만들 수 있는 경우를 찾고 각각의 경우가 직각삼각형, 예각삼각형, 둔각삼각형인지 확인한다.

## 10 답 193

$\triangle ABD$에서

$\overline{BD}^2 = 15^2 + 20^2 = 625$

$\therefore \overline{BD} = 25 \text{ (cm)} \ (\because \overline{BD} > 0)$

$\overline{AB}^2 = \overline{BH} \times \overline{BD}$이므로

$15^2 = \overline{BH} \times 25 \quad \therefore \overline{BH} = 9 \text{ (cm)}$

$\therefore \overline{DH} = \overline{BD} - \overline{BH} = 25 - 9 = 16 \text{ (cm)}$

$\overline{AB} \times \overline{AD} = \overline{BD} \times \overline{AH}$이므로

$15 \times 20 = 25 \times \overline{AH} \quad \therefore \overline{AH} = 12 \text{ (cm)}$

이때 $\overline{AH}^2 + \overline{CH}^2 = \overline{BH}^2 + \overline{DH}^2$이므로

$12^2 + \overline{CH}^2 = 9^2 + 16^2 \quad \therefore \overline{CH}^2 = 193$

> **전략**
>
> $\triangle ABD$에서 $\overline{BH}$, $\overline{DH}$, $\overline{AH}$의 길이를 각각 구한다.

## 11 답 57

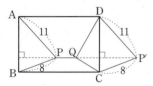

위 그림과 같이 $\triangle ABP$를 $\triangle DCP'$으로 평행이동하면 $\square DQCP'$의 두 대각선은 서로 수직이므로

$\overline{DQ}^2 + \overline{CP'}^2 = \overline{DP'}^2 + \overline{QC}^2$

$\therefore \overline{DQ}^2 - \overline{QC}^2 = \overline{DP'}^2 - \overline{CP'}^2 = 11^2 - 8^2 = 57$

> **전략**
>
> $\triangle ABP$를 $\triangle DCP'$으로 평행이동한다.

## 12 답 $\dfrac{53}{2}\pi \text{ cm}^2$

$\triangle AOD$에서

$\overline{AD}^2 = 6^2 + 8^2 = 100$

$\overline{BC}$, $\overline{CD}$를 지름으로 하는 반원의 넓이가 각각 $30\pi \text{ cm}^2$, $16\pi \text{ cm}^2$이므로

$\dfrac{1}{2}\pi \times \left(\dfrac{\overline{BC}}{2}\right)^2 = 30\pi \quad \therefore \overline{BC}^2 = 240$

$\dfrac{1}{2}\pi \times \left(\dfrac{\overline{CD}}{2}\right)^2 = 16\pi \quad \therefore \overline{CD}^2 = 128$

$\square ABCD$에서 $\overline{AB}^2 + \overline{CD}^2 = \overline{AD}^2 + \overline{BC}^2$이므로

$\overline{AB}^2 + 128 = 100 + 240 \quad \therefore \overline{AB}^2 = 212$

따라서 구하는 넓이는

$\dfrac{1}{2}\pi \times \left(\dfrac{\overline{AB}}{2}\right)^2 = \dfrac{1}{2}\pi \times \dfrac{212}{4} = \dfrac{53}{2}\pi \text{ (cm}^2)$

> **전략**
>
> $\triangle AOD$에서 $\overline{AD}^2$의 값을 구하고 $\overline{BC}$, $\overline{CD}$를 지름으로 하는 반원의 넓이를 이용하여 $\overline{BC}^2$, $\overline{CD}^2$의 값을 각각 구한다.

## 13 답 120 cm²

오른쪽 그림과 같이 $\overline{BD}$를 긋고 색칠한 부분의 넓이를 각각 $S_1$, $S_2$, $S_3$, $S_4$라 하면

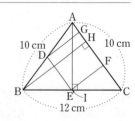

$\triangle DBC$에서

$\overline{DO} = \overline{OB}$, $\overline{OE} /\!/ \overline{BC}$이므로

$\overline{OE} = \dfrac{1}{2}\overline{BC} = \dfrac{1}{2} \times 8 = 4 \text{ (cm)}$

$\overline{OE} : \overline{EF} = 8 : 9$에서

$4 : \overline{EF} = 8 : 9 \quad \therefore \overline{EF} = \dfrac{9}{2} \text{ (cm)}$

$\therefore \overline{OD} = \overline{OF} = \overline{OE} + \overline{EF} = 4 + \dfrac{9}{2} = \dfrac{17}{2} \text{ (cm)}$

따라서 $\overline{DB} = 2\overline{DO} = 2 \times \dfrac{17}{2} = 17 \text{ (cm)}$이므로

$\overline{DC}^2 = 17^2 - 8^2 = 225 \quad \therefore \overline{DC} = 15 \text{ (cm)} \ (\because \overline{DC} > 0)$

이때 $S_1 + S_2 = \triangle ABD$, $S_3 + S_4 = \triangle BCD$이므로

$S_1 + S_2 + S_3 + S_4 = \triangle ABD + \triangle BCD$

$\qquad\qquad\qquad\quad = \square ABCD$

$\qquad\qquad\qquad\quad = 8 \times 15$

$\qquad\qquad\qquad\quad = 120 \text{ (cm}^2)$

> **전략**
>
> $\overline{BD}$를 그으면 $S_1 + S_2 = \triangle ABD$, $S_3 + S_4 = \triangle BCD$이다.

---

**STEP 3** 전교 1등 확실하게 굳히는 문제      pp. 099~100

| 1 $\dfrac{240}{49}$ cm | 2 350 | 3 74 cm² | 4 772 |

## 1 답 $\dfrac{240}{49}$ cm

오른쪽 그림과 같이 꼭짓점 A에서 $\overline{BC}$에 내린 수선의 발을 I라 하면

$\overline{BI} = \dfrac{1}{2}\overline{BC} = \dfrac{1}{2} \times 12 = 6 \text{ (cm)}$

$\triangle ABI$에서

$\overline{AI}^2 = 10^2 - 6^2 = 64$

$\therefore \overline{AI} = 8 \text{ (cm)} \ (\because \overline{AI} > 0)$

$\therefore \triangle ABC = \dfrac{1}{2} \times 12 \times 8 = 48 \text{ (cm}^2)$

즉 $\dfrac{1}{2} \times 10 \times \overline{BH} = 48$이므로 $\overline{BH} = \dfrac{48}{5} \text{ (cm)}$

이때 정사각형 DEFG의 한 변의 길이를 $x$ cm라 하면

$\triangle FEC \circ \triangle HBC$ (AA 닮음)이므로

$\overline{EC} : \overline{BC} = \overline{EF} : \overline{BH}$에서

$\overline{EC} : 12 = x : \dfrac{48}{5} \quad \therefore \overline{EC} = \dfrac{5}{4}x \text{ (cm)}$

또 $\triangle$DBE$\backsim$$\triangle$ABC (AA 닮음)이므로

$\overline{BE}:\overline{BC}=\overline{DE}:\overline{AC}$에서

$\left(12-\dfrac{5}{4}x\right):12=x:10$

$12x=120-\dfrac{25}{2}x,\ \dfrac{49}{2}x=120$   $\therefore x=\dfrac{240}{49}$

따라서 정사각형 DEFG의 한 변의 길이는 $\dfrac{240}{49}$ cm이다.

**전략**

이등변삼각형 ABC의 넓이를 이용하여 $\overline{BH}$의 길이를 구한 후, $\triangle$FEC$\backsim$$\triangle$HBC (AA 닮음), $\triangle$DBE$\backsim$$\triangle$ABC (AA 닮음)임을 이용한다.

## 2 ⑤ 350

오른쪽 그림과 같이 세 점 $P_1$, $P_2$, $P_3$에서 $\overline{AB}$, $\overline{BC}$에 내린 수선의 발을 각각 $Q_1$, $Q_2$, $Q_3$, $R_1$, $R_2$, $R_3$이라 하고 $\overline{AB}=x$ cm, $\overline{BC}=y$ cm라 하면 $\triangle$ABC에서

$x^2+y^2=20^2=400$

$\overline{AP_1}=\overline{P_1P_2}=\overline{P_2P_3}=\overline{P_3C}$, $\overline{P_1R_1}/\!/\overline{P_2R_2}/\!/\overline{P_3R_3}$이므로

$\overline{BR_1}=\overline{R_1R_2}=\overline{R_2R_3}=\overline{R_3C}=\dfrac{y}{4}$ (cm)

같은 방법으로

$\overline{AQ_1}=\overline{Q_1Q_2}=\overline{Q_2Q_3}=\overline{Q_3B}=\dfrac{x}{4}$ (cm)

$\triangle$P$_1$BR$_1$에서

$\overline{BP_1}^2=\left(\dfrac{3}{4}x\right)^2+\left(\dfrac{y}{4}\right)^2=\dfrac{9x^2+y^2}{16}$   ……㉠

$\triangle$P$_2$BR$_2$에서

$\overline{BP_2}^2=\left(\dfrac{x}{2}\right)^2+\left(\dfrac{y}{2}\right)^2=\dfrac{x^2+y^2}{4}$   ……㉡

$\triangle$P$_3$BR$_3$에서

$\overline{BP_3}^2=\left(\dfrac{x}{4}\right)^2+\left(\dfrac{3}{4}y\right)^2=\dfrac{x^2+9y^2}{16}$   ……㉢

㉠, ㉡, ㉢에서

$\overline{BP_1}^2+\overline{BP_2}^2+\overline{BP_3}^2=\dfrac{14x^2+14y^2}{16}=\dfrac{7}{8}(x^2+y^2)$

$\qquad\qquad\qquad\qquad\quad=\dfrac{7}{8}\times400=350$

**전략**

세 점 $P_1$, $P_2$, $P_3$에서 $\overline{AB}$, $\overline{BC}$에 내린 수선의 발이 $\overline{AB}$, $\overline{BC}$를 각각 4등분함을 이용한다.

## 3 ⑤ 74 cm²

$\triangle$ABC$=\dfrac{1}{2}\times3\times4=6$ (cm²)

$\triangle$ABC에서

$\overline{BC}^2=3^2+4^2=25$   $\therefore \overline{BC}=5$ (cm) ($\because \overline{BC}>0$)

오른쪽 그림과 같이 점 E에서 $\overline{FB}$의 연장선에 내린 수선의 발을 J라 하고, 점 G에서 $\overline{HC}$의 연장선에 내린 수선의 발을 K라 하자.

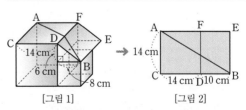

$\triangle$ABC와 $\triangle$JBE에서

$\angle$CAB$=\angle$EJB$=90°$,

$\angle$ABC$=90°-\angle$JBA$=\angle$JBE

즉 $\triangle$ABC$\backsim$$\triangle$JBE (AA 닮음)이므로

$\overline{AC}:\overline{JE}=\overline{BC}:\overline{BE}$에서

$4:\overline{JE}=5:3$   $\therefore \overline{JE}=\dfrac{12}{5}$ (cm)

$\therefore \triangle$EFB$=\dfrac{1}{2}\times5\times\dfrac{12}{5}=6$ (cm²)

또 $\triangle$ABC와 $\triangle$KGC에서

$\angle$CAB$=\angle$CKG$=90°$, $\overline{BC}=\overline{GC}$,

$\angle$BCA$=90°-\angle$KCB$=\angle$GCK

즉 $\triangle$ABC$\equiv$$\triangle$KGC (RHA 합동)이므로

$\overline{KG}=\overline{AB}=3$ cm

$\therefore \triangle$CGH$=\dfrac{1}{2}\times4\times3=6$ (cm²)

또 $\triangle$AID$=\dfrac{1}{2}\times3\times4=6$ (cm²)이므로

(육각형 DEFGHI의 넓이)

$=\square$ADEB$+\square$BFGC$+\square$ACHI$+\triangle$ABC$+\triangle$EFB

$\quad+\triangle$CGH$+\triangle$AID

$=3^2+5^2+4^2+6+6+6+6$

$=74$ (cm²)

**전략**

점 E에서 $\overline{FB}$의 연장선에 내린 수선의 발을 J, 점 G에서 $\overline{HC}$의 연장선에 내린 수선의 발을 K라 한 후, $\triangle$ABC$\backsim$$\triangle$JBE (AA 닮음), $\triangle$ABC$\equiv$$\triangle$KGC (RHA 합동)임을 이용하여 $\triangle$EFB, $\triangle$CGH의 넓이를 각각 구한다.

## 4 ⑤ 772

[그림 1]에서

$\overline{BD}^2=6^2+8^2=100$   $\therefore \overline{BD}=10$ (cm) ($\because \overline{BD}>0$)

끈의 최소 길이는 [그림 2]의 전개도에서 $\overline{AB}$의 길이와 같으므로

$\overline{AB}^2=14^2+24^2=772$

따라서 $k^2$의 값은 772이다.

**전략**

전개도를 이용하여 끈의 최소 길이가 $\overline{AB}$의 길이와 같음을 이해한다.

# IV
## 확률

## 01 경우의 수

**[확인 ❶]** 📝 12

(i) 2의 배수인 경우 : 2, 4, 6, 8, 10, 12, 14, 16, 18, 20의 10가지
(ii) 5의 배수인 경우 : 5, 10, 15, 20의 4가지
(iii) 2의 배수이면서 5의 배수, 즉 10의 배수인 경우
  : 10, 20의 2가지
(i)~(iii)에서 구하는 경우의 수는
$10+4-2=12$

**[확인 ❷]** 📝 15가지

전등 한 개로 만들 수 있는 신호는 켜지는 경우와 꺼지는 경우의 2가지이므로 전등 4개로 만들 수 있는 신호는
$2×2×2×2=16$(가지)
이때 전등이 모두 꺼진 경우는 신호로 보지 않으므로 만들 수 있는 신호는
$16-1=15$(가지)

**[확인 ❸]** 📝 70

5명 중에서 자격이 다른 대표 3명을 뽑는 경우의 수는
$5×4×3=60$   ∴ $a=60$
5명 중에서 자격이 같은 대표 3명을 뽑는 경우의 수는
$\dfrac{5×4×3}{3×2×1}=10$   ∴ $b=10$
∴ $a+b=60+10=70$

---

**STEP 1** | 억울하게 울리는 문제          pp. 103~104

| 1-1 144 | 1-2 96 | 2-1 18 | 2-2 12 |
| 3-1 12 | 3-2 1152 | 4-1 36 | 4-2 30 |
| 5-1 8 | 5-2 20 | 6-1 (1) 57번째 (2) 51243 | |
| 6-2 (1) 40번째 (2) 32014 | | | |

---

### 1-1 📝 144

여학생 3명을 하나로 묶어서 생각하면 4명을 한 줄로 세우는 경우의 수와 같으므로
$4×3×2×1=24$

이때 여학생 3명이 자리를 바꾸는 경우의 수는
$3×2×1=6$
따라서 구하는 경우의 수는
$24×6=144$

### 1-2 📝 96

남학생 2명, 여학생 4명을 각각 하나로 묶어서 생각하면 2명을 한 줄로 세우는 경우의 수와 같으므로 $2×1=2$
이때 남학생 2명이 자리를 바꾸는 경우의 수는 $2×1=2$
여학생 4명이 자리를 바꾸는 경우의 수는 $4×3×2×1=24$
따라서 구하는 경우의 수는
$2×2×24=96$

### 2-1 📝 18

B가 C에게 바통을 넘겨야 하므로 B 바로 다음 주자는 C이다.
이때 B는 첫 번째 주자로 뛰지 않으므로 구하는 경우는 다음과 같다.
(i) □BC□□인 경우 : $3×2×1=6$(가지)
(ii) □□BC□인 경우 : $3×2×1=6$(가지)
(iii) □□□BC인 경우 : $3×2×1=6$(가지)
(i)~(iii)에서 구하는 경우의 수는
$6+6+6=18$

### 2-2 📝 12

(i) B□□□인 경우 : B는 항상 C 앞에 서게 되고 3명을 한 줄로 세우면 되므로
  $3×2×1=6$(가지)
(ii) □B□□인 경우 : 맨 앞자리에는 C를 제외한 2명 중 1명을 세우고, 뒤의 두 자리에는 나머지 2명을 한 줄로 세우면 되므로
  $2×(2×1)=4$(가지)
(iii) □□B□인 경우 : 맨 뒷자리에는 C를 세우고, 앞의 두 자리에는 나머지 2명을 한 줄로 세우면 되므로
  $2×1=2$(가지)
(i)~(iii)에서 구하는 경우의 수는
$6+4+2=12$

### 3-1 📝 12

남학생 3명, 여학생 2명을 교대로 세우려면 다음과 같이 남학생이 맨 앞에 서야 한다.
| 남 | 여 | 남 | 여 | 남 |
즉 남학생 3명이 한 줄로 서는 경우의 수는
$3×2×1=6$
이때 남학생 사이에 여학생 2명이 한 줄로 서는 경우의 수는
$2×1=2$
따라서 구하는 경우의 수는
$6×2=12$

## 3-2 ⓐ 1152

어느 남학생끼리도 이웃하지 않고, 어느 여학생끼리도 이웃하지 않게 세우려면 남학생과 여학생을 번갈아 세워야 한다. 즉

| 남 | 여 | 남 | 여 | 남 | 여 | 남 | 여 | 또는 | 여 | 남 | 여 | 남 | 여 | 남 | 여 | 남 |

의 2가지 경우가 있다.

이때 남학생 4명을 한 줄로 세우는 경우의 수는

$$4 \times 3 \times 2 \times 1 = 24$$

여학생 4명을 한 줄로 세우는 경우의 수는

$$4 \times 3 \times 2 \times 1 = 24$$

따라서 구하는 경우의 수는

$$2 \times 24 \times 24 = 1152$$

## 4-1 ⓐ 36

홀수는 일의 자리의 숫자가 1 또는 3 또는 5인 경우이다.

(i) ☐☐1인 경우 : 백의 자리에 올 수 있는 숫자는 1을 제외한 4개, 십의 자리에 올 수 있는 숫자는 백의 자리의 숫자와 1을 제외한 3개이므로 $4 \times 3 = 12$(개)

(ii) ☐☐3인 경우 : 백의 자리에 올 수 있는 숫자는 3을 제외한 4개, 십의 자리에 올 수 있는 숫자는 백의 자리의 숫자와 3을 제외한 3개이므로 $4 \times 3 = 12$(개)

(iii) ☐☐5인 경우 : 백의 자리에 올 수 있는 숫자는 5를 제외한 4개, 십의 자리에 올 수 있는 숫자는 백의 자리의 숫자와 5를 제외한 3개이므로 $4 \times 3 = 12$(개)

(i)~(iii)에서 구하는 홀수의 개수는

$$12 + 12 + 12 = 36$$

## 4-2 ⓐ 30

짝수는 일의 자리의 숫자가 0 또는 2 또는 4인 경우이다.

(i) ☐☐0인 경우 : 백의 자리에 올 수 있는 숫자는 0을 제외한 4개, 십의 자리에 올 수 있는 숫자는 백의 자리의 숫자와 0을 제외한 3개이므로 $4 \times 3 = 12$(개)

(ii) ☐☐2인 경우 : 백의 자리에 올 수 있는 숫자는 0과 2를 제외한 3개, 십의 자리에 올 수 있는 숫자는 백의 자리의 숫자와 2를 제외한 3개이므로 $3 \times 3 = 9$(개)

(iii) ☐☐4인 경우 : 백의 자리에 올 수 있는 숫자는 0과 4를 제외한 3개, 십의 자리에 올 수 있는 숫자는 백의 자리의 숫자와 4를 제외한 3개이므로 $3 \times 3 = 9$(개)

(i)~(iii)에서 구하는 짝수의 개수는

$$12 + 9 + 9 = 30$$

## 5-1 ⓐ 8

3의 배수는 각 자리의 숫자의 합이 3의 배수이다.

(i) 각 자리의 숫자의 합이 3인 경우 : 12, 21의 2개

(ii) 각 자리의 숫자의 합이 6인 경우 : 15, 24, 42, 51의 4개

(iii) 각 자리의 숫자의 합이 9인 경우 : 45, 54의 2개

(i)~(iii)에서 구하는 3의 배수의 개수는

$$2 + 4 + 2 = 8$$

## 5-2 ⓐ 20

3의 배수는 각 자리의 숫자의 합이 3의 배수이다.

(i) 각 자리의 숫자의 합이 3인 경우

⓪, ①, ②의 카드로 만들 수 있으므로 이 3장의 카드로 만들 수 있는 세 자리의 자연수는

$$2 \times 2 = 4$$(개)

(ii) 각 자리의 숫자의 합이 6인 경우

⓪, ②, ④의 카드와 ①, ②, ③의 카드로 만들 수 있다.

① ⓪, ②, ④의 카드로 만들 수 있는 세 자리의 자연수는

$$2 \times 2 = 4$$(개)

② ①, ②, ③의 카드로 만들 수 있는 세 자리의 자연수는

$$3 \times 2 \times 1 = 6$$(개)

①, ②에서 $4 + 6 = 10$(개)

(iii) 각 자리의 숫자의 합이 9인 경우

②, ③, ④의 카드로 만들 수 있으므로 이 3장의 카드로 만들 수 있는 세 자리의 자연수는

$$3 \times 2 \times 1 = 6$$(개)

(i)~(iii)에서 구하는 3의 배수의 개수는

$$4 + 10 + 6 = 20$$

## 6-1 ⓐ (1) 57번째 (2) 51243

(1)(i) 1☐☐☐☐인 경우 : $4 \times 3 \times 2 \times 1 = 24$(개)

(ii) 2☐☐☐☐인 경우 : $4 \times 3 \times 2 \times 1 = 24$(개)

(iii) 31☐☐☐인 경우 : $3 \times 2 \times 1 = 6$(개)

(iv) 321☐☐인 경우 : 32145, 32154의 2개

(i)~(iv)에서 $24 + 24 + 6 + 2 = 56$(개)

따라서 32415는 57번째 수이다.

(2)(i) 1☐☐☐☐인 경우 : $4 \times 3 \times 2 \times 1 = 24$(개)

(ii) 2☐☐☐☐인 경우 : $4 \times 3 \times 2 \times 1 = 24$(개)

(iii) 3☐☐☐☐인 경우 : $4 \times 3 \times 2 \times 1 = 24$(개)

(iv) 4☐☐☐☐인 경우 : $4 \times 3 \times 2 \times 1 = 24$(개)

(i)~(iv)에서 $24 + 24 + 24 + 24 = 96$(개)

따라서 97번째 수는 51234이므로 98번째 수는 51243이다.

## 6-2 ⓐ (1) 40번째 (2) 32014

(1)(i) 1☐☐☐☐인 경우 : $4 \times 3 \times 2 \times 1 = 24$(개)

(ii) 20☐☐☐인 경우 : $3 \times 2 \times 1 = 6$(개)

(iii) 21☐☐☐인 경우 : $3 \times 2 \times 1 = 6$(개)

(iv) 230☐☐인 경우 : 23014, 23041의 2개

(i)~(iv)에서 $24 + 6 + 6 + 2 = 38$(개)

따라서 23104는 39번째 수이므로 23140은 40번째 수이다.

(2)(i) $1\square\square\square\square$인 경우 : $4\times3\times2\times1=24$(개)

(ii) $2\square\square\square\square$인 경우 : $4\times3\times2\times1=24$(개)

(iii) $30\square\square\square$인 경우 : $3\times2\times1=6$(개)

(iv) $31\square\square\square$인 경우 : $3\times2\times1=6$(개)

(i)~(iv)에서 $24+24+6+6=60$(개)

따라서 61번째 수는 32014이다.

(iv) $(2, 1)$과 같은 경우 : $(4, 2)$, $(6, 3)$의 2개

(v) $(2, 3)$과 같은 경우 : $(4, 6)$의 1개

(vi) $(3, 1)$과 같은 경우 : $(6, 2)$의 1개

(vii) $(3, 2)$와 같은 경우 : $(6, 4)$의 1개

(i)~(vii)에서 $5+2+1+2+1+1+1=13$(개)

따라서 서로 다른 직선의 개수는

$36-13=23$

전략

(서로 다른 직선의 개수)=(모든 경우의 수)−(중복된 직선의 개수)

---

**STEP 2** | 반드시 등수 올리는 문제     pp. 105 ~ 107

| | | | |
|---|---|---|---|
| **01** 3개 | **02** 23 | **03** 19 | **04** 80 |
| **05** 36 | **06** 8 | **07** 84 | **08** 20 |
| **09** 64 | **10** 6 | **11** 10 | **12** 80 |

## 01   답 3개

삼각형의 세 변의 길이를 각각 $a, b, c\,(a\leq b\leq c)$라 하면

$a+b+c=12$    $\therefore a+b=12-c$

이때 $a+b>c$이어야 하므로

$12-c>c$    $\therefore c<6$

(i) $c=1, 2, 3$인 경우

   $a\leq b\leq c$이므로 $a+b+c=12$를 만족하지 않는다.

(ii) $c=4$인 경우

   $a=b=4$

(iii) $c=5$인 경우

   $a=2, b=5$ 또는 $a=3, b=4$

(i)~(iii)에서 만들 수 있는 삼각형은 모두 3개이다.

전략

삼각형의 세 변의 길이를 $a, b, c\,(a\leq b\leq c)$라 할 때, $a+b+c=12$와 $a+b>c$를 모두 만족하는 $a, b, c$의 값을 찾는다.

## 02   답 23

모든 경우의 수는 $6\times6=36$

$ax-by-b=0$, 즉 $y=\dfrac{a}{b}x-1$이므로 $\dfrac{a}{b}$의 값이 같으면 같은 직선이다. 이때 $\dfrac{a}{b}$의 값이 같은 경우를 순서쌍 $(a, b)$로 나타내면 다음과 같다.

(i) $(1, 1)$과 같은 경우 : $(2, 2)$, $(3, 3)$, $(4, 4)$, $(5, 5)$, $(6, 6)$의 5개

(ii) $(1, 2)$와 같은 경우 : $(2, 4)$, $(3, 6)$의 2개

(iii) $(1, 3)$과 같은 경우 : $(2, 6)$의 1개

## 03   답 19

1장의 카드는 뽑았을 때, 카드에 적힌 수를 $x$라 하자.

$\dfrac{x}{60}=\dfrac{x}{2^2\times3\times5}$가 유한소수가 되려면 $x$는 3의 배수이어야 한다. 즉 1부터 50까지의 자연수 중 3의 배수는 $3, 6, 9, \cdots, 45, 48$의 16개

$\dfrac{x}{110}=\dfrac{x}{2\times5\times11}$가 유한소수가 되려면 $x$는 11의 배수이어야 한다. 즉 1부터 50까지의 자연수 중 11의 배수는 $11, 22, 33, 44$의 4개

이때 3의 배수이면서 11의 배수, 즉 33의 배수는 33의 1개

따라서 구하는 경우의 수는

$16+4-1=19$

전략

1장의 카드를 뽑아 카드에 적힌 수를 $x$라 할 때, 60과 110을 각각 소인수분해하여 $x$가 3의 배수이거나 11의 배수이어야 함을 안다. 이때 $x$가 3의 배수이면서 11의 배수인 경우는 중복된다는 것에 주의한다.

## 04   답 80

주사위를 각각 두 번씩 던졌을 때, 두 말이 모두 A에 있으려면 은주가 던진 주사위의 눈의 수의 합은 5 또는 9, 지수가 던진 주사위의 눈의 수의 합은 3 또는 7 또는 11이어야 한다.

(i) 은주가 던진 첫 번째, 두 번째 주사위의 눈의 수를 각각 $a, b$라 하고 순서쌍 $(a, b)$로 나타내면

   ① $a+b=5$인 경우

     $(1, 4)$, $(2, 3)$, $(3, 2)$, $(4, 1)$의 4가지

   ② $a+b=9$인 경우

     $(3, 6)$, $(4, 5)$, $(5, 4)$, $(6, 3)$의 4가지

   ①, ②에서 은주의 말이 A에 있는 경우의 수는

   $4+4=8$

(ii) 지수가 던진 첫 번째, 두 번째 주사위의 눈의 수를 각각 $c$, $d$라 하고 순서쌍 $(c, d)$로 나타내면

① $c+d=3$인 경우

    $(1, 2)$, $(2, 1)$의 2가지

② $c+d=7$인 경우

    $(1, 6)$, $(2, 5)$, $(3, 4)$, $(4, 3)$, $(5, 2)$, $(6, 1)$의 6가지

③ $c+d=11$인 경우

    $(5, 6)$, $(6, 5)$의 2가지

①~③에서 지수의 말이 A에 있는 경우의 수는

$2+6+2=10$

(i), (ii)에서 구하는 경우의 수는

$8 \times 10 = 80$

**전략**

주사위를 각각 두 번씩 던졌을 때, 두 말이 모두 A에 있으려면 은주가 던진 주사위의 눈의 수의 합은 5 또는 9, 지수가 던진 주사위의 눈의 수의 합은 3 또는 7 또는 11이어야 한다.

---

## 05 🔵36

$A \rightarrow B \rightarrow C \rightarrow D \rightarrow E$의 순서로 색을 칠한다고 하자.

A에 칠할 수 있는 색은 3가지, B에 칠할 수 있는 색은 A에 칠한 색을 제외한 2가지

(i) C에 A와 다른 색을 칠하는 경우

C에 칠할 수 있는 색은 A, B에 칠한 색을 제외한 1가지, D에 칠할 수 있는 색은 A, C에 칠한 색을 제외한 1가지, E에 칠할 수 있는 색은 A에 칠한 색을 제외한 2가지이므로

$3 \times 2 \times 1 \times 1 \times 2 = 12$

(ii) C에 A와 같은 색을 칠하는 경우

C에 칠할 수 있는 색은 A에 칠한 색과 같으므로 1가지, D에 칠할 수 있는 색은 A(또는 C)에 칠한 색을 제외한 2가지, E에 칠할 수 있는 색은 A에 칠한 색을 제외한 2가지이므로

$3 \times 2 \times 1 \times 2 \times 2 = 24$

(i), (ii)에서 구하는 경우의 수는

$12 + 24 = 36$

**전략**

이웃한 부분이 많은 영역부터 색을 칠하도록 칠하는 순서를 정하고 같은 색을 칠해도 되는 영역이 있는지 확인한다.

---

## 06 🔵8

(i) A → C → B로 가는 경우

$2 \times 1 = 2$(가지)

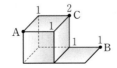

(ii) A → D → B로 가는 경우

$2 \times 2 = 4$(가지)

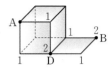

(iii) A → E → B로 가는 경우

$2 \times 1 = 2$(가지)

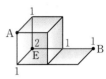

(i)~(iii)에서 구하는 경우의 수는

$2 + 4 + 2 = 8$

**전략**

최단 거리로 가야 하므로 A → C → B 또는 A → D → B 또는 A → E → B로 가는 경우로 나누어 생각한다.

---

## 07 🔵84

(i) 아시아 → 유럽인 경우

$\dfrac{4 \times 3 \times 2}{3 \times 2 \times 1} \times \dfrac{3 \times 2}{2 \times 1} = 4 \times 3 = 12$(가지)

(ii) 아시아 → 아메리카인 경우

$\dfrac{4 \times 3 \times 2}{3 \times 2 \times 1} \times \dfrac{4 \times 3}{2 \times 1} = 4 \times 6 = 24$(가지)

(iii) 유럽 → 아시아인 경우

$\dfrac{3 \times 2 \times 1}{3 \times 2 \times 1} \times \dfrac{4 \times 3}{2 \times 1} = 1 \times 6 = 6$(가지)

(iv) 유럽 → 아메리카인 경우

$\dfrac{3 \times 2 \times 1}{3 \times 2 \times 1} \times \dfrac{4 \times 3}{2 \times 1} = 1 \times 6 = 6$(가지)

(v) 아메리카 → 아시아인 경우

$\dfrac{4 \times 3 \times 2}{3 \times 2 \times 1} \times \dfrac{4 \times 3}{2 \times 1} = 4 \times 6 = 24$(가지)

(vi) 아메리카 → 유럽인 경우

$\dfrac{4 \times 3 \times 2}{3 \times 2 \times 1} \times \dfrac{3 \times 2}{2 \times 1} = 4 \times 3 = 12$(가지)

(i)~(vi)에서 구하는 경우의 수는

$12 + 24 + 6 + 6 + 24 + 12 = 84$

**전략**

하나의 대륙에서 여행할 나라를 고르는 경우의 수는 자격이 같은 대표를 뽑는 경우의 수와 같다.

---

## 08 🔵20

지원자 5명 중 자신의 수험 번호가 적힌 자리에 앉는 지원자 2명을 뽑는 경우의 수는 $\dfrac{5 \times 4}{2 \times 1} = 10$

이때 나머지 3명의 수험 번호를 1, 2, 3이라 할 때, 이 3명이 다른 지원자의 수험 번호가 적힌 의자에 앉는 경우는 다음 표와 같으므로 경우의 수는 2이다.

| 지원자의 수험 번호 | 1 | 2 | 3 |
| --- | --- | --- | --- |
| 의자에 적힌 수험 번호 | 2 | 3 | 1 |
| | 3 | 1 | 2 |

따라서 구하는 경우의 수는

$10 \times 2 = 20$

**전략**

지원자 5명 중 자신의 수험 번호가 적힌 자리에 앉는 지원자 2명을 뽑는 경우의 수를 먼저 구하고, 그 각각의 경우에 대하여 나머지 3명의 지원자가 다른 지원자의 수험 번호가 적힌 자리에 앉는 경우의 수를 구한다.

## 09 답 64

(개) 4개 팀으로 이루어진 한 조에서 열리는 경기의 수는 4명 중 자격이 같은 대표 2명을 뽑는 경우의 수와 같으므로 $\dfrac{4 \times 3}{2 \times 1} = 6$

따라서 8개 조에서 리그전으로 열리는 경기의 수는 $8 \times 6 = 48$

(내) 16강에서 열리는 경기의 수는 8, 8강에서 열리는 경기의 수는 4, 4강에서 열리는 경기의 수는 2, 결승전에서 열리는 경기의 수는 1이므로 토너먼트로 열리는 경기의 수는

$8 + 4 + 2 + 1 = 15$

(대) 3, 4위전에서 열리는 경기의 수는 1

(개)~(대)에서 구하는 경기의 수는

$48 + 15 + 1 = 64$

**전략**

리그전으로 열리는 경기의 수는 자격이 같은 대표 2명을 뽑는 경우의 수와 같다.

## 10 답 6

남자 회원 수를 $x$라 하면 적어도 여자 회원 한 명을 임원으로 뽑는 경우의 수는 전체 회원 10명 중 3명을 뽑는 경우의 수에서 남자 회원 $x$명 중 3명을 뽑는 경우의 수를 뺀 것과 같으므로

$$\dfrac{10 \times 9 \times 8}{3 \times 2 \times 1} - \dfrac{x(x-1)(x-2)}{3 \times 2 \times 1} = 100$$

$x(x-1)(x-2) = 120$

이때 $120 = 6 \times 5 \times 4$이므로 $x = 6$

따라서 남자 회원 수는 6이다.

**전략**

'적어도'라는 표현이 있으면 모든 경우의 수에서 그 사건이 일어나지 않는 경우의 수를 뺀다. 즉

(적어도 여자 회원 한 명을 임원으로 뽑는 경우의 수)
=(모든 경우의 수)−(남자 회원 3명을 임원으로 뽑는 경우의 수)

## 11 답 10

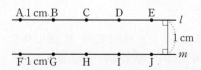

위의 그림과 같이 10개의 점을 각각 A~J라 하자. 이때 점 4개를 택하여 사각형을 만들려면 직선 $l$에서 점 2개, 직선 $m$에서 점 2개를 택해야 하고, 사각형의 넓이가 $3\ \mathrm{cm}^2$가 되는 경우는 다음과 같다.

(i) 윗변의 길이가 2 cm, 아랫변의 길이가 4 cm인 사다리꼴인 경우
: 직선 $l$에서 택하는 두 점은 A와 C 또는 B와 D 또는 C와 E이고, 직선 $m$에서 택하는 두 점은 F와 J이다.

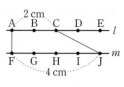

따라서 경우의 수는 $3 \times 1 = 3$

(ii) 윗변의 길이가 3 cm, 아랫변의 길이가 3 cm인 평행사변형인 경우 : 직선 $l$에서 택하는 두 점은 A와 D 또는 B와 E이고, 직선 $m$에서 택하는 두 점은 F와 I 또는 G와 J이다.

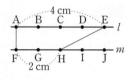

따라서 경우의 수는 $2 \times 2 = 4$

(iii) 윗변의 길이가 4 cm, 아랫변의 길이가 2 cm인 사다리꼴인 경우 : 직선 $l$에서 택하는 두 점은 A와 E이고, 직선 $m$에서 택하는 두 점은 F와 H 또는 G와 I 또는 H와 J이다.

따라서 경우의 수는 $1 \times 3 = 3$

(i)~(iii)에서 구하는 경우의 수는

$3 + 4 + 3 = 10$

**전략**

높이가 1 cm인 사다리꼴의 넓이가 $3\ \mathrm{cm}^2$가 되려면 윗변의 길이와 아랫변의 길이의 합이 6 cm이어야 한다.

## 12 답 80

10개의 점 중에서 2개의 점을 택하는 경우의 수는

$$\dfrac{10 \times 9}{2 \times 1} = 45$$

한 직선 위에 있는 4개의 점 중에서 2개의 점을 택하는 경우의 수는 $\dfrac{4 \times 3}{2 \times 1} = 6$

한 직선 위에 있는 4개의 점으로 만들 수 있는 직선의 개수는 1

이때 4개의 점이 있는 직선은 5개이므로 만들 수 있는 서로 다른 직선의 개수는

$45 - 5 \times 6 + 5 \times 1 = 20 \qquad \therefore a = 20$

10개의 점 중에서 3개의 점을 택하는 경우의 수는

$$\dfrac{10 \times 9 \times 8}{3 \times 2 \times 1} = 120$$

한 직선 위에 있는 4개의 점 중에서 3개의 점을 택하는 경우의 수는 $\dfrac{4 \times 3 \times 2}{3 \times 2 \times 1} = 4$

이때 4개의 점이 있는 직선은 5개이므로 만들 수 있는 서로 다른 삼각형의 개수는

$120 - 5 \times 4 = 100 \qquad \therefore b = 100$

$\therefore b - a = 100 - 20 = 80$

**STEP 3** | 전교 1등 확실하게 굳히는 문제 | pp. 108~109

| **1** 56 | **2** 164 | **3** 92 | **4** 112 |

## 1 답 56

$f(a), f(b), f(c)$는 자연수이고 $f(a)+f(b)+f(c)=6$이므로 6을 세 자연수의 합으로 나타내면

$6=1+1+4=1+2+3=2+2+2$

(i) $(f(a), f(b), f(c))=(1, 1, 4), (1, 4, 1), (4, 1, 1)$인 경우

　먼저 $(f(a), f(b), f(c))=(1, 1, 4)$인 경우는

　$f(a)=1$이면 $a=10$

　$f(b)=1$이면 $b=10$

　$f(c)=4$이면 $c=13, 22, 31, 40$

　즉 $(f(a), f(b), f(c))=(1, 1, 4)$를 만족하는 순서쌍 $(a, b, c)$의 개수는 $1 \times 1 \times 4 = 4$

　마찬가지로 $(f(a), f(b), f(c))=(1, 4, 1), (4, 1, 1)$을 만족하는 순서쌍 $(a, b, c)$의 개수도 각각 4

　따라서 구하는 경우의 수는 $4+4+4=12$

(ii) $(f(a), f(b), f(c))=(1, 2, 3), (1, 3, 2), (2, 1, 3), (2, 3, 1), (3, 1, 2), (3, 2, 1)$인 경우

　먼저 $(f(a), f(b), f(c))=(1, 2, 3)$인 경우는

　$f(a)=1$이면 $a=10$

　$f(b)=2$이면 $b=11, 20$

　$f(c)=3$이면 $c=12, 21, 30$

　즉 $(f(a), f(b), f(c))=(1, 2, 3)$을 만족하는 순서쌍 $(a, b, c)$의 개수는 $1 \times 2 \times 3 = 6$

　마찬가지로 $(f(a), f(b), f(c))=(1, 3, 2), (2, 1, 3), (2, 3, 1), (3, 1, 2), (3, 2, 1)$을 만족하는 순서쌍 $(a, b, c)$의 개수도 각각 6

　따라서 구하는 경우의 수는 $6+6+6+6+6+6=36$

(iii) $(f(a), f(b), f(c))=(2, 2, 2)$인 경우

　$f(a)=2$이면 $a=11, 20$

　$f(b)=2$이면 $b=11, 20$

　$f(c)=2$이면 $c=11, 20$

　즉 $(f(a), f(b), f(c))=(2, 2, 2)$를 만족하는 순서쌍 $(a, b, c)$의 개수는 $2 \times 2 \times 2 = 8$

(i)~(iii)에서 구하는 경우의 수는

$12+36+8=56$

## 2 답 164

규진이와 민수는 오른쪽 그림의 P 또는 Q 또는 R 또는 S에서 만난다.

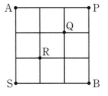

(i) P에서 만나는 경우

　규진 : A → P → B로 가야 하므로 경우의 수는 $1 \times 1 = 1$

　민수 : B → P → A로 가야 하므로 경우의 수는 $1 \times 1 = 1$

　따라서 P에서 만나는 경우의 수는 $1 \times 1 = 1$

(ii) Q에서 만나는 경우

　규진 : A → Q → B로 가야 하므로 경우의 수는 $3 \times 3 = 9$

　민수 : B → Q → A로 가야 하므로 경우의 수는 $3 \times 3 = 9$

　따라서 Q에서 만나는 경우의 수는 $9 \times 9 = 81$

(iii) R에서 만나는 경우

　규진 : A → R → B로 가야 하므로 경우의 수는 $3 \times 3 = 9$

　민수 : B → R → A로 가야 하므로 경우의 수는 $3 \times 3 = 9$

　따라서 R에서 만나는 경우의 수는 $9 \times 9 = 81$

(iv) S에서 만나는 경우

　규진 : A → S → B로 가야 하므로 경우의 수는 $1 \times 1 = 1$

　민수 : B → S → A로 가야 하므로 경우의 수는 $1 \times 1 = 1$

　따라서 S에서 만나는 경우의 수는 $1 \times 1 = 1$

(i)~(iv)에서 구하는 경우의 수는

$1+81+81+1=164$

## 3 답 92

위에서 내려다 본 모양에 오른쪽 그림과 같이 번호를 매기자.

먼저 ①~⑥까지 1층에 6개의 블록을 놓은 후 나머지 $13-6=7$(개)의 블록을 쌓는 경우는 다음과 같다.

(i) ①과 ②의 2층에 모두 1개씩 블록을 쌓는 경우

　③, ④, ⑤, ⑥에 더 쌓아야 할 블록은 $7-2=5$(개)이고 ③, ④, ⑤, ⑥ 중 한 곳에는 4층까지 3개의 블록을 더 쌓아야 한다. 이때 남은 블록은 $5-3=2$(개)이고 4층까지 쌓은 곳을 제외한 세 곳 중 한 곳에 2개의 블록을 쌓거나 세 곳 중 두 곳을 골라 1개씩 블록을 쌓아야 한다.

　따라서 구하는 경우의 수는 $4 \times 3 + 4 \times \dfrac{3 \times 2}{2 \times 1} = 24$

(ii) ①과 ② 중 한 곳에만 2층에 1개의 블록을 쌓는 경우

　③, ④, ⑤, ⑥에 더 쌓아야 할 블록은 7−1=6(개)이고 ③, ④, ⑤, ⑥ 중 적어도 한 곳에는 4층까지 3개의 블록을 더 쌓아야 한다. 이때 남은 블록은 6−3=3(개)이고 4층까지 쌓은 곳을 제외한 세 곳 중 한 곳에 3개의 블록을 쌓거나 세 곳 중 두 곳을 골라 각각 2개, 1개의 블록을 쌓거나 세 곳 모두 1개씩 블록을 쌓아야 한다.

　따라서 구하는 경우의 수는 $2 \times \left( \dfrac{4 \times 3}{2 \times 1} + 4 \times 3 \times 2 + 4 \right) = 68$

(i), (ii)에서 구하는 경우의 수는

$24+68=92$

전략

[그림 1]을 보고 1층에 쌓아야 할 블록의 개수를 고정시킨 후 [그림 2]를 보고 남은 블록을 어떻게 쌓아야 할지 생각한다.

**4** 답 112

12개의 점 중에서 3개의 점을 이어서 만들 수 있는 삼각형의 개수

는 $\dfrac{12 \times 11 \times 10}{3 \times 2 \times 1} = 220$ ⋯⋯ 20 %

이때 십이각형과 변이 맞닿는 경우는 다음과 같다.

(i) 십이각형과 한 변만 맞닿는 경우

　오른쪽 그림에서 변 AB만 맞닿는 삼각형은 네 점 A, B, C, L을 제외한 한 꼭짓점과 두 점 A, B로 이루어진 삼각형이므로 그 개수는

　$12-4=8$

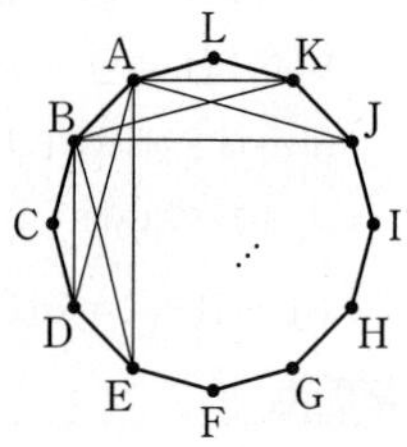

　이때 정십이각형의 변은 12개이므로 십이각형과 한 변만 맞닿는 삼각형의 개수는

　$12 \times 8 = 96$ ⋯⋯ 30 %

(ii) 십이각형과 두 변이 맞닿는 경우

　오른쪽 그림에서 십이각형과 두 변이 맞닿는 삼각형은

　$\triangle$ABC, $\triangle$BCD, $\triangle$CDE,
　$\triangle$DEF, $\triangle$EFG, $\triangle$FGH,
　$\triangle$GHI, $\triangle$HIJ, $\triangle$IJK, $\triangle$JKL,
　$\triangle$KLA, $\triangle$LAB
　의 12개 ⋯⋯ 30 %

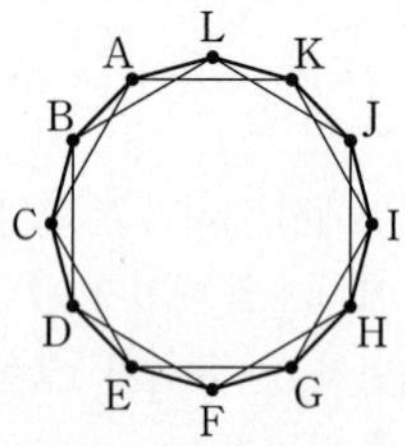

(i), (ii)에서 십이각형과 변이 맞닿는 삼각형의 개수는

$96+12=108$ ⋯⋯ 10 %

따라서 구하는 삼각형의 개수는

$220-108=112$ ⋯⋯ 10 %

전략

(구하는 삼각형의 개수)=(모든 삼각형의 개수)
　−{(십이각형과 한 변만 맞닿는 삼각형의 개수)
　+(십이각형과 두 변이 맞닿는 삼각형의 개수)}

# 02 확률

[ 확인 ❶ ] 답 $\dfrac{1}{12}$

모든 경우의 수는 $6 \times 6 = 36$

$x+2y=8$을 만족하는 순서쌍 $(x, y)$는 $(2, 3)$, $(4, 2)$, $(6, 1)$의 3가지이므로 그 확률은

$\dfrac{3}{36} = \dfrac{1}{12}$

[ 확인 ❷ ] 답 ㉡, ㉣, ㉤

㉡ $0 \le p \le 1$이고 $p+q=1$이므로 $0 \le q \le 1$

㉣ $p+q=1$이므로 $p=1-q$

㉤ $q=0$이면 $p=1$이므로 사건 $A$는 반드시 일어난다.

따라서 옳은 것은 ㉡, ㉣, ㉤이다.

[ 확인 ❸ ] 답 $\dfrac{2}{3}$

노란색 부분을 맞힐 확률은 $\dfrac{4}{9}$

파란색 부분을 맞힐 확률은 $\dfrac{2}{9}$

따라서 구하는 확률은

$\dfrac{4}{9} + \dfrac{2}{9} = \dfrac{6}{9} = \dfrac{2}{3}$

| STEP 1 | 억울하게 울리는 문제 | | pp. 111 ~ 113 |
|---|---|---|---|
| 1-1 $\dfrac{7}{10}$ | 1-2 $\dfrac{3}{5}$ | 2-1 $\dfrac{3}{4}$ | 2-2 $\dfrac{15}{16}$ |
| 3-1 $\dfrac{3}{8}$ | 3-2 $\dfrac{6}{7}$ | 4-1 $\dfrac{24}{49}$ | 4-2 $\dfrac{2}{5}$ |
| 5-1 $\dfrac{12}{25}$ | 5-2 $\dfrac{9}{16}$ | 6-1 $\dfrac{13}{36}$ | 6-2 $\dfrac{1}{3}$ |
| 7-1 $\dfrac{11}{36}$ | 7-2 $\dfrac{1}{3}$ | 8-1 $\dfrac{21}{50}$ | 8-2 $\dfrac{7}{15}$ |
| 9-1 $\dfrac{40}{81}$ | 9-2 $\dfrac{5}{9}$ | | |

**1-1** 답 $\dfrac{7}{10}$

3의 배수가 나오는 경우는 3, 6, 9, 12, 15, 18의 6가지이므로 3의 배수가 나올 확률은 $\dfrac{6}{20} = \dfrac{3}{10}$

따라서 구하는 확률은

$1 - \dfrac{3}{10} = \dfrac{7}{10}$

## 1-2 답 $\frac{3}{5}$

모든 경우의 수는 $5 \times 4 \times 3 \times 2 \times 1 = 120$

은서와 다영이가 이웃하여 서는 경우의 수는

$4 \times 3 \times 2 \times 1 \times (2 \times 1) = 48$이므로 확률은 $\frac{48}{120} = \frac{2}{5}$

따라서 구하는 확률은

$1 - \frac{2}{5} = \frac{3}{5}$

## 2-1 답 $\frac{3}{4}$

모든 경우의 수는 $6 \times 6 = 36$

두 개 모두 홀수의 눈이 나오는 경우의 수는 $3 \times 3 = 9$이므로 확률

은 $\frac{9}{36} = \frac{1}{4}$

따라서 구하는 확률은

$1 - \frac{1}{4} = \frac{3}{4}$

**다른 풀이**

주사위를 던져 홀수의 눈이 나올 확률은 $\frac{3}{6} = \frac{1}{2}$이므로 두 개 모두

홀수의 눈이 나올 확률은

$\frac{1}{2} \times \frac{1}{2} = \frac{1}{4}$

따라서 구하는 확률은

$1 - \frac{1}{4} = \frac{3}{4}$

## 2-2 답 $\frac{15}{16}$

모든 경우의 수는 $2 \times 2 \times 2 \times 2 = 16$

4문제를 모두 틀리는 경우의 수는 1이므로 확률은 $\frac{1}{16}$

따라서 구하는 확률은

$1 - \frac{1}{16} = \frac{15}{16}$

**다른 풀이**

임의로 답을 표할 때, 한 문제를 틀릴 확률은 $\frac{1}{2}$이므로 4문제 모두

틀릴 확률은 $\frac{1}{2} \times \frac{1}{2} \times \frac{1}{2} \times \frac{1}{2} = \frac{1}{16}$

따라서 구하는 확률은

$1 - \frac{1}{16} = \frac{15}{16}$

## 3-1 답 $\frac{3}{8}$

재민이가 약속을 지킬 확률은 $1 - \frac{1}{6} = \frac{5}{6}$이므로

(두 사람이 만나지 못할 확률)

$=$(적어도 한 사람이 약속을 지키지 못할 확률)

$=1-$(두 사람 모두 약속을 지킬 확률)

$= 1 - \frac{3}{4} \times \frac{5}{6} = 1 - \frac{5}{8} = \frac{3}{8}$

## 3-2 답 $\frac{6}{7}$

두 명의 양궁 선수가 풍선을 맞히지 못할 확률은 각각 $1 - \frac{4}{5} = \frac{1}{5}$,

$1 - \frac{2}{7} = \frac{5}{7}$이므로

(풍선이 터질 확률)

$=$(적어도 한 명은 풍선을 맞힐 확률)

$=1-$(두 명 모두 풍선을 맞히지 못할 확률)

$= 1 - \frac{1}{5} \times \frac{5}{7} = 1 - \frac{1}{7} = \frac{6}{7}$

## 4-1 답 $\frac{24}{49}$

(i) 보라가 첫 번째 경기에서 이기고 두 번째 경기에서 질 확률은

$\frac{3}{7} \times \left(1 - \frac{3}{7}\right) = \frac{3}{7} \times \frac{4}{7} = \frac{12}{49}$

(ii) 보라가 첫 번째 경기에서 지고 두 번째 경기에서 이길 확률은

$\left(1 - \frac{3}{7}\right) \times \frac{3}{7} = \frac{4}{7} \times \frac{3}{7} = \frac{12}{49}$

(i), (ii)에서 구하는 확률은

$\frac{12}{49} + \frac{12}{49} = \frac{24}{49}$

## 4-2 답 $\frac{2}{5}$

$a+b$가 짝수인 경우는 $a$, $b$가 모두 짝수이거나 모두 홀수인 경우이다.

(i) $a$, $b$가 모두 짝수일 확률은

$\left(1 - \frac{1}{5}\right) \times \left(1 - \frac{2}{3}\right) = \frac{4}{5} \times \frac{1}{3} = \frac{4}{15}$

(ii) $a$, $b$가 모두 홀수일 확률은

$\frac{1}{5} \times \frac{2}{3} = \frac{2}{15}$

(i), (ii)에서 구하는 확률은

$\frac{4}{15} + \frac{2}{15} = \frac{6}{15} = \frac{2}{5}$

## 5-1 답 $\frac{12}{25}$

(i) A 주머니와 B 주머니에서 모두 검은 공이 나올 확률은

$\frac{3}{5} \times \frac{2}{5} = \frac{6}{25}$

(ii) A 주머니와 B 주머니에서 모두 흰 공이 나올 확률은

$\frac{2}{5} \times \frac{3}{5} = \frac{6}{25}$

(i), (ii)에서 구하는 확률은

$\frac{6}{25} + \frac{6}{25} = \frac{12}{25}$

## 5-2 달 $\dfrac{9}{16}$

(i) A 주머니를 택하고, 검은 공이 나올 확률은

$$\dfrac{1}{2} \times \dfrac{3}{8} = \dfrac{3}{16}$$

(ii) B 주머니를 택하고, 검은 공이 나올 확률은

$$\dfrac{1}{2} \times \dfrac{3}{4} = \dfrac{3}{8}$$

(i), (ii)에서 구하는 확률은

$$\dfrac{3}{16} + \dfrac{3}{8} = \dfrac{9}{16}$$

## 6-1 달 $\dfrac{13}{36}$

(i) 금요일에 비가 오고 토요일에 비가 올 확률은

$$\dfrac{1}{6} \times \dfrac{1}{6} = \dfrac{1}{36}$$

(ii) 금요일에 비가 오지 않고 토요일에 비가 올 확률은

$$\left(1 - \dfrac{1}{6}\right) \times \dfrac{2}{5} = \dfrac{5}{6} \times \dfrac{2}{5} = \dfrac{1}{3}$$

(i), (ii)에서 구하는 확률은

$$\dfrac{1}{36} + \dfrac{1}{3} = \dfrac{13}{36}$$

## 6-2 달 $\dfrac{1}{3}$

(i) 수요일에 지각을 하고 목요일에 지각을 하지 않을 확률은

$$\dfrac{1}{3} \times \left(1 - \dfrac{1}{3}\right) = \dfrac{1}{3} \times \dfrac{2}{3} = \dfrac{2}{9}$$

(ii) 수요일에 지각을 하지 않고 목요일에 지각을 하지 않을 확률은

$$\left(1 - \dfrac{1}{3}\right) \times \left(1 - \dfrac{5}{6}\right) = \dfrac{2}{3} \times \dfrac{1}{6} = \dfrac{1}{9}$$

(i), (ii)에서 구하는 확률은

$$\dfrac{2}{9} + \dfrac{1}{9} = \dfrac{3}{9} = \dfrac{1}{3}$$

## 7-1 달 $\dfrac{11}{36}$

(적어도 한 사람은 흰 공을 꺼낼 확률)

$=1-$(두 사람 모두 검은 공을 꺼낼 확률)

$$=1 - \dfrac{5}{6} \times \dfrac{5}{6} = 1 - \dfrac{25}{36} = \dfrac{11}{36}$$

## 7-2 달 $\dfrac{1}{3}$

(적어도 한 사람은 흰 공을 꺼낼 확률)

$=1-$(두 사람 모두 검은 공을 꺼낼 확률)

$$=1 - \dfrac{5}{6} \times \dfrac{4}{5} = 1 - \dfrac{2}{3} = \dfrac{1}{3}$$

## 8-1 달 $\dfrac{21}{50}$

(i) A가 흰 바둑돌을 꺼내고 B가 검은 바둑돌을 꺼낼 확률은

$$\dfrac{3}{10} \times \dfrac{7}{10} = \dfrac{21}{100}$$

(ii) A가 검은 바둑돌을 꺼내고 B가 흰 바둑돌을 꺼낼 확률은

$$\dfrac{7}{10} \times \dfrac{3}{10} = \dfrac{21}{100}$$

(i), (ii)에서 구하는 확률은

$$\dfrac{21}{100} + \dfrac{21}{100} = \dfrac{42}{100} = \dfrac{21}{50}$$

## 8-2 달 $\dfrac{7}{15}$

(i) A가 흰 바둑돌을 꺼내고 B가 검은 바둑돌을 꺼낼 확률은

$$\dfrac{3}{10} \times \dfrac{7}{9} = \dfrac{7}{30}$$

(ii) A가 검은 바둑돌을 꺼내고 B가 흰 바둑돌을 꺼낼 확률은

$$\dfrac{7}{10} \times \dfrac{3}{9} = \dfrac{7}{30}$$

(i), (ii)에서 구하는 확률은

$$\dfrac{7}{30} + \dfrac{7}{30} = \dfrac{14}{30} = \dfrac{7}{15}$$

## 9-1 달 $\dfrac{40}{81}$

(i) 재은이는 당첨 제비를 뽑고 제훈이는 당첨 제비를 뽑지 않을 확률은

$$\dfrac{4}{9} \times \dfrac{5}{9} = \dfrac{20}{81}$$

(ii) 재은이는 당첨 제비를 뽑지 않고 제훈이는 당첨 제비를 뽑을 확률은

$$\dfrac{5}{9} \times \dfrac{4}{9} = \dfrac{20}{81}$$

(i), (ii)에서 구하는 확률은

$$\dfrac{20}{81} + \dfrac{20}{81} = \dfrac{40}{81}$$

## 9-2 달 $\dfrac{5}{9}$

(i) 재은이는 당첨 제비를 뽑고 제훈이는 당첨 제비를 뽑지 않을 확률은

$$\dfrac{4}{9} \times \dfrac{5}{8} = \dfrac{5}{18}$$

(ii) 재은이는 당첨 제비를 뽑지 않고 제훈이는 당첨 제비를 뽑을 확률은

$$\dfrac{5}{9} \times \dfrac{4}{8} = \dfrac{5}{18}$$

(i), (ii)에서 구하는 확률은

$$\dfrac{5}{18} + \dfrac{5}{18} = \dfrac{10}{18} = \dfrac{5}{9}$$

| | | | |
|---|---|---|---|
| **01** $\dfrac{13}{20}$ | **02** $\dfrac{1}{3}$ | **03** $\dfrac{7}{45}$ | **04** $\dfrac{7}{36}$ |
| **05** $\dfrac{1}{2}$ | **06** $\dfrac{2}{9}$ | | **07** A : 8750원, B : 6250원 |
| **08** $\dfrac{1}{6}$ | **09** $\dfrac{3}{10}$ | **10** $\dfrac{59}{125}$ | **11** $\dfrac{5}{7}$ |
| **12** $\dfrac{1}{18}$ | **13** $\dfrac{4}{9}$ | **14** $\dfrac{19}{36}$ | **15** $\dfrac{7}{12}$ |
| **16** $\dfrac{1}{4}$ | | | |

## 01 답 $\dfrac{13}{20}$

6개의 선분 중 3개를 택하는 경우의 수는 $\dfrac{6\times5\times4}{3\times2\times1}=20$

삼각형이 만들어지는 경우는 (2 cm, 3 cm, 4 cm),

(2 cm, 4 cm, 5 cm), (2 cm, 5 cm, 6 cm),

(2 cm, 6 cm, 7 cm), (3 cm, 4 cm, 5 cm),

(3 cm, 4 cm, 6 cm), (3 cm, 5 cm, 6 cm),

(3 cm, 5 cm, 7 cm), (3 cm, 6 cm, 7 cm),

(4 cm, 5 cm, 6 cm), (4 cm, 5 cm, 7 cm),

(4 cm, 6 cm, 7 cm), (5 cm, 6 cm, 7 cm)의 13가지

따라서 구하는 확률은 $\dfrac{13}{20}$

**전략**

삼각형이 되려면 가장 긴 변의 길이가 나머지 두 변의 길이의 합보다 작아야 한다.

## 02 답 $\dfrac{1}{3}$

모든 경우의 수는 $4\times3\times2\times1=24$

왼쪽에서 세 번째에 선 사람의 키가 이웃한 두 사람보다 크려면 4명 중 가장 크거나 두 번째로 커야 한다.

( i ) 세 번째에 선 사람의 키가 가장 큰 경우는 나머지 세 자리에 3명을 한 줄로 세우는 경우와 같으므로 경우의 수는

    $3\times2\times1=6$

(ii) 세 번째에 선 사람의 키가 두 번째로 큰 경우는 첫 번째에 키가 가장 큰 사람을 세우고, 두 번째와 네 번째에 나머지 2명을 한 줄로 세우는 경우와 같으므로 경우의 수는

    $2\times1=2$

( i ), (ii)에서 세 번째에 선 사람의 키가 이웃한 두 사람보다 큰 경우의 수는 $6+2=8$

따라서 구하는 확률은

$\dfrac{8}{24}=\dfrac{1}{3}$

**전략**

왼쪽에서 세 번째에 선 사람의 키가 이웃한 두 사람보다 크려면 4명 중 가장 크거나 두 번째로 커야 한다.

## 03 답 $\dfrac{7}{45}$

모든 경우의 수는 $10\times9=90$

6의 배수는 2의 배수이면서 3의 배수이므로 세 자리의 자연수 $5\boxed{a}\,\boxed{b}$가 6의 배수이려면 $b$의 값은 0, 2, 4, 6, 8 중 하나이고, $5+a+b$의 값은 3의 배수이어야 한다. 이때 $a\neq b$이므로

( i ) $b=0$일 때, $5+a+b=5+a$

    즉 $5+a$의 값이 3의 배수인 경우는 $a=1, 4, 7$의 3가지

(ii) $b=2$일 때, $5+a+b=7+a$

    즉 $7+a$의 값이 3의 배수인 경우는 $a=5, 8$의 2가지

(iii) $b=4$일 때, $5+a+b=9+a$

    즉 $9+a$의 값이 3의 배수인 경우는 $a=0, 3, 6, 9$의 4가지

(iv) $b=6$일 때, $5+a+b=11+a$

    즉 $11+a$의 값이 3의 배수인 경우는 $a=1, 4, 7$의 3가지

(v) $b=8$일 때, $5+a+b=13+a$

    즉 $13+a$의 값이 3의 배수인 경우는 $a=2, 5$의 2가지

( i )~(v)에서 세 자리의 자연수 $5\boxed{a}\,\boxed{b}$가 6의 배수인 경우의 수는

$3+2+4+3+2=14$

따라서 구하는 확률은 $\dfrac{14}{90}=\dfrac{7}{45}$

**다른 풀이** 모든 경우의 수는 $10\times9=90$

백의 자리의 숫자가 5인 6의 배수를 나열하면 504, 510, 516, 522, 528, 534, 540, 546, 552, 558, 564, 570, 576, 582, 588, 594이다. 이때 $a\neq b$이므로 522, 588을 제외하면 세 자리의 자연수 $5\boxed{a}\,\boxed{b}$가 6의 배수인 경우의 수는 14

따라서 구하는 확률은 $\dfrac{14}{90}=\dfrac{7}{45}$

**전략**

6의 배수는 2의 배수이면서 3의 배수이다. 이때 2의 배수는 일의 자리의 숫자가 0 또는 짝수이고, 3의 배수는 각 자리의 숫자의 합이 3의 배수이다.

## 04 답 $\dfrac{7}{36}$

모든 경우의 수는 $6\times6=36$

점 P가 꼭짓점 E에 오게 되는 경우는 주사위의 두 눈의 수의 합이 4 또는 9인 경우이다.

( i ) 두 눈의 수의 합이 4인 경우는 $(1, 3), (2, 2), (3, 1)$의 3가지이므로 확률은 $\dfrac{3}{36}$

(ii) 두 눈의 수의 합이 9인 경우는 $(3, 6), (4, 5), (5, 4), (6, 3)$의 4가지이므로 확률은 $\dfrac{4}{36}$

( i ), (ii)에서 구하는 확률은

$\dfrac{3}{36}+\dfrac{4}{36}=\dfrac{7}{36}$

**전략**

점 P가 꼭짓점 E에 오게 되는 경우는 주사위의 두 눈의 수의 합이 4 또는 9인 경우이다. 이때 두 눈의 수의 합의 최댓값은 12이므로 그 이상은 생각하지 않는다.

## 05 답 $\dfrac{1}{2}$

모든 경우의 수는 $5 \times 4 \times 3 \times 2 \times 1 = 120$

(i) 양 끝에 모두 남학생이 서려면 남학생 3명 중 양 끝에 2명을 세우고 남은 세 자리에 남학생 1명, 여학생 2명을 한 줄로 세우면 되므로 경우의 수는

$(3 \times 2) \times (3 \times 2 \times 1) = 36$

따라서 양 끝에 모두 남학생이 설 확률은 $\dfrac{36}{120} = \dfrac{3}{10}$

(ii) 양 끝에 모두 2학년 학생이 서려면 2학년 학생 3명 중 양 끝에 2명을 세우고 남은 세 자리에 1학년 학생 2명, 2학년 학생 1명을 한 줄로 세우면 되므로 경우의 수는

$(3 \times 2) \times (3 \times 2 \times 1) = 36$

따라서 양 끝에 모두 2학년 학생이 설 확률은 $\dfrac{36}{120} = \dfrac{3}{10}$

(iii) (i), (ii)에서 양 끝에 모두 2학년 남학생이 서는 경우가 중복된다.

즉 양 끝에 모두 2학년 남학생이 서려면 2학년 남학생 2명을 양 끝에 세우고 남은 세 자리에 1학년 학생 2명, 2학년 여학생 1명을 한 줄로 세우면 되므로 경우의 수는

$(2 \times 1) \times (3 \times 2 \times 1) = 12$

따라서 양 끝에 모두 2학년 남학생이 설 확률은 $\dfrac{12}{120} = \dfrac{1}{10}$

(i)~(iii)에서 구하는 확률은

$\dfrac{3}{10} + \dfrac{3}{10} - \dfrac{1}{10} = \dfrac{5}{10} = \dfrac{1}{2}$

> **전략**
> 양 끝에 모두 남학생이 서거나 모두 2학년 학생이 서는 경우의 수를 구할 때 양 끝에 모두 2학년 남학생이 서는 경우의 수가 중복됨에 주의한다.

## 06 답 $\dfrac{2}{9}$

$ax + y - b = 0$에서 $y = -ax + b$

이때 $y = -ax + b$의 그래프가 제4사분면을 지나지 않으려면 오른쪽 그림과 같아야 하므로 $-a > 0$, $b \geq 0$

$\therefore a < 0$, $b \geq 0$

(i) $a$는 $-2$, $-1$의 2가지이므로 확률은 $\dfrac{2}{6} = \dfrac{1}{3}$

(ii) $b$는 0, 1, 2, 3의 4가지이므로 확률은 $\dfrac{4}{6} = \dfrac{2}{3}$

(i), (ii)에서 구하는 확률은

$\dfrac{1}{3} \times \dfrac{2}{3} = \dfrac{2}{9}$

> **전략**
> 일차함수의 그래프가 제4사분면을 지나지 않으려면 (기울기)$>0$, ($y$절편)$\geq 0$이어야 한다.

## 07 답 A : 8750원, B : 6250원

A가 4번째 경기에서 이길 확률은 $\dfrac{1}{2}$,

4번째 경기에서 지고 5번째 경기에서 이길 확률은 $\dfrac{1}{2} \times \dfrac{1}{2} = \dfrac{1}{4}$

따라서 A가 이길 확률은 $\dfrac{1}{2} + \dfrac{1}{4} = \dfrac{3}{4}$, 질 확률은 $1 - \dfrac{3}{4} = \dfrac{1}{4}$이다.

한편 B가 이기려면 4번째, 5번째 경기에서 모두 이겨야 하므로

B가 이길 확률은 $\dfrac{1}{2} \times \dfrac{1}{2} = \dfrac{1}{4}$, 질 확률은 $1 - \dfrac{1}{4} = \dfrac{3}{4}$이다.

따라서 A가 가져야 할 상금은

$10000 \times \dfrac{3}{4} + 5000 \times \dfrac{1}{4} = 8750$(원)

B가 가져야 할 상금은

$10000 \times \dfrac{1}{4} + 5000 \times \dfrac{3}{4} = 6250$(원)

> **전략**
> A, B 두 사람이 이길 확률과 질 확률을 각각 구한 후
> (상금)$= 10000 \times$(이길 확률)$+ 5000 \times$(질 확률)을 이용한다.

## 08 답 $\dfrac{1}{6}$

A반이 B반을 이길 확률이 $\dfrac{3}{5}$이므로 B반이 A반을 이길 확률은

$1 - \dfrac{3}{5} = \dfrac{2}{5}$

B반이 C반을 이길 확률이 $\dfrac{1}{4}$이므로 C반이 B반을 이길 확률은

$1 - \dfrac{1}{4} = \dfrac{3}{4}$

C반이 A반을 이길 확률이 $\dfrac{2}{3}$이므로 A반이 C반을 이길 확률은

$1 - \dfrac{2}{3} = \dfrac{1}{3}$

이때 A반, B반, C반이 각각 부전승으로 결승에 진출할 확률은 $\dfrac{1}{3}$이다.

(i) A반이 부전승으로 결승전에 진출하고 B반이 우승할 경우
오른쪽 그림과 같이 B반이 C반을 이기고 부전승으로 올라온 A반을 이겨야 하므로 확률은
$\dfrac{1}{3} \times \dfrac{1}{4} \times \dfrac{2}{5} = \dfrac{1}{30}$

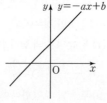

(ii) B반이 부전승으로 결승전에 진출하고 B반이 우승할 경우

① A반이 C반을 이기는 경우
오른쪽 그림과 같이 A반이 C반을 이기고, 부전승으로 올라온 B반이 A반을 이겨야 하므로 확률은 $\dfrac{1}{3} \times \dfrac{1}{3} \times \dfrac{2}{5} = \dfrac{2}{45}$

② C반이 A반을 이기는 경우
오른쪽 그림과 같이 C반이 A반을 이기고, 부전승으로 올라온 B반이 C반을 이겨야 하므로 확률은 $\dfrac{1}{3} \times \dfrac{2}{3} \times \dfrac{1}{4} = \dfrac{1}{18}$

①, ②에서 구하는 확률은 $\dfrac{2}{45}+\dfrac{1}{18}=\dfrac{1}{10}$

(iii) C반이 부전승으로 결승전에 진출하고 B반이 우승할 경우

오른쪽 그림과 같이 B반이 A반을 이기고 부전
승으로 올라온 C반을 이겨야 하므로 확률은

$\dfrac{1}{3}\times\dfrac{2}{5}\times\dfrac{1}{4}=\dfrac{1}{30}$

(i)~(iii)에서 구하는 확률은

$\dfrac{1}{30}+\dfrac{1}{10}+\dfrac{1}{30}=\dfrac{5}{30}=\dfrac{1}{6}$

**전략**

A반, B반, C반이 각각 부전승으로 결승전에 진출하는 경우로 나누어 B반이 우승할 확률을 구한다.

## 09 답 $\dfrac{3}{10}$

(i) A 주머니에서 흰 공을 뽑은 경우

A 주머니에서 흰 공을 뽑을 확률은 $\dfrac{2}{5}$이고, 이때 B 주머니에는 흰 공 3개, 검은 공 3개가 들어 있게 되므로 B 주머니에서 흰 공을 뽑을 확률은 $\dfrac{3}{6}=\dfrac{1}{2}$

따라서 구하는 확률은 $\dfrac{2}{5}\times\dfrac{1}{2}=\dfrac{1}{5}$

(ii) A 주머니에서 검은 공을 뽑은 경우

A 주머니에서 검은 공을 뽑을 확률은 $\dfrac{3}{5}$이고, 이때 B 주머니에는 흰 공 1개, 검은 공 5개가 들어 있게 되므로 B 주머니에서 흰 공을 뽑을 확률은 $\dfrac{1}{6}$

따라서 구하는 확률은 $\dfrac{3}{5}\times\dfrac{1}{6}=\dfrac{1}{10}$

(i), (ii)에서 구하는 확률은

$\dfrac{1}{5}+\dfrac{1}{10}=\dfrac{3}{10}$

**전략**

A 주머니에서 흰 공을 뽑았는지 검은 공을 뽑았는지에 따라 B 주머니에서 흰 공을 뽑을 확률이 달라지므로 A 주머니에서 흰 공을 뽑은 경우와 검은 공을 뽑은 경우로 나누어 구한다.

## 10 답 $\dfrac{59}{125}$

$a, b, c$가 짝수일 확률은 각각 $\dfrac{2}{5}$이고, 홀수일 확률은 각각 $\dfrac{3}{5}$이다.

이때 $a+bc$가 짝수이려면 $a, bc$가 모두 짝수이거나 모두 홀수이어야 한다.

(i) $a, bc$가 모두 짝수인 경우

① $a, b, c$가 모두 짝수일 확률은

$\dfrac{2}{5}\times\dfrac{2}{5}\times\dfrac{2}{5}=\dfrac{8}{125}$

② $a, b$는 짝수, $c$는 홀수일 확률은

$\dfrac{2}{5}\times\dfrac{2}{5}\times\dfrac{3}{5}=\dfrac{12}{125}$

③ $a$는 짝수, $b$는 홀수, $c$는 짝수일 확률은

$\dfrac{2}{5}\times\dfrac{3}{5}\times\dfrac{2}{5}=\dfrac{12}{125}$

①~③에서 구하는 확률은

$\dfrac{8}{125}+\dfrac{12}{125}+\dfrac{12}{125}=\dfrac{32}{125}$

(ii) $a, bc$가 모두 홀수인 경우

$a, b, c$가 모두 홀수일 확률은 $\dfrac{3}{5}\times\dfrac{3}{5}\times\dfrac{3}{5}=\dfrac{27}{125}$

(i), (ii)에서 구하는 확률은

$\dfrac{32}{125}+\dfrac{27}{125}=\dfrac{59}{125}$

**전략**

두 자연수의 합이 짝수이려면 두 수가 모두 짝수이거나 모두 홀수이어야 하고, 두 자연수의 곱이 짝수이려면 두 수 중 적어도 하나는 짝수이어야 한다.

## 11 답 $\dfrac{5}{7}$

(i) A 상자에서 빨간 공을 뽑은 경우

A 상자에서 빨간 공을 뽑을 확률은 $\dfrac{3}{7}$이고 [실행 1]을 하면 B 상자에 빨간 공을 한 개 넣게 되므로 B 상자에 빨간 공이 한 개 있을 확률은 $\dfrac{3}{7}$

(ii) A 상자에서 검은 공을 뽑은 경우

A 상자에서 검은 공을 뽑을 확률은 $\dfrac{4}{7}$이고 [실행 2]를 하면 A 상자에서 1개의 공을 임의로 더 꺼내어 빨간 공을 뽑을 확률은 $\dfrac{3}{6}$이므로 B 상자에 빨간 공이 한 개 있을 확률은 $\dfrac{4}{7}\times\dfrac{3}{6}=\dfrac{2}{7}$

(i), (ii)에서 구하는 확률은

$\dfrac{3}{7}+\dfrac{2}{7}=\dfrac{5}{7}$

**전략**

A 상자에서 뽑은 공이 빨간 공인 경우와 검은 공인 경우로 나누어 B 상자에 빨간 공이 한 개 있을 확률을 구한다.

## 12 답 $\dfrac{1}{18}$

모든 경우의 수는 $6\times6=36$

주어진 연립방정식의 해가 없으려면 $\dfrac{a}{1}=\dfrac{b}{2}\neq\dfrac{3}{1}$이어야 하므로

$2a=b, a\neq3, b\neq6$

따라서 이를 만족하는 순서쌍 $(a, b)$는 $(1, 2)$, $(2, 4)$의 2가지이므로 구하는 확률은

$\dfrac{2}{36}=\dfrac{1}{18}$

**전략**

연립방정식 $\begin{cases} ax+by=c \\ a'x+b'y=c' \end{cases}$ 의 해가 없을 조건은 $\dfrac{a}{a'}=\dfrac{b}{b'}\neq\dfrac{c}{c'}$이다.

**13** 답 $\dfrac{4}{9}$

모든 경우의 수는 $6 \times 6 \times 6 = 216$

$(a-b)(b-c)(c-a) \neq 0$이려면 $a \neq b, b \neq c, c \neq a$이어야 한다.

즉 $a, b, c$가 모두 다른 수가 나오는 경우의 수는 $6 \times 5 \times 4 = 120$

이므로 확률은 $\dfrac{120}{216} = \dfrac{5}{9}$

따라서 구하는 확률은

$1 - \dfrac{5}{9} = \dfrac{4}{9}$

**전략**

$(a-b)(b-c)(c-a) = 0$일 확률은 $(a-b)(b-c)(c-a) \neq 0$일 확률을 이용하여 구한다.

**14** 답 $\dfrac{19}{36}$

모든 경우의 수는 $6 \times 6 = 36$

일차함수 $y = \dfrac{b}{a}x$의 그래프가

$\triangle ABC$와 만나기 위해서는 오른쪽 그림의 색칠한 부분에 있어야 한다.

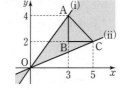

(i) 일차함수 $y = \dfrac{b}{a}x$의 그래프가

점 $A(3, 4)$를 지날 때

$4 = \dfrac{b}{a} \times 3$ $\therefore \dfrac{b}{a} = \dfrac{4}{3}$

(ii) 일차함수 $y = \dfrac{b}{a}x$의 그래프가 점 $C(5, 2)$를 지날 때

$2 = \dfrac{b}{a} \times 5$ $\therefore \dfrac{b}{a} = \dfrac{2}{5}$

(i), (ii)에서 $\dfrac{2}{5} \leq \dfrac{b}{a} \leq \dfrac{4}{3}$이므로 이를 만족하는 순서쌍 $(a, b)$는

$(1, 1), (2, 1), (2, 2), (3, 2), (3, 3), (3, 4), (4, 2), (4, 3),$
$(4, 4), (4, 5), (5, 2), (5, 3), (5, 4), (5, 5), (5, 6), (6, 3),$
$(6, 4), (6, 5), (6, 6)$의 19가지

따라서 구하는 확률은 $\dfrac{19}{36}$

**전략**

일차함수 $y = \dfrac{b}{a}x$의 그래프가 $\triangle ABC$와 만나려면 그래프의 기울기가 가장 클 때는 점 A를 지날 때이고 그래프의 기울기가 가장 작을 때는 점 C를 지날 때이다.

**15** 답 $\dfrac{7}{12}$

(i) 민재가 2가 적힌 부분을 맞히면 주아는 1이 적힌 부분을 맞히면 되므로 확률은 $\dfrac{1}{3} \times \dfrac{1}{4} = \dfrac{1}{12}$

(ii) 민재가 4가 적힌 부분을 맞히면 주아는 1, 3이 적힌 부분을 맞히면 되므로 확률은 $\dfrac{1}{3} \times \dfrac{2}{4} = \dfrac{1}{6}$

(iii) 민재가 9가 적힌 부분을 맞히면 주아는 1, 3, 5, 8 중 어느 숫자가 적힌 부분을 맞혀도 되므로 확률은 $\dfrac{1}{3} \times 1 = \dfrac{1}{3}$

(i)~(iii)에서 구하는 확률은

$\dfrac{1}{12} + \dfrac{1}{6} + \dfrac{1}{3} = \dfrac{7}{12}$

**전략**

민재가 이기려면 민재가 2, 4, 9가 적힌 부분을 각각 맞힐 경우 주아는 맞히면 되는지를 생각한다.

**16** 답 $\dfrac{1}{4}$

화살을 두 번 쏘아서 3점을 얻으려면 (3점, 0점), (2점, 1점), (1점, 2점), (0점, 3점)을 얻어야 한다.

이때 3점을 얻을 확률은 $\dfrac{3}{4} \times \dfrac{1}{9} = \dfrac{1}{12}$,

2점을 얻을 확률은 $\dfrac{3}{4} \times \dfrac{4-1}{9} = \dfrac{3}{4} \times \dfrac{3}{9} = \dfrac{1}{4}$,

1점을 얻을 확률은 $\dfrac{3}{4} \times \dfrac{9-4}{9} = \dfrac{3}{4} \times \dfrac{5}{9} = \dfrac{5}{12}$,

0점일 확률은 $1 - \dfrac{3}{4} = \dfrac{1}{4}$

(i) (3점, 0점)을 얻을 확률은

$\dfrac{1}{12} \times \dfrac{1}{4} = \dfrac{1}{48}$

(ii) (2점, 1점)을 얻을 확률은

$\dfrac{1}{4} \times \dfrac{5}{12} = \dfrac{5}{48}$

(iii) (1점, 2점)을 얻을 확률은

$\dfrac{5}{12} \times \dfrac{1}{4} = \dfrac{5}{48}$

(iv) (0점, 3점)을 얻을 확률은

$\dfrac{1}{4} \times \dfrac{1}{12} = \dfrac{1}{48}$

(i)~(iv)에서 구하는 확률은

$\dfrac{1}{48} + \dfrac{5}{48} + \dfrac{5}{48} + \dfrac{1}{48} = \dfrac{12}{48} = \dfrac{1}{4}$

**전략**

화살을 두 번 쏘아서 3점을 얻으려면 (3점, 0점), (2점, 1점), (1점, 2점), (0점, 3점)을 얻어야 한다.

**STEP 3** | 전교 1등 확실하게 굳히는 문제     pp. 118~120

| **1** $\dfrac{3}{16}$ | **2** $\dfrac{7}{81}$ | **3** $\dfrac{1}{2}$ | **4** $\dfrac{1}{4}$ |
|---|---|---|---|
| **5** $\dfrac{23}{32}$ | | | |

## 1 답 $\dfrac{3}{16}$

모든 경우의 수는 $6 \times 6 \times 6 \times 6 = 1296$

점 $P$가 2에 위치하려면 짝수의 눈이 2번, 홀수의 눈이 2번 나와야 되므로 그 경우는 (짝, 짝, 홀, 홀), (짝, 홀, 짝, 홀),

(짝, 홀, 홀, 짝), (홀, 짝, 짝, 홀), (홀, 짝, 홀, 짝), (홀, 홀, 짝, 짝)이다.

그런데 점 $P$가 $-1$을 지나지 않으므로 첫 번째로 나온 주사위의 눈이 짝수이어야 한다. 즉

(짝, 짝, 홀, 홀), (짝, 홀, 짝, 홀), (짝, 홀, 홀, 짝)의 3가지

이때 짝수의 눈이 나오는 경우는 2, 4, 6의 3가지, 홀수의 눈이 나오는 경우는 1, 3, 5의 3가지이므로 (짝, 짝, 홀, 홀),

(짝, 홀, 짝, 홀), (짝, 홀, 홀, 짝)이 나오는 경우의 수는

$3 \times (3 \times 3 \times 3 \times 3) = 243$

따라서 구하는 확률은

$\dfrac{243}{1296} = \dfrac{3}{16}$

### 다른 풀이

점 $P$가 2에 위치하려면 짝수의 눈이 2번, 홀수의 눈이 2번 나와야 되는데 점 $P$가 $-1$을 지나지 않으므로 첫 번째로 나온 주사위의 눈이 짝수이어야 한다. 즉

(짝, 짝, 홀, 홀), (짝, 홀, 짝, 홀), (짝, 홀, 홀, 짝)의 3가지

이때 짝수의 눈이 나오는 경우는 2, 4, 6의 3가지이므로 확률은 $\dfrac{3}{6} = \dfrac{1}{2}$이고, 홀수의 눈이 나오는 경우는 1, 3, 5의 3가지이므로 확률은 $\dfrac{3}{6} = \dfrac{1}{2}$이다.

따라서 구하는 확률은

$3 \times \left( \dfrac{1}{2} \times \dfrac{1}{2} \times \dfrac{1}{2} \times \dfrac{1}{2} \right) = \dfrac{3}{16}$

### 전략

첫 번째로 나온 주사위의 눈이 홀수이면 점 $P$가 $-1$에 위치하게 되므로 점 $P$가 $-1$을 지나지 않고 2에 위치하려면 첫 번째로 나온 주사위의 눈이 짝수이어야 한다.

## 2 답 $\dfrac{7}{81}$

A팀이 우승하는 경우는 다음과 같다.

(i) ㈎, ㈏, ㈐ 세 경기에서 모두 이기는 경우

$\dfrac{1}{3} \times \dfrac{1}{3} \times \dfrac{1}{3} = \dfrac{1}{27}$ ...... 30%

(ii) ㈎ 경기에서 이기고 ㈏ 경기에서 지고 ㈑, ㈐ 두 경기에서 모두 이기는 경우

$\dfrac{1}{3} \times \left( 1 - \dfrac{1}{3} \right) \times \dfrac{1}{3} \times \dfrac{1}{3} = \dfrac{2}{81}$ ...... 30%

(iii) ㈎ 경기에서 지고 ㈐, ㈑, ㈐ 세 경기에서 모두 이기는 경우

$\left( 1 - \dfrac{1}{3} \right) \times \dfrac{1}{3} \times \dfrac{1}{3} \times \dfrac{1}{3} = \dfrac{2}{81}$ ...... 30%

(i)~(iii)에서 구하는 확률은

$\dfrac{1}{27} + \dfrac{2}{81} + \dfrac{2}{81} = \dfrac{7}{81}$ ...... 10%

### 전략

A팀이 우승하는 경우를 모두 구하여 각각의 확률을 구한다.

## 3 답 $\dfrac{1}{2}$

주어진 입체도형은 한 모서리의 길이가 1인 정육면체

$8 \times 8 \times 8 - 2 \times 2 \times 8 = 480$(개)로 이루어져 있다.

이 중에서 한 면만 색칠된 부분은 다음과 같다.

(i) 큰 정육면체의 6개의 면 중 구멍이 뚫리지 않은 면의 경우

구멍이 뚫리지 않은 4개의 면에서 한 면 만 색칠된 작은 정육면체는 오른쪽 그림 과 같으므로

$(6 \times 6) \times 4 = 144$(개)

(ii) 큰 정육면체의 6개의 면 중 구멍이 뚫린 면의 경우

구멍이 뚫린 2개의 면에서 한 면만 색칠 된 작은 정육면체는 오른쪽 그림과 같으 므로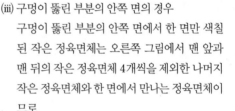

$(6 \times 6 - 2 \times 2 - 8) \times 2 = 48$(개)

(iii) 구멍이 뚫린 부분의 안쪽 면의 경우

구멍이 뚫린 부분의 안쪽 면에서 한 면만 색칠 된 작은 정육면체는 오른쪽 그림에서 맨 앞과 맨 뒤의 작은 정육면체 4개씩을 제외한 나머지 작은 정육면체와 한 면에서 만나는 정육면체이 므로

$(2 \times 6) \times 4 = 48$(개)

(i)~(iii)에서 한 면만 색칠된 작은 정육면체의 개수는

$144 + 48 + 48 = 240$

따라서 구하는 확률은

$\dfrac{240}{480} = \dfrac{1}{2}$

### 전략

(i) 큰 정육면체의 6개의 면 중 구멍이 뚫리지 않은 면

(ii) 큰 정육면체의 6개의 면 중 구멍이 뚫린 면

(iii) 구멍이 뚫린 부분의 안쪽 면

의 3가지 경우로 나누어 한 면만 색칠된 작은 정육면체의 개수를 구한다.

## 4 답 $\dfrac{1}{4}$

$m = 1, 2, 3, \cdots, 10$일 때, $3^m$의 일의 자리의 숫자는 차례로 3, 9, 7, 1, 3, 9, 7, 1, 3, 9이고 $n = 1, 2, 3, \cdots, 10$일 때, $4^n$의 일의 자리의 숫자는 차례로 4, 6, 4, 6, 4, 6, 4, 6, 4, 6이다.

이때 $3^m + 4^n$이 5로 나누어 떨어지는 경우는 다음과 같다.

(ⅰ) $3^m$의 일의 자리의 숫자가 9이고 $4^n$의 일의 자리의 숫자가 6인 경우

$m=2, 6, 10$이고 $n=2, 4, 6, 8, 10$일 때, $3^m+4^n$의 일의 자리의 숫자가 5가 되므로 확률은

$$\frac{3}{10} \times \frac{5}{10} = \frac{3}{20}$$

(ⅱ) $3^m$의 일의 자리의 숫자가 1이고 $4^n$의 일의 자리의 숫자가 4인 경우

$m=4, 8$이고 $n=1, 3, 5, 7, 9$일 때, $3^m+4^n$의 일의 자리의 숫자가 5가 되므로 확률은

$$\frac{2}{10} \times \frac{5}{10} = \frac{1}{10}$$

(ⅰ), (ⅱ)에서 구하는 확률은

$$\frac{3}{20} + \frac{1}{10} = \frac{5}{20} = \frac{1}{4}$$

**전략**

$3^m+4^n$의 일의 자리의 숫자가 0 또는 5이면 5로 나누어 떨어지므로 $m=1, 2, 3, \cdots, 10$일 때, $3^m$의 일의 자리의 숫자와 $n=1, 2, 3, \cdots, 10$일 때, $4^n$의 일의 자리의 숫자를 각각 구한다.

## 5 $\oplus$ $\dfrac{23}{32}$

공이 A로 나올 확률은 $\dfrac{1}{2} \times \dfrac{1}{2} = \dfrac{1}{4}$

공이 B로 나오는 경우는 오른쪽 그림과 같으므로 확률은

$$\frac{1}{2} \times \frac{1}{2} + \frac{1}{2} \times \frac{1}{2} = \frac{1}{4} + \frac{1}{4} = \frac{2}{4} = \frac{1}{2}$$

공이 C로 나올 확률은 $\dfrac{1}{2} \times \dfrac{1}{2} = \dfrac{1}{4}$

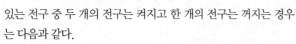

공 4개를 연속으로 넣었을 때, A, B, C에 있는 전구 중 두 개의 전구는 켜지고 한 개의 전구는 꺼지는 경우는 다음과 같다.

(ⅰ) 2개의 공은 같은 곳으로 나오고, 2개의 공은 나머지 두 곳으로 각각 나오는 경우

① A로 나오는 공이 2개, B, C로 나오는 공이 각각 1개인 경우

4개의 공이 A, B, C로 나오는 경우의 수는

$$\frac{4 \times 3 \times 2 \times 1}{2 \times 1} = 12$$이므로 확률은

$$\left\{ \left( \frac{1}{4} \right)^2 \times \frac{1}{2} \times \frac{1}{4} \right\} \times 12 = \frac{3}{32}$$

② B로 나오는 공이 2개, A, C로 나오는 공이 각각 1개인 경우

①과 마찬가지로 경우의 수는 12이므로 확률은

$$\left\{ \frac{1}{4} \times \left( \frac{1}{2} \right)^2 \times \frac{1}{4} \right\} \times 12 = \frac{3}{16}$$

③ C로 나오는 공이 2개, A, B로 나오는 공이 각각 1개인 경우

①과 마찬가지로 경우의 수는 12이므로 확률은

$$\left\{ \frac{1}{4} \times \frac{1}{2} \times \left( \frac{1}{4} \right)^2 \right\} \times 12 = \frac{3}{32}$$

①~③에서 구하는 확률은

$$\frac{3}{32} + \frac{3}{16} + \frac{3}{32} = \frac{12}{32} = \frac{3}{8}$$

(ⅱ) 3개의 공이 같은 곳으로 나오고, 1개의 공은 나머지 두 곳 중 한 곳으로 나오는 경우

① A로 나오는 공이 3개, B 또는 C로 나오는 공이 1개인 경우

4개의 공이 A, B 또는 A, C로 나오는 경우의 수는 각각

$$\frac{4 \times 3 \times 2 \times 1}{3 \times 2 \times 1} = 4$$이므로 확률은

$$\left\{ \left( \frac{1}{4} \right)^3 \times \frac{1}{2} + \left( \frac{1}{4} \right)^3 \times \frac{1}{4} \right\} \times 4 = \frac{3}{64}$$

② B로 나오는 공이 3개, A 또는 C로 나오는 공이 1개인 경우

①과 마찬가지로 경우의 수는 각각 4이므로 확률은

$$\left\{ \frac{1}{4} \times \left( \frac{1}{2} \right)^3 + \left( \frac{1}{2} \right)^3 \times \frac{1}{4} \right\} \times 4 = \frac{1}{4}$$

③ C로 나오는 공이 3개, A 또는 B로 나오는 공이 1개인 경우

①과 마찬가지로 경우의 수는 각각 4이므로 확률은

$$\left\{ \frac{1}{4} \times \left( \frac{1}{4} \right)^3 + \frac{1}{2} \times \left( \frac{1}{4} \right)^3 \right\} \times 4 = \frac{3}{64}$$

①~③에서 구하는 확률은

$$\frac{3}{64} + \frac{1}{4} + \frac{3}{64} = \frac{22}{64} = \frac{11}{32}$$

(ⅰ), (ⅱ)에서 구하는 확률은

$$\frac{3}{8} + \frac{11}{32} = \frac{23}{32}$$

**전략**

공이 A, C로 나올 확률은 각각 $\dfrac{1}{4}$, B로 나올 확률은 $\dfrac{1}{2}$임을 이용한다.

최강

# TOT

정답과 풀이

# 교육의 변화는 이미 시작되고 있습니다

### - 수학의 미래를 고민하는 사람들, 수미고 이야기

천재교육에는 특별한 모임이 있습니다.

수학 연구 · 개발 분야의 베테랑이 모인

'수미고(수학의 미래를 고민하는 사람들)' 회의가 그것이지요.

아무리 바쁘더라도 일주일에 한 번은 꼭 모여

수학의 미래를 함께 고민하고 토론하는 자리를 가집니다.

우리 교육을 더 강하게 만드는 힘은

한 발 앞선 생각과 발 빠른 혁신에서 온다는 믿음이 있기 때문이죠.

1981년 <해법수학>부터 지켜온 수학 강자의 명성은

어제, 오늘, 그리고 내일까지 이렇게 이어지고 있습니다.

오늘의 도전이 내일의 희망으로 돌아온다고 믿는

한결같은 진심, 변하지 않겠습니다.